JN050267

都筑道夫の小説指南

増補完全版

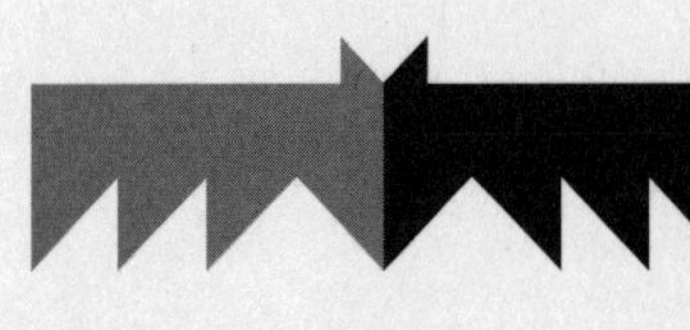

都筑道夫

中央公論新社

目次

エンタテインメント小説の書き方を伝授しよう――7

都筑道夫の小説指南――63

わが小説術

対話篇 ―― 349

都筑道夫の小説指南——増補完全版

エンタテインメント小説の書き方を伝授しよう

第1講　ウォーミングアップ

つねに読みなれた読者を念頭に置いて書け

　エンタテインメント小説とは、読んで字のごとく、自分が楽しむより先に読者を楽しませる小説と、僕は考えています。

　そうはいっても、どんな作家だって、読者というものをはっきりとはつかめていないと思いますから、結局、自分に似た読者を楽しませるということになってしまいますね。

　もっと、ざっくばらんないい方をしてしまえば、人のために書く、それによって報酬を得る、お金のために書く小説ということになるでしょうね。

　ただ、ある人が大変おもしろがる小説が、別の人にはおもしろくも何ともないということがある。そこが書くほうにとっては、最大の問題です。常に手さぐりで、迷って、迷ったあげく、自分でなければ書けないようなものを発見した時に、本当のエンタテインメントが生まれるような気がしてるんです。

　それがいつ発見できるか？　一回発見したつもりになっても、しばらくたつと、これじゃないというふうになって、死ぬまで手さぐりで書いていく、ということだろうと思います。

　僕はつねに、小説をたくさん読んでいる読者というものを、頭において書いています。そうすれば、それほど読んでいない読者も楽しませることができると、思うんです。読みなれた読者と読みなれない読者のどこが一番違うかというと、読みなれた読者というのは、おもしろいストーリイというだけではなくて、それがどのように語られているか、ということを問題にしていると思うのね。だから、たくさん読んでいる読者を頭において書けば、初心の読者もある程度は満足させ得ると思います。

ただ、小説の世界というのは法則がなくて、そうであろうとか、そうであるべきだとか、そうであるに違いないといっても、常に例外のほうが、たくさんあって、本来、小説には書きかたなんてないんですね。だから、おもしろいということにもなるんだろうけれど。

とはいっても、早手まわしに小説が整えられる技術というものが、一応あるわけです。その人の作風とか、ものの考え方とは無関係に、基本的な形がありまして、そういうのは人に教えられるだろうと思うの。推理小説でいえば、どのへんであやしげな人物を出すべきかとか、どのへんで容疑者をしぼっていくかとか、そういった基本的なことですね。

ストーリイのパターンはたくさん覚え込め

これからエンタテインメントを書こうという人が、まず考えなければならないのは、やっぱり、おもしろいストーリイをつくるにはどうすればいいかということだろうと思うんだけれども、それは、これまで自分が読んできた小説の中でどういうものが一番おもしろかったか、それを考えて、それから自分が一番おもしろかった小説の形の中で、今まで自分が読んだことのないストーリイを考える、ということでしょうね。

昨年の下半期は、僕は体の具合を悪くして、去年あたりから比べると、ずいぶん書く量が減ってるんだけども、それでも大小とりまぜて、毎月六つか七つお話を作ってるわけですよね。まあ、五つとしてもね、一年に六十、お話をつくるわけでしょう。六十って一口にいうけれど、それが全部違ってなきゃいけないのね。

そうすると、自分の体験だけじゃあ、間にあわない。一人の人間が体験しうる人生というものは、非常に限りがあるでしょう？　ことに、これは日本だけの現象なんだけれども、こんなにたくさんのお話を、あとからあとから作っていかなければならないような形で仕事をしていると、それほど新しい体験をする余裕がないわけね。

頭の中に、いくつかパターンをつめていて、そのパターンのいろんな組みあわせによって、ドラマをたくさんつくっていくということになります。だから、僕はエンタテインメントを書こうと志す人には、ストーリイのパターンをたくさん覚え込むということを、まず第一に勧めたいですね。

　それにはどうすればいいかというと、例えば、その人が次から次へといろんな職業について、いろんな人に会って、ということができりゃいいけれども、それができない場合には、やっぱり小説をたくさん読むことじゃないかな。いろんなパターンを自分の中にコレクションして、それをいろんな形に組みあわせてだしていくということですね。

　でも、キミは何歳だからこれまでに何冊の本を読んでおくべきだ――そういう目安の立たないところが、小説を書くという仕事のおもしろさで、エンタテインメントの非常にすぐれた書き手が、たくさん小説を読んでいるかというと、そうでもない場合もあるんですね。小説なんてひとつも読まない人が、あとからあとから、おもしろいお話を書いている例も、ないわけではない。けれども、そういうのは例外中の例外だと考えたほうが、無難だと思いますよ。

日本の作品より翻訳ものを読んだほうがいい

　今は、実におびただしい数の作品が出版されてて、それが文庫本というような形で、非常に廉価に手に入る。その時僕がおすすめしたいのは、まず、日本の作品を読むよりは、翻訳ものを読んだほうがいいだろうということですね。

　ことにＳＦとかミステリイを志すんだったらば、日本の作家のものは読む必要がないんじゃないか、といってもいいだろうと思う。というのはね、僕自身も含めて、おそらく世界中で一番追いたてられて仕事をしているのは、日本の作家だと思うんですね。そうすると、どんなに神経の細かな人でもね、どこかがルーズになってきますよね。

　最初から、ただ分かりやすい文章で、おもしろい話を、おもしろおかしく書いているものを読むよりも、非常に神経の細かく通った文章で、非常にていねいに書かれた作品を、たくさん読むべきだろうと思うね。基礎を身につけてしまったあとならば、どんなものを読んだって薬になるだろうけれど、あまり最初から、イージーゴーイングな、書きっぱなしの小説は読まない方がいいだろうと思いますね。

　ていねいな小説を、ていねいに読む、ということになるけど、ただそれも限度があって、ある時期には非常にたくさん読んだ方がいいんで、細かいところを味わうよりも、全体を把握するということを心がけた方がいいかもしれない。

ただ、僕自身の経験ではね、翻訳出版の編集者だった時に、一日に五、六冊読まなきゃならないような時期があって、その時に読んだ小説っていうのは、自分の薬になっているかどうかというと、それはちょっと考えもののような気がするんだ。ま、これは、英語で読んだというせいもあるんだろうけど……。たくさん読んだほうがいいからといって、一日十冊、斜めに読むようなことはしないほうがいいような気もしますね。

資料として読む本については、自分が書きたいジャンル、それを専門にしようと心がけたら、その専門知識は豊富であればあるほどいいということは、確かにいえます。

ただ、エンタテインメントの場合には、専門知識っていうのは、あとから調べてつけたせるんですよね。

たとえば、イギリスにジョン・クリーシイという、非常に多作な作家がいた。一日に一冊づつ新作が出たというゴシップもあるくらいの人だけれども、彼が来日した時話を聞いたら、何かある専門知識を必要とする舞台を選んで小説を書く時でも、ほとんど調べないといっていましたね。読者の全部がその専門知識を持っているわけじゃない、専門家が読んでも、それほど間違っていないというふうにできあがりがなっていればいいので、普通の常識で書いていって、それらしさをつけ加えるためにあとで調べて、ディテールを補足すればそれでいい、そういうことをいっていましたね。

というのは、現在みたいにいろんな職業が非常に細かく分化してしまってね、専門知識というものが深く広がってくると、そういうものに頼ったミステリイなんてものを書いてしまうと、それこそ、その分野の人しかおもしろがらない、ということになりかねないですからね。根本的なストーリイを支えているものは、ごく一般的な常識でいいんだろうと思う。それらしさを出すために、登場人物を生き生きと描くために、専門知識が必要なんじゃないかな。

自分のまわりの人間をモデルに書きはじめろ

小説というのは、文字どおり小さな説であって、あまり大きなことは取り上げられないんですよね。規模の大きな小説が世界的な流行になっているんだけど、その規模の大きなエンタテインメントを支えているのは、一人一人の小さな人間でね、その人間がよく書けてなければ駄目だと思うんです。はじめから、こんな大きなことをやったら受けるだろうということは考えないで、自分の周囲から、書きはじめたほうがいいような気がしますね。自分のよく知っている人間、自分に書けるところから始めろということです。

それは、主人公の人物設定に無理がないということでもあるけど、ただそれは長篇の場合であって、短篇小説の場合だと、主人公の職業が何であろうと、主人公の職業を書かなくとも成り立つ場合がありますからね。というのは、短篇小説は人物より先に、そこで語られる出来事というのが主ですからね。その出来事の中に巻き込まれて右往左往する人間というのは、ただの人間Aであり、Bであり、ばくぜんとした人格でもいいわけです。もちろん、性格がなくてもいいということではありませんけどね。

しかし、長篇となるとそうはいかない。人間の生活というものがはっきり作者の頭の中にないと、長い話は持ちこたえられないということがあるから。

話が主人公のことになってきたけど、魅力ある主人公をいかにつくるかということは、難しくてねえ、今だに僕はわからないとしかいいようがないなあ。

ただひとつだけはっきりいえることは、大長篇やシリーズものの主人公である場合には、どこかに穴をあけておいて、読者が自由に入りこめるということが必要でしょうね。あんまりすべてを書ききってしまわない。特にエンタテインメントの主人公というのは、しばしば読者がその主人公になって読んでいますからね。読者が創作する余地のない主人公というのは、作っちゃいけないといえるかもしれない。

エンタテインメントというのは、ある意味で、作者と読者の共同制作なんですね。共同制作になり得る部分が、非常にうまく作ってある作品というのが、成功するんだろうと思います。一口でいえば、読者の感情移入しやすい人物、ということでしょう。

奇抜な話を自然にいかにも本当らしく語れ

エンタテインメントのジャンルの中で、一番新人が出やすいのは、ミステリイとSFでしょうね。そのほかのジャンルだって、いろんな雑誌で新人を募集していますから、敗戦後三十年間で、今が一番新人の出やすい時期じゃないのかな。

ジャーナリズムもそれを望んでいるしね。それと、だんだん小説家まで、歌手やタレントと同じような感じになってきましたねえ。これからもどんどん、そうなっていくでしょう。

常に門戸は開放されている。だけど、逆にいえば、うかつに出ていくとたちまちボロボロにされちゃうということなんでね。だから基本というものをしっかり身につけて、絵でいえば、デッサンがちゃんとできるようになってから、タブローを描くべきだと思うんですね。小説家というのは、一番つぶしのきかない職業ですから、五、六年やってその世界に浸り込んでしまってから書けなくなっちゃったりするとねえ……。

このところ、若い人の原稿をたくさん拝見する機会があって、それに共通する、なぜいいものができないかという一つの理由は、やっぱりお話が平凡すぎるんですね。もっと、突飛な話を考えて、その突飛な話を自然に語る、いかにもありそうに語るというのが、書き方の面におけるエンタテインメントのありかただと思うんです。とくに、ＳＦとか怪奇小説、ミステリイとかは。

ＳＦっていうのは、難しいねえ。ＳＦで未来社会を描いても――未来社会がどんなに現在と隔たっているか、どんな特殊性を持っているかということをね、いくら具体的に描写しても、だめな気がしますね。生活の変化を一所懸命描写するよりも、そこでどんなことが起こるかということに重点をおいたほうがいい。

ところが、どうしてもＳＦを書き始めた若い人というのは、自分の作った未来社会を説明したくてしょうがないのね。でも、たいがいの人が考える未来社会というのは、誰かが書いているんですよ。すでに誰かが書いている――それを、ＳＦに限らず、ミステリイでも何でも、まず、頭においておく必要があるね。

それから、若い人の原稿を見ると、結局自分自身と対話しているだけだということがありますね。

文章というのは恐しいもので、息づかいが出るんですね。例えば非常に緊張した場面を、それこそ息をつめて書いている、その緊張がちゃんと、伝わってくる。ここで息を抜いたなとか、ここはいいかげんに書いたなとか、すぐわかってしまう。書き手が息づかいを整えないと、読者が完全に、作者のペースに引きずられて読むということにはならないですね。

第2講　登場人物はどう創るか

小説の登場人物の創り方には、一定のルールはないんですよ。現実に生きている人間を描くように、それぞれを描いていけばいい。だけど、推理小説とかＳＦのような、ある特定の興味をねらったエンタテインメントの場合は、やっぱり現実の人間をそのまま描くだけでは不足で、そこには何かが必要になると思います。

僕がたいがいの場合やっているのは、主人公に、作者からも読者からも完全に離れて生きた人間のような、あまりに複雑な生き生きとしたキャラクターを与えない、といったことです。どこかを、たとえば絵でいえば、服装なんかはきっちり描くんだけれど、顔の目鼻立ちを、わざと描いておかないというようなことですね。エンタテインメントの場合には、読者がその主人公に入り込む余地を残しておかなければいけませんから。

ことに推理小説のような場合には、主人公の探偵役の人物より、容疑者たちや被害者などのまわりの人物の方が大切であって、つまり主人公は、読者がものを見ていく窓の役目を果たすんですね。

ＳＦの場合は、主人公が単なる窓であってはいけない場合が多いんだけれども、それでもあまり、完全な独立した人格ではなくて、三分の一か、ある場合には三分の二までは窓である要素を残しておく必要があると思います。

僕の場合、だいたい平凡で、どこか一ヵ所だけ変わっているという、そういう人物を創り出すようにしてますけどね、というのは、シリーズ・キャラクターとして、何度も同じ主人公を使うことがあるんですね。

シリーズキャラクターというのは、ことに透明度を強くしておかないといけないような気がするんです。
一つひとつはあまり詳しく描いてないんだけれど、積み重ねて読むと、読者の分身以上の何かが、そこに浮かび上がってくる――というように描けたら、一番理想的なんじゃないかな。

長篇では、主人公より脇役を工夫すること

長篇小説の場合には、主人公よりもむしろ副主人公、脇役の方が大事なんですね。明治以来の日本の大衆小説では、映画でいえば、うまい脇役スターのなるような役が、非常に工夫されています。たとえば、吉川英治の『宮本武蔵』における佐々木小次郎とか、本位田(ほんいでん)又八(またはち)ですが、こういう人物をうまく配置することで、主人公が生きるんですね。

だから大衆小説の主人公というのは、主人公それ自体で出してはいけなくて、読者の目と、脇役によって生きてくるというように書くのが、一番読者に受け入れられやすいと思います。

ところが、シャーロック・ホームズものなんかですと、脇役のワトスンはおとなしい描写で、むしろ主人公のホームズの方が、いろいろ誇張して描かれていますね。あのへんが日本のエンタテインメントと、むこうのものとの、一番はっきりした違いでしょう。

こういうホームズとワトソンタイプの小説は、日本では一番捕物帳に生かされているんだけれども、そういうものが日本に入ってくると、たとえば銭形平次よりガラッ八(ぱち)の方が生き生きと描かれ、銭形平次はきわめて理想的な人物になっている。この生かし方の方が、やはり、日本では読者に受け入れられるんですね。そういうところに気を使って、おもしろい脇役を創ることが大切でしょう。

僕は、推理小説では、非常に伝統的なスタイルを守って、古い皮袋に新しい酒を入れるという書き方をしていますけれど、SFの場合は、逆に新しい皮袋に古い酒を入れるという形で書いています。一応外側の装いは新しいんだけれど、中身は伝統的な、大衆小説の図式を守って創っている、ということですね。『銀河盗賊ビリイ・アレグロ』でいうと、これはストーリイの方が先にできて、人物は後から創っていったものなんだけれど、あまり人物がかたまらないうちに、作者自身があきてしまったようなところがあってね。あまり

に大衆小説的おもしろさだけを狙い過ぎたんで、少してれくさいんです。

まあ、読者がおもしろがってくれたんで、あれは、あれでよかったと思うけれども、人物を創るといった点では、それほど成功しているとは思ってませんね。

主人公のビリイ・アレグロよりも、わきで出てくる超能力を持った蛇である、ダイジャとか、片目のダキニなど、他の登場人物の扱い方のほうに苦心しました。ことにダイジャは扱うのにむずかしい脇役で、少し持ち扱った気味がありますね。

最初の予定では、本当に何を考えているか分からない、何でもできるのに、わざとしなかったりするような、そういう得体のしれない、おもしろさを出そうとしたのだけれど、そういうキャラクターを主人公側につけておくと、大変なお荷物になるんですよ。だから、あのダイジャなんかは、長篇的なキャラクターだと思います。短篇に使うには無理なキャラクターを、強引に使ってしまった気がするわけ。

『暗殺心(アサッシン)』もやっぱり、ストーリイが先ですね。連作短篇というと、どうしてもストーリイが先で、人物は後になります。ただ、あれは妙なミソがあって、日本の忍者ものみたいな小説を、外国人がファンタスティックノベルを書くようなつもりで書いたらどうなるだろうかという、そういう試みなんですね。

各人物に生きる姿勢が付与されていればいい

僕は、人物が勝手に動いてどうにもならないというタイプの小説は、めったに書かないんです。特にこのところ、三、四年長篇を書いていなくて、全部シリーズ・キャラクターだから、人物よりもそこで起こる事件、そっちが主になっているんですね。まあ、短篇というのは、そうあるべきなんだと思います。

短篇というのは、人物があやつり人形のような、パターンであっても書けるんですが、長篇になるとこれはもう、キャラクターを創り出す才能がないと書けませんね。

ただ、エンタテインメントの場合、特にSFとか冒険小説などは、快適なテンポでストーリイが発展していく、つまり読者に次のページをめくらさずにはおかない、ストーリイ展開のリズムというものが必要なわけで、そうなると、長篇でも冒険小説で千枚、二千枚はまず無理ですよね。どんなに長くても千枚以下、普通五、六百枚くらいになります。

その五、六百枚のSF、冒険小説の中で、たくさんのキャラクターを、そう生き生きとは描ききれるものじゃないですね。一種の生きる姿勢みたいなものが、各人物に付与されていれば、それでいいんじゃないかという気がします。

それとSFでもミステリイでも長篇の場合、ほんのちょっとしか出てこない人物を工夫して、妙な癖を与えたり、あるいは、およそ哲学など語りそうもない人間に、妙に哲学者めいた風格を与えるとか、非常に矛盾した感じで、際立ったキャラクターを与えた人物をちょっとだけ出すと、その人物が生き生きしていることによって、他の人物までが生きて見えてくるということがありますね。

だから長篇の時には、そういう人物を、必ずどこかに、一ヵ所か二ヵ所、出すように工夫しています。もっとも、そういうことを初めから意識的にやろうとすると、嫌みになるんでしょうけれど。

主要人物は、三人くらいにしぼった方が無難

最初のうちは、あまりたくさんの人物を、一ぺんに書こうとしない方がいいですね。小説を書き始めて二年や三年で、十人の会話を描き分けるなんて、そんなことはできるはずないんで、といって、一人だけしか人物が出てこない小説というのも、ものすごくむずかしいわけですね。二人だけというのは単調になってしまいがちですから、最初は、三人くらいの主要人物で話が展開する、ストーリイを考える方が無難だと思います。三人くらいだったら、何とか描き分けられますからね。

世界的に、エンタテインメントというのは、人間本位というか、キャラクターを描く小説になりつつあるんですけれど、ただ日本では、どうしても職業作家というのは、短篇が主になる場合が多いから、まだまだ、それほどキャラクターで描いていくというふうにはならないだろうと思います。

まあ、小説というのは、エンタテインメントだろうが純文学だろうが、使い古された言葉だけれども、〝人間を描く〟というのが第一のはずなんでね、やっぱり、そのキャラクターを創るということを、なおざりにしてはいけない。けれど、意識的になおざりにするような形で勉強していくということが、ひとつの手

段として有効なんじゃないかなと、僕は思っているわけです。

僕がいう小説作法とは、ずるをする方法なんですよ。なるだけ労を少なくして、お金になるようなものを書こうというんだけれど、ただそういうことが分かっていても、自分ではなかなかそれができないんですね。妙な苦労して、原稿書いたりね。でもそれは、ある意味では僕の楽しみになっていて、こういう人物を書いてやろうとか、こういう話を書いてやろうという以外に、こういう書き方をしてやろうとかいうのがあって、そこが作者としては楽しいんですね。

たとえば、ミステリイでいえば、まったくどういう事件だか分からない事件を扱わざるを得なくなった探偵の話を、分からない、全部があいまいであるという形で書いてみよう、とかね。本当に一ヵ所しか分からない、その一ヵ所から、分からないところを想像していく、そういう小説を書いてみようということがあるんです。

それが、考えた時は実に楽しいんだけれど、実際に書き始めると、これは無理だったというようなことになってしまって……たいがいの場合、自分の満足のいくようには仕上がらないですね。

古い大衆小説のパターンを、うまく応用しよう

人物づくりの、もう一つずるい方法をいえば、大衆小説のいろいろ有名なキャラクターを寄せ集めて、小説を書いてみるという手があるんですよね。

シャーロック・ホームズみたいな人間を主人公にして、脇役にアルセーヌ・ルパン、最初に出会う人間が、エルキュール・ポワロだというようなね、それを、ポワロやルパンと書くのではなくて、つまり、モーリス・ルブランがルパンを描いたようなタッチで、そういう人物を描く。ホームズみたいな、いろんな癖をくっつけた人物を創ってみる。ものまねをやるわけです。

大衆小説というものは、いくつかの決まったパターンがあって、たいがいその同じパターンで書いているんですね。

一つひとつ、細かく検討してみると、たとえば吉川英治の『宮本武蔵』（一九三五―三九）と、富田常雄の『姿三四郎』（一九四二―四五）というのは、まったく同じパターンで小説を書いているのね。ああいうふうに、パターンをうまく応用すれば、誰も『姿三四郎』

が『宮本武蔵』の焼き直しだとは、いわないんですね。

なぜ僕が、しばしば古めかしい小説を持ち出すかというと、日本のエンタテインメントというのは、根本的にはちっとも進歩していないんですよ。ただ単に風俗が違う、登場人物の考え方が違っているように見えるだけで、内容的にはぜんぜん進歩はしていない。

もっとも日本だけでなくて、西洋のエンタテインメントでも、何年かおきに同じパターンが出てくるんですけどね。そのいい例がフォーサイスだと思います。『ジャッカルの日』や、『戦争の犬たち』なんか、そこに詰め込まれている情報は、今日のものなんだけれども、登場人物や人物の動きなんか、百年、二百年前の大衆小説のそれですね。

古い小説の、ことに日本の場合、戦前から敗戦直後ぐらいにかけての、いわゆる大衆小説という言葉が非常に力を持っていた時代の大衆小説は、パターンが非常に読みとりやすい形で出ているんですね。外国の大衆小説でも日本のものでも、新しくなるにつれてだんだんうわべの新しさがつけ加わっているから、パターンも読みとりにくくなっているんで、読みとりやすいものから手早くコツを読みとった方が、いいような気がします。

『宮本武蔵』なんか、どういうところで人物を出すとか、どこで人物を消すかとか、そういうことのお手本みたいなものですね。

ことにこれから小説を書こうという人に、一番お手本になるだろうと思うのは、傍系の人物、たとえば青木丹左衛門なんて人物が、次第しだいに落魄(らくはく)していきながら、実に効果的なところで、チョコッと出てくるでしょ。ああいう出し方のうまさっていうのは、あれはうまく盗みとってもらいたいテクニックのひとつですね。

ペンネームは、あとあとのことも考えてつける

小説を書くというのは、やっぱり大変なことなんですよね。今、新人に門戸は広く開放されているけれど、なにか、簡単にお金になるならやって、ならなければやめる、みたいな風潮があるような気がしてねえ。小説家ってものは、なりたくて、一所懸命がんばってみて、なるものだと思うんだけれど。

ペンネームのつけ方ひとつでも、自分がこれから小説を書いて、何年もやっていく気があって、本気でつ

けているのかな、と疑いたくなるようなのがありますね。

たとえば、ナンセンス小説しか書けないようなペンネームを、平気でつけてくる。最初はナンセンス小説を書く、それはそれでいいのだけれど、数年経って、アイディアにつまって、何かほかに手を出さざるを得なくなった時、その時にはそのヘンテコなペンネームでは書けないことになる。

ペンネームを小説のタイプに合わせて取り替えるというのは、日本では大変な損なんですよ。名前を覚えてもらうというのは、一番大事なことなんだから。そういうふうに、全体のことを考えていないような感じがするんですね。

ショート・ショートにしろ、SFにしろ、ミステリにしろ、小説というのは、人間世界全体を相手にするものですからね。最初から、かなり大きなことを考えていなければいけないと思うんだけど。

小説を書くということは、ものを作るとか、売るとかいう仕事より、もっと直接に、人間と結びついている仕事なんですね。小説を書く態度というのは、そのままその人の生き方になってしまう。やっぱり、なってしまったら、ずっと書き続けていくつもりで、腰をすえてかかるべきだと思います。

第3講　小説はどこまで他人に教えられるものなのか

枝葉末節の技術の問題しか教えられない

僕のこの講座について、「そういった技術レベルのことは枝葉末節で、どうでもよいと思う。小説を書く上で大切なのは、技術より内容なのではないか」という意味の投書があったそうなので、今回はまずそれにお答えしましょう。

確かにおっしゃる通り、小説というのは内容がおもしろければそれでいいんですけど、おもしろいストーリイを創る才能というのは、九〇パーセントまでが生まれつきであって、人が人に教えられるものではないんですね。

そこにひとつ、具体的なアイディアがあって、これを膨らましていくにはどうしたらいいかと訊かれれば、これはこういうふうにしたらいいんじゃないかということが言えるけれど、何もないところから一つの話を創る、例えば僕がどうやって創るかというのは、僕自身にも説明できない部分があるんです。

たいがい僕の場合には、金米糖の芯みたいなものがあって、それをかき回しているうちにだんだん膨らんでくる。その膨らませ方を、作品を書いた直後に跡付けることはできますけれど、そういうものを説明してしまったんでは、その小説を読む読者はおもしろくないわけですよね。じゃあ僕が今、どうやってこれから一つの話を創ろうとするかという説明をするならば、それは説明するより、小説書いちゃった方が早いわけ。

そうなってくると、中身の創り方というのは、僕の場合は僕自身の問題であって、あなた方の場合はあなた方自身の問題で、それをどういうふうにするかということは、アドヴァイスできない部分なんです。だからよく、小説なんて人に教えられるものじゃないと言うのね。

おもしろい話を創るといっても、プロの作家になると、多い時には月に十ぐらいお話を創らなければならない。その十が十、全部おもしろいお話ができるとは限らない。最初はまあ、一年も二年もかけて長篇を一つ書く、それなら自分の才能をぶつけて、一番おもしろい状態でおもしろい話を書くことができるだろうけれども、しばらくするとそうも言っていられなくなるんですね、プロの作家というのは。そういう時に、いわばどうごまかすかという技術の問題しか、他人に教えることはできない。

極端なことを言えば、へたな絵をうまく見せかける技術とでもいうのかな、絵の方では下塗りの方法とか、日本画では絵の具をどうやって重ねていくかといった、細かい技術の問題がたくさんあるでしょう。小説にもそれがあって、そういうことしか教えられないから、僕は枝葉末節のことしか言わないわけね。

中身そのものの問題は、九〇パーセント才能だってさっき言ったけれども、例えばおもしろい話を創る僕自身の才能というのは、六〇パーセントぐらいは生まれつきのものだと思う。あとの三〇パーセントは、今までにどれだけの小説を読んできたか、そこから何を汲み取ったかということなんですね。

この六〇パーセントの生まれつきの才能というのは、これは分析もできなければ、人に伝えることもできない。小説作法というのは、たくさん本が出ているけれども、小説作法そのものよりも文章読本の方にいいものがあるのは、そのせいなんですね。小説作法と題した本でも、こういうようなタイプの話を組み立てるにはどうしたらいいかということは書いてあっても、話そのものを創る方法というのは、どの本にも書いてないわけです。

今の日本には、読み巧者の読者が少ない

それから中身というのが、どこまで限定しているのか分からないけれど、ストーリィということだったら、同じストーリィでも、じょうずに書いた作品、へたに書いた作品というのがある。それはただストーリィのおもしろさを追って読んでいるだけの読者にはどちらも同じだろうけれども、小説をたくさん読んでいるう

ちには、自然にうまい小説、へたな小説というのが分かってくるわけですよね。そうすると、へたに書いてあったらば、これはもっとうまく書ける話だということが読者に分かってきて、その作品は、やっぱり二流であるということになるだろうと思う。

幸いなことに今の日本には、昔の言葉でいう読み巧者の読者が少ないから、我々は大いに助かっているし、それから外国と違って、非常に辛辣な批評家というのがいないわけですね。その点でも助かっている。だから何とかなるんだけれども、本当に権威のある批評家、権威のある編集者がいたら、中身がよければそれでいいじゃないか、なんてことはとても言っていられないわけね。

中身だけでなく、外側も大切なわけです。それでその外側のところは、何とか経験者が未経験者に教えられる部分なんですね。だからそれだけのことしか言わない。言わないんじゃなくて、言えないのね。もしそれを言えるという人がいたら、それはインチキですよ。

というのは、読者にもいろんなタイプがあると同時に、書く方にもいろんなタイプがあって、自分の創った物語を微に入り細にわたって、まるで絵のように描写していく人と、非常に話がじょうずで、落語や講談のように話術の調子で聞かせてしまう、そういうタイプの人と、いろいろあるわけですよね。僕はどちらかと言えば、話術というのを常に心がけてはいるけれども、絵を描くように小説を書いていくタイプの作家だから、そうでない、本当の話術オンリーの小説を書いていきたいという人には、役に立たない部分がずいぶんあるだろうと思う。それは書き手のタイプによって、小説の書き方というのは全部違ってくるわけですからね。絶対というものはない。

ただ一つだけはっきり言えるのは、僕は三十二年間、プロの現役の作家として、小説およびそれに付随するさまざまな原稿を書いて暮してきたわけだから、僕の場合には僕のやり方は間違っていないということは、完全に証明されているわけですよね。その完全に証明された部分ならば、これはもう、自信を持って言えるわけです。ですから、もしこの構座を読んで、全く役に立たないと思った人は、僕と違ったタイプの小説しか書けない人だと思う。

ところが僕と違ったタイプの、つまり話術オンリーの小説の創り方というのは、これは小説を絵のように描いていく創り方に比べて、もっと説明がしにくい。おそらく話術のベテランというのは、自分がどうやって人を引きずっていくか、分析できないだろうと思う。どちらかというと分析できるタイプの人が、技巧的な小説を書くわけですよね。そういうわけで、枝葉末節というのは小説を書いていく上で、非常に大事なことだと思いますね。

例えば一つのアイディアを友達に話して、一緒に同じ話を書いてみれば、どれだけの違いが出てくるかというのは、これはもう、読み比べればはっきり分かると思います。中身さえよければそれでいいという考えは、小説を書き始める最初に捨てた方がいい考えの一つでしょうね。

ほめられるより、けなされる方が伸びる

今、小説家を目指している若い人の多くに言えることですが、他人から手厳しい批評をされることに慣れていないということがあると思う。それは誰でも、自分の作品をけなされるというのは嫌なものですけどね。よく、けなすよりほめる方が難しいと言いますけど、こんな嘘な話はないと僕は思うんですよね。キザな言い方だけれど、本当に、真心を持って相手にものを言おうとすれば、けなすのもほめるのも、どっちも難しいんです。

そういう問題を抜きにすると、ほめるというのは、見当違いのことをほめられたってうれしいものですよね。ここはあまりうまく書けていなかったなと、はっきり自覚していても、そこがおもしろかったと言われると、ああそういう人もいるんだな、それほど悲観したものでもないや、と、うれしいよね。ほめるっていうのは、どんなほめ方をしたって、人を喜ばすことはできるわけです。

その一方でけなすのは、見当違いのことでけなされたって、けなされた当人は、痛くもかゆくもない。あ、これはいけなかったな、確かに言われた通りだなあと、本当にその人のためになるけなし方というのは、難しいんです。

やっぱり最初のうちは、けなされた方がいいと思う。正確なけなされ方をして、駄目になるような人は、いずれ駄目になると思いますね。今はそういう批評というものが、はっきり耳に入ってこない時代だけれども、その代わりに本が売れないとか、注文がなくなるとい

う形で、批判が自分のところに届いてくるわけです。二、三度厳しくけなされて、駄目になっちゃうような人は、注文がこなくなった時に、駄目になっちゃうんですね。

幸いなことに、小説とか絵というものは、自分に自信さえあれば、こんなに考え抜いて書いた作品が受けないというのは、分からない読者が多いからだと言って、平気でいることができる。けなされても、立ち直るのが容易な形式ですね。

たとえ一握りでも、支持してくれる読者、編集者がいるということは、やっぱりその人の作品にどこかいいところがあるわけだから、そう簡単に駄目になってしまわないけれど、ほめられることだけに慣れていると、何かがあった時に、一たん足元をすくわれたら、もう立てない。だから僕は、けなされつけた方がいいと思う。

書き続けていれば、〝化ける〟こともある

なぜけなす人が少ないかというと、一つには、例えば同人誌なんかが送られてきた時に、批評してくださいと言われても、たいがいの作家は本気で批評しませんよね。なぜかというと、直接自分とは関わりがないからです。やっぱり、あまり優れた新人が雲のごとく現れたら、自分が脅かされるから、怖いものね（笑）。

その代わりに、後に続いてくる人がいないというのも、これは実にさびしいことなので、ことに僕のように、ちゃんと報酬をもらって小説の書き方というような話をしている場合には、その報酬をもらっているという責任もあるし、自分の眼で、一人の作家の芽を発見できるのは、非常にうれしいものですからね。僕はそういうところで頼まれた原稿、あるいは直接頼まれた原稿は、きわめて真剣に批評することにしてますけど、たいがいの場合は、何もわざわざ憎まれ役をかって出ることはないと、はっきりしたことを言わないんですよ。

だいたい、一人の人の作品を三つか四つ読むと、この人はどの程度の作家になるかというのが、経験豊富な作家や編集者には分かるんですね。ただ、寄席の方で言う、〝化ける〟ということもありますからね。

箸にも棒にもかからないと思っていた若い落語家が、ある日突然、何かに目覚めてガラッと変わる、そういうのを〝あいつは化けた〟って言うんですが、小説

書く人にも化ける時があるのね。

　本当に文章もへただし、何を書いているのか分からない支離滅裂な人っていうのは、まず化けることはないから、むしろはっきり、あなた小説なんか書かない方がいいよって言った方がいいんだろうけれども、そうでない場合、例えば文章はうまいけれども、どうも話の作り方がおもしろくない。おもしろい話を思いつく才能というのは、ほとんどが天性のものだけに、ある日突然何かコツみたいなものを会得してね、次から次へとおもしろい話ができるようになることがありうるわけ。

　だから僕は、何本読んでも、まだ駄目だなあ、この人は化けることのできない人かなあと思いながらも、やっぱり真剣に、批評することになってしまいますねえ。

　ただ小説というのは、さっきも言ったように、いろんな書き方があり、いろんな作家があり、いろんな読者があるんで、ある雑誌の編集者に見せたら、「これはつまらない」と一言のもとにつっ返された原稿が、他の雑誌へ持っていったら、「これは傑作だ」と言って載っかることがありうるわけね。

　それは単純に、たまたまそれを読んだ編集者の鑑賞眼の問題である場合と、そうでない場合、同じ程度の鑑賞眼を持っていながら、好みの問題があって片一方は首を横に振り、片一方は首を縦に振るということがあるわけね。だから、あまりけなされることで、まいってはいけないと思うんです。逆に、ほめられることで喜んでちゃいけない。ほめられるというのは、九九パーセントおせじですよ。

誰でも、自分の作品はおもしろいと思う

　まあどんな人でも自信というものは持っていて、ある程度他人の小説を読んで、あの程度のものなら自分にも書けると思うから、書くんでしょう。だからそれだけの自信を持っていて人にけなされた場合、がっくりくるというのは、これはよく分かる。だけど、自分の自信が本当の自信であるかどうかを見極めるまでには、やはりかなりの年月がかかると思っていた方がいいんじゃないかな。

　最初のうちは、自分は小説が書ける人間だという自信は必要なんだけれども、今度書いた小説はよくできているという自信は、絶対持たない方がいいと思う。

常に、あ、また失敗作を書いちゃったと思いながら、しかし自分は小説が書ける人間だという自信に支えられて書いていった方がいいと、僕は絶対に思うのね。

誰でも自分の作品というのは、おもしろい、よくできてるような気がするものなんですよ。僕なんか、十年ぐらい前に書いた自分の作品を読んで、これは天才なんじゃないかと思う(笑)。

なぜかっていうと、ちょっと論理的に考えれば分かるんだけど、十年ぐらい前の作品というのは、もうストーリイの細かいところを覚えていないわけです。それでいて、常に自分の一番好きなタイプの小説を書いているわけでしょ。しかも、自分の好きな文体で書いてあるわけよね。ストーリイを忘れた、自分好みの内容の、自分好みの小説を読むんだから、これはもう、おもしろいわけですよ。

十年ぐらい前に書いた長篇や短篇を、文庫本にするというので読み直すと、これはもう、天才だなあと思うね。長い間やっていると、書いたばかりの作品は、ああ今度はうまくいかなかったなあということが、ある程度分かってきます。最初のうちはそれが逆でね。何ヵ月かたって読んでみると、たいがいがっかりする。

それで今書き上げたばっかりの小説が、傑作のような気がするんですよ。けど、それは必ず後に逆になると思ってた方が無難ですね。今書き上げたばかりの小説は、まず失敗作だと思ってた方がいい。

ただ小説でも、ほかの芸事でも何でも——まあ小説を芸のうちに入れると嫌う人もいるんだけれども、僕は作家も芸人だと思うし、あるいは職人だと思うし——それを支えるものの半分は、うぬぼれですよね。そのうぬぼれを自分でコントロールしていく技術が、やっぱり小説を書いていく技術につながるんじゃないのかな。

口に出して言うか言わないかの違いで、たいがいの作家が、自分は天才だと思ってますよ。僕は今、躁状態だからね。天才、都筑道夫なんて、自分で言うのね。大躁状態だから、都筑大躁状(大僧正?)なんて名乗ってるんだけど(笑)。だから、周りの人がおびえてますけどね。

そういう気持の高揚した時ってのは、軽い派手な小説が書けるのね。やっぱり小説っていうのも、その日の気分で書ける書けないというのはあるんですよ。だから若い頃、けなされた直後に無理して書こうとしても書けないというのは、確かにありうるのね。

そういう時は、むしろ小説を書かなければいいんですよ。人の小説を読めばいい。そうすると、何だ、こんなものだったら俺にだって書けらあ、ということになってくると思うんです。だからむしろ進んで、手厳しく批評をしてくれる人に読んでもらった方が、僕は早く伸びていくと思いますね。それで伸びない人は、結局小説を書く才能のない人でしょう。

本来小説家は、一人一人が一匹狼である

それとやっぱり、自分と同じ程度の読書経験、鑑賞力しかない人に読ませてほめてもらっても、僕は何の足しにもならないと思いますね。けなされた場合には、ある程度意味があるんです。

同年輩の人間のけなしっこというのは、しばしば純粋な作品鑑賞以外の要素が入ってくる場合が多いんですけど、本当に純粋に、作品を批評してくれる同年輩の友人がいたら、その人に見せてけなされることは、薬になると思う。ただ、たがいにほめっこをするというのは、全く意味がないと僕は思いますね。一つには、僕が同人誌経験というものがないせいもあるんだろうけれど。

同人誌というのは自己満足か、あるいは生原稿より見てもらいやすいから人に見てもらうため、その二つのためにやるんなら、僕はいいと思う。それ以外にただ群れ集まって、ほめっこをしていい気になってるだけの同人誌だったら、僕はそんな同人誌からは早く脱退しなさいって、いつも勧めてますね。それはその同人誌を一、二冊見せてもらえば、これは入っている価値があるかどうか、すぐ分かりますよ。

本来小説家というのは、一人一人が一匹狼であるべきで、例えば健康保険の問題とか、著作権のトラブルが起こった時とか、プロになってからそういう職能団体としての団体に加入することは、意味があると思うけれども……友達を作るなということではないですよ、これは。

友達はたくさんいた方がいい。友達がたくさんいればいるほど、人間というのは幸せなものだから、友達が何人もいるのはかまわないけれども、小説を書くのは本来孤独な作業であり、小説家は一匹狼で自分だけで生きていかなきゃいけないものだと僕は思う。だから、あまり同人誌というものに好意的ではないですね。

ことに今、同人誌を作るにもかなりのお金がかかりますからね。それだけのお金をかけるんだったら、そのお金で本を買って読んだり、映画を見たりした方が、僕はずっと勉強になると思うんですけどねえ。ただ同人誌の楽しさというものを、認めないわけじゃないですよ。

例えば結局一号だけしか出ませんでしたけれど、十何年か前に、僕や結城昌治や星新一、それから江國滋なんかが集まって、落語についてのエッセーや何かを載せる、落語の同人誌というのを作ったことがありました。それはまあ、楽しかったですね。二号目の原稿が集まんないで、一号で終わっちゃいましたけれど、そういう同人誌の楽しさを認めないわけじゃない。ただそういう同人誌を、小説発表の場として過信しない方がいいということですね。

昔風の、師匠と弟子というのも悪くない

まあ批評というのは、批評する人間がどれだけの人生経験——人生経験はともかくとして、どれだけの読書経験があるかによるんで、つまりたくさん読んでいればいるほど、作品のよしあしというのが分かってくるわけでしょう。悪いものしか読んでいなければ、いいものを見ても分かんないわけですからね。それによるんで、ものを書いている人間とつき合うんだったら、年上の人とつきあった方がいいと僕は思いますね。

だから、昔風の師弟関係というのを、僕は否定しないんです。師匠というものがいて弟子がいる、その関係があまりに大きくなって、何か権力欲みたいなものが出てくると、これはよくないんですけどね。つまり一種の派閥みたいになるということは、僕は全く反対だけれども、自分の好きな作家に原稿を読んでもらうということは、ずいぶん勉強になる。僕自身はそれで育ってきたようなもんですからね。

後年、その師匠に対する評価が自分の中で変わってきても、そんなことは一向にかまわないと僕は思うんですよ。その時尊敬する作家に原稿を見てもらって、何か言ってもらう。時には小説を書くとうまくないんだけど、人の原稿のよしあしを見抜いたり、直したりするのがうまいという人がいるんですねえ。本当は、そういう人を見つけるのが一番いいんですよ。

こういう言い方をしていると、僕が常にじょうずへたにこだわっているようなんだけど、小説というのは

一年や二年でやめてしまう仕事じゃありませんからね。やめてしまうつもりで書いたってもちろんいいんですけど、まあ小説家というのは自由業というくらいで、自由になる部分がたくさんあるから、三、四年やるとやめられなくなっちゃう。だから長くやっている場合に、じょうずへたというのがものをいってくるんですよね。

技術というものは、その作家がある程度まで会得してしまうと、その健康状態にかかわらず、技術だけを発揮できるんです。ある一定水準以上の技術を持っていれば、全く箸にも棒にもかからない作品というのはできっこないという、最低の自信は持てますからね。だから今どきはやらない言葉かもしれないけれど、小説はうまくなければいけないとか、じょうずへたに僕はこだわっているわけです。

第４講　小説は語るものではなく描写するものである

長篇新人賞への若手の応募が増えてきた

今、エンタテインメントの長篇を書きたい人の登竜門としては、江戸川乱歩賞、横溝正史賞、サントリーミステリー大賞[*1]という三つの大きな新人賞があります。その中で乱歩賞というのが一番伝統があって、作家も多く出ているんだけれど、ともかくそれに入選して本になった作品というのは、いきなりある程度売れますからね。ある程度どころじゃない、かなり、です。そういう意味で長篇を書きたい人は、こういう賞に応募するのが一番いいんですね。

昨年と今年、僕はその乱歩賞の選考委員を務めたんですが、今年の応募総数は二百三十二篇と乱歩賞始まって以来の数字なんです。長篇の大きな賞が今三本あって、定期的ではない長篇募集というのもいくつかあるわけでしょう。どれもだいたい五百枚前後という規定ですよね。そこへそれぞれ百本前後の長篇が集まってくるんですから、それだけのエネルギーが巷に満ちあふれているということですね。

応募してくる人の年齢層は下は十五、六から上は八十いくつかまで幅広いんですけど、全体に若い人が増えてきていますね。もっとも若い人ほど枚数は少なくて、どうしても五百数十枚は書けない。今年の乱歩賞[*2]に十六歳の高校一年生がいたんだけど、それが三百七十何枚かな。だけど十六で四百枚弱の原稿用紙をちゃんと埋めて、とにかく小説としての形ができている。

僕もだいたい満で十六ぐらいから文章を書き始めたんだけれども、その頃書いたものを考えてみても、断片みたいなもので、まとまった話はできなかった。その人は予選通過作品六篇の中に残って、二番目に落ちたんです。僕は選後評の中で、その人の作品に一番スペースを費しました。プロローグを読んで、これは面白い作品になるぞと思ったんだもの。

ただ、あるアイディアを持つと、その一本の線路しか見えなくなっているのね。その線路を遠くから眺めて、このあたりに樹を一本植えてとか、このへんに踏切りをつけて、ここには停車場を置いてとか、そういうことまでにはならない。線路だけが走っていて、そこへストーリイという汽車が驀進していくだけなんですね。途中でスピードを落としてみたり、鉄橋を架けて、それが途中で壊れてたら、なんてことは考えない。もっともそれだけの余裕ができたら大したものだけど。

これはその作品だけじゃなくて、ほとんどの応募作に言えることだけれど、細かい部分の工夫がないんですよ。一つの場面転換の時、登場人物の一つの動作によってオチをつけて次に移る、とかね。そういうことができない。なぜできないかというと、ほとんどの人が現代の日本の推理小説の影響を受けていて、物語を描写していかないで、語っているんですね。

今日本の推理作家では、物語を語っている人の方が圧倒的に多い。でもそれらの人は、プロとして食っていけるだけの話の密度は持っているわけです。そうも思えない人もずいぶんいるけれども、それは読者が甘いからそれですんでいるんであってね。

今年の正月に、久しぶりに日本の作家のものをいくつか読んで、ともかくあきれ返っちゃった。ひどいなあ。何人人物が出てきても会話が書き分けられてなくて、用件だけ言ってたり、舞台が変わってもどこの場所も同じ印象しか与えなかったり——そういうのの影響を受けたアマチュアが、これでいいんだと思い込んで、もっとズサンにやるから、細かいところなんて考えようがないわけです。

自分のイメージは言葉をつくして伝えよ

極端な話、二人の男女が喫茶店に入る場面で「二人はしゃれた喫茶店に入った」と、それだけなのね。どうしゃれてるか、どんな花が植わってるかとか、そういうことが書いてない。自分自身の中にイメージがないんですよ。「しゃれた喫茶店」というイメージしかないんですね。それでいて何かの伏線を張るとか、そういう時になると描写ががぜん細かくなっちゃう。だからそこだけ目立ってすぐ伏線だと分かっちゃう。

プロの作家でも、今「しゃれた喫茶店」「豪華なパーティ」という言葉の持つイメージだけに頼って、読者まかせにしている人が多いんですよね。自分自身の中にイメージがないから、それを細かく言葉で写しようがないのか、あるいはそのイメージを細かく見わたしているだけのゆとりがないんでしょうね。それは一つには、後から後から書かなければならないということが、枷になっているには違いないけれども。

よくこの頃の若い人の書く小説は劇画みたいだというけれど、僕はあれは劇画のシノプシスだと言うんです。劇画のシナリオならまだいいんですけれどね。シノプシスみたいなのが多いのね。

これはボキャブラリイが少ないということも関係あるけれど、ボキャブラリイがないということは、結局イメージがないということなんですよ。例えば一つの花びんでも、それを言い表わすのにありふれた言葉では表わせないと思えば、言葉を増やしていかざるを得ないでしょ。そういうことをしないんですよね。それとまた逆に、最大の問題は、そんなにボキャブラリイを駆使して一所懸命に書いても、それをうるさがる読者が増えているということです。

これは非常に貧しいことですよね。小説を読むというのは、エンタテインメントの場合は時間つぶし、エスケープ・リーディングであって、ひと時の退屈なり憂さを晴らす、それでいいんですけれども、もっと根本的には、小説を読むという行為の中には自分の知らない世界を知ろう、自分の知らない人間に会おうということがあると思うんですよね。そういうことがなければ、文学であろうとエンタテインメントであろうと、あまり読む意味がないような気がするなあ。時間つぶしだけなら、それこそ劇画でもテレビでも何でもいいわけですから。

そういう考え方からいうと、イメージを読者まかせにするということは、その読者は自分の生活環境内のイメージしか浮かべませんから、読者にとってちっとも新しい世界を知ることにならない。作者はあらゆる階層の人に、その人達の知らない世界を言葉によって、できるだけ自分の持っているイメージと同じものを持ってもらいたいと思う情熱がなかったら、僕は小説を書くっていうことの意味の大半が失われるような気がします。小説の読み方を知らない読者が増えているということは明らかにありますよ。だからといって、作家が何も苦労して自分のイメージを伝えることはないと考え出したら、これは小説の崩壊じゃないのかなあ。

小説を書くとは一つの世界を創ることだ

劇画世代が言葉を理解してくれないと、もし作家の側が思っているとしてもね、やはり劇画を見る人達というのは、そこに何のイメージもないわけじゃないはずなのね。それなりに、一コマ一コマに画家がイメージを与えているわけでしょう。一目で見て、あまり気にとめていないのかもしれないけれど、意識にはとどめているはずです。だから若い読者にイメージがないはずはないんで、それを今度は言葉でどう伝えるか、落着いて読んでくれるかどうかという問題ですよね。一目見て分かるのと、一字一字拾っていってそれを頭の中で再構成してみないと分からないのとの違いでしょう。

だからイメージがないんじゃなくて、受け取り側がせっかちになってるだけのような気がするのね。向こうがせっかちだからといって、こっちもせっかちになる必要はないいんで、せっかちになる振りをしながら、一言一言言い含めていく努力はしなきゃいけないような気がする。

作者の側がイメージを浮かべる努力を放棄しているのではないかと一番よく感じるのが、若い人の書いている時代物を読んでいる時ですね。例えば江戸時代末期の江戸の町を描いても、そのイメージが作者自身に具体的に浮かんでいないために、類型的な時代物らしき言葉を並べたててごまかしてる場合がずいぶんある。そうすると、よく知っている人間が読むと、逆に何のことだか分からない。

外国の小説というのは、話がつまらなくても小説を読んだなというのが何かあるからなあ。ついこの間も、ルース・レンデルの『わが目の悪魔』というサスペンス小説を読んで、やたらに感心してねえ。ともかくはっきりしているのは、お話の分量が外国の作家の方が少ないですよね。そういう意味では日本の作家というのは、サービス精神に富んでいるのかもしれない。でも話の分量が少なくても、それをみっちり書き込んでいて、一つの世界へこちらが入り込んでいくことができるのね。というより、むしろストーリイといえないような感じのものほど、本当は小説としていいんですよ。ダイジェストできないような、ね。

　やっぱり根本的に、小説を書くとはどういうことかという気構えが、向こうの作家は違うんですね。一つの世界をつくるのが小説だということね。日本のエンタテインメントは面白いお話を聞かせるということなんでしょう。こちらから読者に話しかけていく。向こうの作家というのは、自分の世界に読者を引っぱっていくんですね。

崩壊の危機感こそが小説を支えてきた

　だけどやっぱり小説というのは、書いてても読んでても楽しいなあ。今、本当に小説書いてるのが楽しくてしょうがない。少し自分でも異常だと思うけどね。だからといって、楽に書けるということじゃないですよ。書けなくて、しょっちゅうイライラはしている。でも今度、どういう小説を書こうかと考えている時が、一番楽しい。あと何年書けるかなあと時にいじけたりするけど、まあ今は、幸いに小説を書くのが楽しいんで、あと十年ぐらいは書けるなあなんて思ってるんです。

　それと僕自身のことで今一番嘆いているのは、何とか悪い奴を書きたいのに、どうしても書けない。そりゃあうぬぼれの塊みたいなのとか、意地の悪いのとか、そういうのは書くけれど、みんなどっか人が好くて、自分が意地の悪い人間だということが分かっている、僕の書く意地悪な人間は。自分が嫌な奴だということが分からない嫌な奴というのは書けないんだなあ。やっぱりなかなか自分から外へは出られないんだね。

　北原白秋に「言葉が輝きを失うのならば私はその最後の輝きになろう」そういう意味の言葉があるんですよ。それが僕はものすごく印象に残っている。

　確かに今そういう危機、読者が甘くなっているとかそういうこと以外に、言葉の持つ力が弱まっていて、小説が崩壊する危機というのが感じられるんだけれど、ただ考えてみると、これは今に始まったことじゃないんだね。作家は常に言葉の力の弱まりをどこかに感じていて、危機感を持っているからこそ、小説という形式がこれだけ続いてきたんじゃないかな。そういう言い方をしてしまうと楽天的になってしまうけれども。

　言葉の力というのは、言葉そのものが力を失うのではなくて、与える側、受け取る側がそれに対して拒否反応を起こしているに過ぎないんだろうと思うのね。

だからその努力を全員が放棄しちゃいけない。全員が放棄したら、本当に駄目になっちゃう。といって、言葉の力を過小評価することもいけない。いつだって言葉は大変な力を持っているんです。現に今、いろんなことで世の中がおかしくなってきてる。みんな言葉のごまかしでしょう。この前の戦争が始まった時だって、こういう言葉のごまかしというのが盛んにあったわけよね。それでごまかされちゃうということは、言葉がそれだけ力を持っているということですよ。

本当に小説を書くというのは、促成じゃいかないんだなあ。劇画と違ってある程度の人生経験も必要だし、やっぱり十年はやらなきゃものにならない。作家として、後ろを振り返ったら、若い優秀な作家がぞろぞろ追いかけてきているというのは怖いけど、誰もいなかったらこれも嫌ですよ。

＊1　一九八三年開始、二〇〇三年終了。

＊2　第二十八回。受賞作は岡嶋二人『焦茶色のパステル』。最終候補中の一篇、高沢則子『ローウェル城の密室』が十六歳による応募作として話題となった（のち小森健太朗名義で刊行）。

第5講　売れるショート・ショートを書くには

――今回はやや趣向を変え、本誌三号の「添削式SF小説作法教室」の応募作品の中から、編集部が選んだ森谷滝夫さんの作品「狼男たち」を都筑先生に読んでいただき、それを教材として、ショート・ショートの書き方について具体的に話を展開していただきました。まずは森谷さんの作品をお読みください。

狼男たち――森谷滝夫

　闇が街路に漆黒の絨毯をのばし、町がそのあふれる暗黒の海に沈む、ほんとうの夜になると、僕は部屋の明かりを消して、ガラス窓を大きく開けるのです。静かな闇の中で、射しこんでくる月の光を見るのが、僕は好きでした。その銀色の光で、小さな部屋の中は、たちまちアラビアン・ナイトの魔法の夜となりました。

　ところが、あのジョバンニさんが僕の隣の部屋に越してきた日から、僕はこの夜の静けさを落ち着いて楽しむことができなくなってしまったのです。ジョバンニというと、まるでイタリア人でもあるかのようですが、そうではありません。けれど、その部屋のドアには画鋲で小さな紙が留めてあり、その上にインク書きの震えた字で〈ジョバンニ〉と書いてあるのです。たぶん、それが名前なのでしょう。僕があの人をジョバンニさんと呼ぶのも、ただそれだけの理由にすぎないのです。

銀色の月が暗い夜空に昇るころ、ジョバンニさんは吠えはじめます。月に向って、まるで狼の遠吠えのように鳴くのです。そう、隣の部屋から遠吠えというのもおかしな言い方ですが、僕にはほんとうに、そう聞こえたものです。

「ジョバンニさん、ジョバンニさん、静かにしてくださいよう」

その夜も、ジョバンニさんの吠える声が聞こえてきました。僕は隣りの部屋との境の壁を叩きました。不思議なことに、アパートに住むほかの人たちは、このジョバンニさんの奇行に気づいていないかったようです。少なくとも、それが話題になったことはありませんでした。だから、ほかの人に話をお聞きになっても、僕がこれからお話する以上のことはおわかりにならないでしょう。たぶん、あの声は、僕だけに聞こえていたのかもしれませんね。

何度か壁を叩くと、すぐに声がやみました。僕は闇の中で、耳を澄ましていました。すると、きゅうに隣の部屋のドアがあき、それに続いて、階段を駆けおりる足音が聞こえてきたのです。こうして、また、いつもの夜の儀式が始まりました。

この儀式は狼の遠吠えに始まり、一時間ほどの間を置いて、部屋にもどってくるところで終わるのですが、その間にジョバンニさんが何をしていたのかは、僕にも想像がつきません。ただ、帰ってきたジョバンニさんの階段をあがる足音が、出るときとは違って、ゆっくりと静かなものになっているので、この二つの時点の間に、その態度を変える何か、心を静める何か、があったのだろうと思うだけです。

やがて、ジョバンニさんの部屋のドアが閉じて、その夜の儀式は終りました。それがこの儀式のいつもの終り方だったのです。儀式は終り、ジョバンニさんは眠る。そして僕は、残された夜の静けさの中で、月の光の夢を見る……。

だがそのとき、僕の夢は破られました。ジョバンニさんの部屋で、突然、何かが爆発したのです。

まるで千発の花火を一度に鳴らしたようなその音に驚いて外に出た僕は、ジョバンニさんの部屋のドアが開いたままになっているのを見て、中にはいりました。

ジョバンニさんは、部屋のまん中に座っていました。明かりを消した部屋の中には、ここにも月の光が射しこんで、その手に持った黒光りする拳銃を照らし出していました……。

「ジョバンニさん」

と僕が声をかけてもジョバンニさんは顔をうつむけたまま黙っています。

「どうしたんです」

「ええ。だいじょうぶ。なんでもありません」

「でも、シャツに血が……」

するとジョバンニさんは、

「えっ」

と言って、ちょっと驚いたように、そのシャツについた血のしみを見ましたが、すぐに、

「ああ、これは、僕の血ではありません」

と顔をあげ、また黙りこんでしまったのです。

「この拳銃を撃ったんでしょう。聞えましたよ」

「そうですか」

「なぜ、こんなことをしたんです」

「頭を撃つつもりだったんですが、やはり、最後の瞬間に、銃口をはずしてしまったんですね」

ジョバンニさんは僕を見てかすかに微笑み、それからすぐに、手に持った拳銃に目を落しましたが、伏せられたその目は、それでもじっと僕を観察しているようでした。

「この拳銃は、きみに預けておきましょう。たぶん、それが一番いい解決法なんだ。持っていれば、使うときがくる。きっと役に立ちますよ」

拳銃からひとつだけ弾丸を取り出しながら、ジョバンニさんはそう言いました。

「ほら、ごらんなさい。きれいでしょう。……それが、銀の弾丸です」

……………………………その後、この夜のことについて、ジョバンニさんと話したことはありません。まるで、そんな出来事など何もなかったかのように、僕たちは隣人としての付き合いを続けました。そうですね、階段で擦れ違えば挨拶をし、たまには立ち止まって天気の話でもする、といったことです。そんなふうにして、一月が過ぎました。そして、また、あの満月の夜がやってきたのです。ジョバンニさんが吠えはじめました。僕は部屋の中で、月を見ていました。声を潜め、身動きもせずに、座っていました。

なぜそんなことを続けていたのか、とおっしゃる

のですか。僕にもよくわかりません。ただ、何が起こるのか、それがどんなことであるにしろ、とにかく最後まで見届けてみたい、という気持ちはあったのです。

　しばらくすると、ジョバンニさんの吠える声もやみました。後に残る、夜の静けさ。僕は耳を澄ましました。ジョバンニさんの部屋のドアの開く音に。けれども、その夜は、いつまで待っても、とうとうそのドアは開かなかったのです……。

　膝を抱え、顔を埋め、そこに映る銀色の月の光を見つめながら、僕は待っていました。ジョバンニさんが呉れた銀の弾丸の拳銃を両手に握り締めて。

　すると、その銀色の光に、突然、黒い影が現れたのです。僕は窓を見上げました。そこには、ジョバンニさんが立っていました。たぶんジョバンニさんだったと思います。しかし、それはもう、あのジョバンニさんではない、何か別の生き物でした。獣は、腕を振り上げ、窓から躍りかかる。僕は拳銃を撃つ。その一瞬の出来事が、まるでスロー・モーションでも見るようにゆっくりと、僕の意識の中を進行していったのです。獣はふわりと体を浮かせると、銀色の月の光の中を、外の闇へと落ちていきました……。

　そのあとのことは、ごぞんじのとおりです。僕はアパートの裏手にまわり、そこで、ジョバンニさんを見つけました。そして、あなたがたがおいでになるまで、その場所で待っていたというわけです。僕は冷静でした。すべては機械仕掛けの人形芝居のように進められたのです。ただ、僕にもひとつだけ驚いたことがありました。それは、あの獣が墜落の間際に残した、最後のメッセージです。その声は、確かに人間のものでした。そう、そして、あの獣は言ったのです、「こんどは、きみのばんだよ」とね。


　そのようにして、この男の話は終った。

「もういいよ、ジョバンニくん。またね」

　若い医師は顔をあげて、部屋の入口に立つ刑事を見た。刑事が頷いた。看守に連れられて男が部屋を出て行くと、刑事はそれまで男が座っていた椅子に腰をおろし、にやりと医師に笑いかけた。

「なぜ、やつに、ジョバンニなんていうんです」

「それがいまの自分の名前だと思いこんでいるのですよ。そう呼ばないと返事をしない」

「だけど、ジョバンニっていうのは、ガイシャのほうなんでしょう」

「ええ。さっきの話をおききになりましたか。自分で、殺した男のことを、ジョバンニと呼んでいましたね。ドアにそんな名前を書いた紙がはってあったといっていたでしょう」

「でも、ありゃしませんよ、そんなもの。なにしろ肝心のハジキがでてこないもんで、あのアパートは徹底的に調べまくったんです。そんなもんがあったら、見逃しませんよ」

「そういえば、拳銃はまだ見つかってないんですね」

「ええ、そう。まあ、そのハジキだって、ガイシャの体に弾さえ残ってなけりゃね、これもやつの妄想だった、ってことで始末して……。はは、いや、こりゃ冗談ですよ。ただね、新聞種にはなりますよね、なにしろ、そのガイシャの体に実際はいってた弾っていうのが……」

「そう、銀の弾だった、というわけですからね」

そのとき、部屋の外から、かすかに獣の吠えるような声が聞こえてきた。

「ジョバンニくん、ねえ。まいったな、こりゃ」

刑事が肩をすくめるのを見て、医師は微笑んだ。

「鳴いているんでしょう。……そういえば、もう、満月ですね。あの拳銃は、満月の夜がきたら、僕に呉れるんだそうです。それまで隠してあるんだ、といってました」

「ほう、で、その隠し場所についてなにか」

思わず、刑事は身を乗り出した。

「いいえ、それについてはなにも。ただ、そのあと、僕に、こんなことをいってましたっけ……」

と、その若い医師は笑いながら言った。

「……こんどは、きみのばんだよ、てね」

短い中に何かひねった意外性を出す

この森谷滝夫さんの「狼男たち」は、一応小説としての形はできています。文章もなかなかしっかりしているんだけれど、ストーリィの意外さというものはないですね。題名と最初のパラグラフを読んだだけで、もう全部分かってしまう。ショート・ショートというのは、短い中に何か一つ、意外性というものを出さなければいけないわけですね。とは言っても、意外性を出すだけがショート・ショートではないというのが僕の意見で、何も起こらなくても、オチなんかなくてもショート・ショートは書けるということを言うんだけれども、ただこの作品は、意外性をねらわなければいけない話の作り方をしていますからね。これをいくらか売り物になるようにするには、まず、このすぐ結末が分かってしまうということを何とかしなければいけない。それにはいくつかの手があると思うんだけれど、今僕がとっさに考えたストーリィでは十枚では無理で、もう少し長くなります。平凡な、すぐオチの見当がつくような話を書いてしまうから、それを直すと十枚では書けなくなるんですよ。

もし僕がこういった書き出しで書かざるを得なくなったらどうするかといえば、このアパートの隣の部屋に越してきたジョバンニさんという人が、銀の弾丸の詰まった拳銃を持っているというところまで、こんなに長く書かないで、もっとはしょってしまう。そして次の満月の晩にジョバンニさんが隣の部屋で吠え出す、そこをもうちょっとサスペンスが高まっていくように書きます。

「僕」は拳銃を握りしめて、部屋の中で耳をそばだてている。いつドアが開くか、いつバタバタという足音が聞こえるか、窓を背中にして待っている。いつまでたってもドアが開かない。吠える声も聞こえない。その時に「僕」は、自分の部屋の明かりを消して、寝入ったような感じで待っているということにして、どうしたのかな、と思っていると、突然背後の窓が開く。振り返ると窓に大きな影が——で、夢中で拳銃を発射してしまう。窓から落ちながら、「きみのばんだよ」と叫ぶ。この作品では、その後皆が駆けつける、「あとのことは、ごぞんじのとおりです」というようなことになって、突然視点が変わるでしょう。最後の場面で視点を変えて落とすという手は、使ってはいけないというものではないけれど、使うなら、よっぽどうまく使わないとね。僕だったらそのまま視点は変えないで後を続けます。主人公は拳銃を隠し、自分は寝ていて、叫び声と落ちる音で眼が覚めたと言いつくろうことにする。隣の部屋のジョバンニという人が——僕ならこんな名前はつけませんね。意味ありげだけど、ここではそれが生きてはいませんから。ごく普通の名前をつけるか、名前をつけずに単に「彼は」とします——どこから落ちたか、どうして死んだか分からないままに、事件は迷宮入りしてしまうことにして、このあたりはごくあっさりと書きます。

結末の分かるような題名はつけない

それで昼間拳銃を調べてみると、一発発射したはずなのに、銀の弾丸が一杯詰まっている。だけど現実に、隣の部屋の男は死んでいる。「僕」がそれを撃った。満月で、「きみのばんだ」という言葉が気にかかる。満月の夜が来るのが恐しい。満月になる。光が部屋の中に射し込んでくる。待っている。何ごとも起こらない。不安でしようがない。ひょっとしたら自分が気がつかないだけで、自分は狼になっているんじゃないだろうか。で、吠えてみる。隣にはもう別の人が越してきていて、「どうしたんですか」なんて声をかけてくる。「いや、何でもありません」と答えたものの、吠えなければ不安だから、外へ飛び出して駆け回る。何ともない。へとへとになって部屋へ帰ってくる。で、次の満月の晩、また吠えてみる。へとへとになって帰ってくる。とてもこんなことでは暮らしていけるものではない。拳銃を取り出してじっと見る。それで思い切って自殺しようと撃つんだけれど、いざとなると手が動いたのか、自分が臆病なのか、はずしてしまう。

発射音に驚いた隣の男が入ってきて、「一体どうしたんです」と聞く。それで隣の男に拳銃を預ける。また満月の夜がやってくる。隣の男はあの晩の「僕」のように、息を殺しているに違いない。また吠えずにはいられなくなる。隣の部屋の窓へ行ってみる。あいつどうしているだろう。向こうを向いて拳銃を持っている。ああ、やっぱり「僕」と同じだ。窓を開ける。「恐がらなくてもいい、狼男になるわけじゃないよ」と言おうとすると、相手は振り返って拳銃を撃つ。その時、呪われているのは「僕」じゃなくて、拳銃だということに気がついて、「こんどはきみのばんだぞ」と言いながら、「僕」は落ちていった——

というふうにすれば、この「狼男たち」という題名も生きるんじゃないかな。狼男の話に「狼男たち」という題をつけるのは、ショート・ショートでは一番馬鹿な話なんですよね。長篇小説だったら一向にかまわないけれど。意外性を主とする、そして順繰りに狼男になっていくという話に「狼男たち」という題をつけては駄目です。

ただ今のように書くとすると、ジョバンニさんの胸に血がついていて、それが銃で撃った傷じゃないかと「僕」は疑う。「いや、これは僕の血じゃない」というようなところは、削らなければいけませんね。「見たところ血は出ていないようだった。拳銃を持ってうずくまっている。『どうしたんですか』『死のうと思ったんだけれど死にきれない』というふうにもっていかないと駄目。そうしたら、いくらか意外な話になるんじゃないかなあ。

それと狼男の話とすると、ただ狼男を殺したから狼男になるはずがないんで、かみつかれなければならないわけでしょう。だからそこに何かがあるなあと、勘のいい読者なら気がつくだろうと思う。そういう勘のいい読者は拳銃が呪われていたということで、「ああ、俺はこのオチを見通した」と、いくらかいい気持ちになる。それほど勘の良くない、あるいは狼男伝説を知らない読者はそれに気がつかないで、狼男をめぐっていく話かと思っていたらそうじゃないなという、いくらかの意外性を味わうことができるだろうと思う。

登場人物は最小限の人数にとどめる

登場人物も僕の直し方だと三人だけですけれど、もとの作品では刑事まで入れて四人出てくるわけね。しかも最後の医者と刑事なんていうのは、本当にいるのかいないのか、ただ「医者」「刑事」という名前というか、代名詞だけで、それほど強いて出す必要はない。できるだけ余計な人物を出さないようにするのが、ショート・ショートのコツじゃないかな。

後、もとの作品の大部分は、精神科の医者に「僕」が話すという形をとっていますから、「です」「でした」という話し言葉で書かれていますけれど、僕の直した話では主人公の「僕」は最後に死んでしまうので、話し言葉ではない方がいいですね。それにその方がいくらか語数を省略できるから、余計書けるということもありますし。ショート・ショートは最初の一語から、読者を引き込んでいく工夫をしなければいけませんから、それこそ一字も無駄にできないんです。そういう意味でこの「闇が街路に漆黒の絨毯をのばし、町がそのあふれる暗黒の海に沈む」なんていう書き出しは、ショート・ショートの、しかも恐怖小説の書き方ではありませんね。

小説を書き出して間がない人というのは、この作品のように、一所懸命書き出しにだけきれいな言葉を並べてみて、話が始まると途端に普通の言葉になって、後半を盛り上げていくということを忘れてしまうんですね。話を運んでいくのが精一杯になってしまう。たとえ十枚の作品でも、読者の気を抜くところと、緊張するところをどこかに作らないと、話は盛り上がらないんです。

もしこの文体で、この書き出しの調子で何か書きたいというのだったら、もっとロマンチックな、短篇小説にした方がいいですね。たとえば隣の部屋に狼女が越してきたことにして、その狼女とつきあう方法を一所懸命考える男の子の話とか、今までの人が書かないことを何か考える。もちろん狼女とつきあう話を書いた人もいるかもしれない。だから一つひねったことをまず考えて、しかし自分なんかが考えるひねり方は、当然誰かが書いていると覚悟して、そのひねったアイディアをさらに面白くすることを心がけなければいけないでしょうね。

ただ僕が直した「狼男たち」は、僕が書けばちゃんと売れますけれど、初めての人が、僕が言ったように書き直してみても、これは売れるかどうか分かりません。つまり、今僕が直した話は、一応ショート・ショートの専門家であるといわれた人間が、依頼されて書いて、「あの先生、今回はちょっと出来が悪いけど、でもまあ、一応水準には達しているから載っけよう」と、それで原稿料がもらえるという程度のものなんです。

最初のうちはもっと奇抜な話を、次から次へ書いていかないと駄目でしょうね。ショート・ショートを一篇書くのにまず十ぐらいアイディアを考えて、そのうちで一番いいものを書く。あとの九つは捨ててしまう。次のショート・ショートを書く時はまた十ぐらいアイディアを考える。一番いいアイディアを、どうすればもっと面白くなるか、考えに考える。そのくらいのことはやらないと駄目です。たくさん書いていると、慣れて、八枚ものなら六枚目、十枚ものなら八枚目になってふっといい結末が浮かんでくるというようなことはありますけれど、最初からそういう期待はしない方がいいですね。

星新一を真似てもプロにはなれない

全く予期しない結末で、しかも人生の感動みたいなものが残っている、そういうのがいいオチなんですよね。ひねって理詰めに考えていっても結末はつくんだけれど、その時に何か自分がそこで気がついていないことはないかというのを見つけ出して、そこでオチをつけると、作者自身が気がつかなかったくらいだから、読者も当然気づかない。だからアッということもあるんですよ。

ショート・ショートというのは、読者の想像力のボタンを適確に押していく作業なんですね。枚数がないから、自分の方で全てを言い切るだけのスペースがないわけです。省略した部分を読者がちゃんと考えてくれるように、言葉を選んで書いていかなければいけない。よく言うことなんだけれども、ショート・ショートというのは一本の棒の切り口であって、その切り口の後には一本の棒全体がなければならない。それだけの重みがなければ、わずか五枚きりの軽い話が読者を感動させるはずがない。感動させなくても読者を面白がらせるはずがないと、僕は思います。

星新一と僕のショート・ショートの作風の違いについて、よく聞かれるんですけれど、星さんは、できるだけ早く何が起こっているか知らせないと気がすまないタイプで、僕はだんだん霧が晴れてくるように何かが分かってくるという書き方をするのが好きですね。これはやはり、技巧の選び方が違うせいだと思います。

星さんのショート・ショートを一口で言いあらわせば、「現代の寓話」、星新一というのは現代のイソップだと、僕は前に何かに書いたことがあったけれども、非常に明解で、何を言おうとしているか良く分かる書き方ですよね。僕が星さんに感じるもの足りなさは、そのあまりにも明晰であるということなんですが——人生っていうのは、それほど明晰ではないはずなんでね。それは星さんがSFの方から普通の小説に近づいていったのと、僕がミステリイ的な考え方からショート・ショートを書いている、その出発点の違いでしょうね。

どちらが真似しやすいかといえば、僕の書き方の方が真似しやすいはずです。一見星さんの書き方の方が真似しやすいように見えるから、みんな星さんの亜流みたいなショート・ショートを書いて失敗する。専門家になれないんです。ショート・ショートから出発して作家になりたかったら、星さんの真似をしてはいけない。むしろ僕の真似をした方が、普通の小説に入っていけます。星さんの真似をしていったら、星新一は越えられないし、普通の小説は書けなくなってしまう。

僕の真似をすれば、僕を越えることはその人の才能次第で簡単ですからね。その証拠に、星さんの真似をしてショート・ショートを書いている人はたくさんいるけれども、それでプロとして通用している人はいないでしょう。これはもう、星新一一人のものなんですよ。一言でいうと、簡単に見えるものほど極めにくいということです。

ショート・ショートは新人には不利

一方で、ショート・ショートは、何か一つ思いつきがあれば、一応それらしい形はとれますから、まったくの素人でも、一生のうちに何篇かは傑作が書ける可能性があるんです。ただ書き続けるのは難しい。「ヒッチコック・マガジン」のショート・ショート・コンテストなんかでいい作品をいくつも書いた人が、みんな消えてしまっていますからね。

やはり自分の書き方を発見しなければ駄目なんです。それにはどうすればいいのかというのは大変難しくて、一言や二言ではとても言えませんね。

僕はこの頃、小説を書きたいという人は、むしろあまりショート・ショートは書かない方がいいんじゃないか、という気がするんです。第一、ショート・ショートしか書かない作家というのは食えないしね、星新一というものがいる以上。といって、星さんがいなかったとしたら、星新一になるのはもっと難しいし。僕の場合も十枚のいいショート・ショートを書くよりは、五十枚のいい短篇小説を書く方が楽ですね。五十枚だったら、途中で失敗したなと思っても取り戻せるけれど、ショート・ショートは失敗したら全部、頭から書き直すより手はないですから。新人にしても五十枚なら、どこかで読んだような話でも何か新しさがあれば取り上げてもらえるけれど、ショート・ショートは本当の骨組みだけだから、よく似て、しかもうまい作品が以前にあれば、それを読んだ人は何だ、ということになって、それでもうおしまいですからね。誰でも書けそうに見えますけれど、ショート・ショートという形式は実はとても難しい、極めにくいものなんです。

第6講　絶えず意識しないと話は先に進まない

早い時期に長篇を書くことを勧めたい

僕はいつも小説家を志す若い人に、一度長篇小説を書いてごらんなさいということを言うんだけれど、長篇小説というのはプロットに細かく肉づけしていくことでしょう。自分が思っているとおりのストーリィをただ説明していくだけでは、ちっともはかどらないということに気がついてくるんですね。すると小説はディテールが大切だということが分かってくる。僕も初めての長篇を書いた時に、小説の書き方が何となく分かったなという気がしたし、同時に初めてちょっとした仕事をしたという記憶が非常に鮮やかに残っています。だから出来るだけ早い時期に、長篇を書くことがいいことだと僕は思ってます。

ただ逆に、一番最初から長篇を書いてしまうというのは、あまり賛成はしないですね。やっぱり長篇の書き方と短篇の書き方は、かなりはっきり違うところがありますから。長篇をいきなり書いてしまって、それがうまくいった場合にはなおさら、長篇タイプの小説しか書けないし、長篇の考え方しかできなくなってしまう恐れがあるような気がします。だから短篇をいくつか書いて、ある程度小説の体をなすものが必ずできるようになったら、できるだけ早く長篇を書いてみた方がいいという考え方を、僕はしています。

長篇と短篇とどちらが難しいということはないと思いますけれど、ただそういうやり方で割に小説が自由自在に書けるようになると、これは長篇の方が楽といえば楽ですね。というのは、長篇というのは長い物語だから、緊張の連続では書く方も読む方も持ちこたえられないわけで、日常生活というものがかなり大きく入ってきます。すると、エンタテインメントの場合なら、割にそういうところで気が抜ける場合があるんですよね。初めのうちはむしろそういう日常生活のところで、読者にちゃんと受け入れられるように書かなきゃいけないという緊張感で疲れますけれど、後になるとそういうところで楽ができるようになるんですね。

短篇と長篇の違いは、もちろん長さということもありますけれど、おそらく出来事が主になるのが短篇で、出来事に関わる人間達の生活を書くのが長篇という言い方をしていいんじゃないかな。例えばたった一日のことを千枚の長篇に書くというような場合は、そこに登場する何十人かの人々の過去、現在が全てその一日の中に集約されるように書くわけですよね。そうしないと一日のことを千枚に書くことはできない。一方短篇の場合には、ある一つの出来事の中における人間のリアクションを書く、と言っていいと思います。具体的な例を上げると、最近日本でも翻訳されたスティーヴン・キングの『霧』という作品は、日本の常識からいうと、もう長篇といっていい長さがありますね。翻訳されたもので、四百字詰原稿用紙にして、少なくとも二百枚は確実に越えていると思う。だけどあれは、やっぱり短篇、あるいは中篇的な書き方ですね。

作品の時間の流れは素直に扱う方がいい

先ほど、まず短篇を書いてみて、それが小説の体をなすようになったらなるべく早く長篇を書いた方がいいといいましたけれど、小説の体をなすとはどういうことか、具体的に言うのは難しいんですよね。まあまあこれなら活字にしてもいいなあと、編集者が思うようなもの、ということになるんじゃないかな。一番単純な目安は起承転結がきっちりついているということでしょうね。推理小説でいえば、説明されない部分がない、読者が納得するだけのトリックなり何なりがちゃんと解明されている。といっても、こんなのが小説といえるかなあというような、面白い出来事も何もないのに、それでいて何となく、人を感動させるという作品もあるしね。嘘っぱちの人間ばかり出てくる気がするんだけれど、読み始めたらやめられなくて、馬鹿馬鹿しいけど面白いというような小説もあるし、そういう何かの基準のないところが小説の一番難しいところであり、同時に一番面白いところでしょうね。

何度も言ってるように、面白いストーリィを創れるかどうかは才能であって、これを教えることはできないけれど、その面白さを端的に表わすように語る技術は教えられる。どんなに面白い話を考えても、しゃべり方によって、つまらなくなるということはあるでしょう。落語家が、ほんのちょっとした会話の配置を先輩に教わっただけで、今までうけなかったところでお客が笑うようになったというようなことはいくらもありますからね。それと同じようなことは、小説の場合でも先輩が後輩に伝えられることでしょうね。

例えば時間の流れということについていえば、僕はエンタテインメントの場合、最初のうちは時間の進行と一緒に書いていく方法を勧めますね。推理小説なら興味の中心となる出来事に向かって話を進めるか、あるいはその出来事からそれがどう終わるかに向かって話を進めるか、ともかく最初は起こった通りの時間で書いていく方がいいと思います。今僕は、主人公が小説のテーマになる出来事に関わり合う瞬間から、小説の中の現実の時間と同時進行で書いていくという形で書くことが一番多いんですけど、それは後から後から書いていく上で、一番間違いのない方法なんですね。ということは、これから書き始めようという場合に一番間違いのない方法でもあるんです。過去に行ったり、現在に帰ってきたりする、自由自在の動かし方というのは、作者がその小説の中の時間を完全に自分のものにしていて、いつでもぱっと見渡せるよう全体像が頭の中になければうまく書けないでしょう？　書き始める時に、全体像が隅から隅まで頭の中にあるということは、なかなか難しいんですよね。どこかが抜けてたりして、だから時間というのは作品の上で、素直に扱った方が無難だと僕は思っています。

作者にだって結末は分からないのが本当

視点については、短篇の場合は変えない方がいいと思いますね。長篇の場合は次から次へ変わっていってもいいけれど、ただ視点を変えることで、ミステリィの場合、読者を引っかけてはアンフェアだと僕は思ってるね。これははっきりごまかしの手段じゃないかな。外国の作家は割にそういう手を使いますけどね。

僕が割にそういう多面描写をやらないというのは、そういうずるい手を使いたくないというのと、もう一つは逆に、視点を限定することによって、多面描写で書いたら成り立たないような話を書くことができるんですね。つまり多面描写で書いたらすぐ結末が割れてしまうようなことも、一人の人間の知識の中でものを見て、時間を追いかけていくということによって、サスペンスを生み出したり、謎を作り出すことができる。そういう方法が何か僕には一番合っているような気がして、主にそれを使っていますね。というのは、一つには僕がどちらかというと、このところは短篇作家だからでしょうね。長篇をまたたくさん書き出すようになれば、少し違ってくるだろうと思うけれども。それともう一つには、僕はどうも作者が、神様の位置に立って全部の登場人物を動かしていくっていうのは、何となく変な言い方なんだけれど、作者の思い上がりというか、不遜なような気がして、作者だって結末は知らないのが本当のように思えるんです。

実際、最後までしょっちゅう結末が変わるかもしれないということで書いてますね、僕は。だいたいこの線路を走っていけば、終着駅に着くだろうと思いながら、ひょっとしたら線路が途中で曲がっているんじゃないかという不安をいつも抱いて書いています。それが、僕は小説を書いていく一つの楽しみのような気もしているんですね。最初の頃は、うまくいくかな、と不安を押し殺すのに、ものすごく時間がかかりましたけれど。だって頭の中にあるのはやっぱり平面図でしょう。それが立体的になってくるとねえ。平坦な土地であったつもりが、いざ歩き出してみたら坂道だったというようなことは、しょっちゅうありますから。

五十枚なら五回ヤマ場をつくるのが基本

エンタテインメントの場合、ヤマ場をどのあたりに持ってくるかを計算して書き始めるのが理想的なんだけれども、なかなかそうはいかないですね。ただ、このへんでヤマを作らなきゃいけないというようなことは、だいたい決まっています。五十枚なら、三十枚ぐらいまで退屈だという小説は、現代ではちょっと売り物になりませんよね。極端な言い方をすれば、五十枚なら五回、読者をドキッとさせる、あるいは展開を期待させる、ワクワクさせる何かが、十枚目ごとになきゃいけないんじゃないかな。これは何の基準もないことなんだけれど、僕は五十枚は五章で書くというふうな考え方を基本的に持っています。それで各章に一つひとつヤマ場をこしらえることを基本にして、さて実際にやってみるとそうはいかなかった、ということになるんですね。

それとまず、最初の原稿用紙一、二枚で、読者をつかむ何かを書くということも心がけています。というのは、テレビの番組とか落語の寄席に例えると、単行本の場合は、落語でいえば独演会ですね。最初から読者はこの人の話を聞こうとして、その本を買ってくれるわけでしょう。だから、出だしで読者の心をつかむことが、それほど強烈でなくてもいいんだけれど、雑誌に他の人の作品と一緒に並んでいるというのは、寄席の何番目に出て話をする、あるいはテレビの何局もある、その中の一局のある時間に話をしているというのと同じで、つまらなかったらすぐ、他の作品を読まれてしまうのじゃないか、ということがあるんですね。簡単にチャンネルを切り換えられてしまう。だから極端な言い方をすれば、何も頭だけじゃなくて、たまたま開いたページをひょっと読んだら、もうやめられなくなった、というようなものを書こうと常に考えています。なかなかそうはうまくいかないけれど。

で、そうしたヤマ場といっても、何も人が殺されたり、夫婦げんかをしたりといった、大きなことでなくていいんです。思いがけない時に、思いがけない人間から電話がかかってきたというような幕切れでも、読者は先の展開を期待しますからね。ただそれが、当り前でないという感じを与えれば、それでいいわけです。芝居の方でいう、ウェルメイド・プレイという言葉、良く出来た芝居という風に訳してしまうと意味が分からなくなるけれど、そういう当たった芝居というのは、各幕の幕切れのセリフがみんないいんです。人によっていろいろなタイプがあって、一概に言えないけれど、描写で書いていく人には、僕は五十枚の作品ならまず五つの場面を設定して、五幕の、あるいは五場の芝居を書くつもりで書き始めることを勧めたいですね。

最初のうちは一人称はやめた方がいい

よく初心者の作品にあるんですが、ここでこれだけのものを説明しておかなければというので、話の流れが止まっているんですね。でもたいがいの場合、それは誤解あるいは計算違いなんです。どうしてもそこで説明しておかなければ、というのはまずないですよ。ここでこれを説明していたら、話の流れが止まってしまうと思ったら、後まわしにして大丈夫です。

ともかく小説というのは、先へ先へ進んでいかなければならないんです。当然話なんだから進むのが当り前だと言われるかもしれないけど、最初のうちは絶えず意識しないと、なかなかうまくいかないですね。始まったところから一歩も先へ行ってなくて、後戻りしている小説がずいぶんある。全部後ろ向きでもいい小説を書くことはできますよ。だけどエンタテインメントの場合には、前に進むということを心がけていた方が、面白い作品ができる可能性が大きいんです。

ミステリイに限っていえば、その中で全部が終わったところから始まって、犯人だけが分からないというような、その全体を振り返るような形で話が始まるという書き方がありますよね。ことにアームチェア・ディテクティヴなんかはそれなんだけれども、それでもやっぱり、その話を聞いて事件を解く人物にとっては、初めてそこから話が始まるわけです。それを忘れずに書けば、絶えず後ろを振り返ってるという感じにはならない。僕はそのために、絶えず聞き手が疑問を持って、そこはどうなっているんだ、というふうに突っ込んでいくというやり方をしていますね。

人称をどうするかについては、僕は一人称が好きで、一人称スタイルで書くことが多いんだけれど、最初のうちは、一人称はできればやめた方がいいですね。と言うのは、主人公と作者が密着しすぎる危険があるんです。慣れてくれれば主人公は主人公、作者はそれを見守っているという形になれるんだけれど、あまり小説を書き慣れないうちに一人称ばっかり書いていると、主人公が完全に作者と同化して、内容が小説の主人公の日記みたいになってしまう。それでモノローグばっかり多くなって、いや、モノローグになればまだいいけど、ただの感想になってしまうんだね。それが一番怖いんですよ。どうしても一人称で書きたいのであれば、最初は主人公を現実の自分とかけ離れた設定にして書くのもいいかもしれませんね。年齢を違えたり、性を変えたりしてね。でもそこまで無理して一人称で書くなら、三人称で書いた方が楽じゃないかな。三人称で十分書けるようになったら、そこから先は一人称で書こうがどうしようがかまわないけれど。

背景を選んでそこを書く楽しみもある

これは僕だけのことかもしれないけれど、小説を書く時に、こういう話を書こうというんじゃなくて、こういう場所を書こうとか、そういうことから始まることが多いですね。それはいくらかは、永井荷風が好きであったことと関係があるようです。永井荷風には、こういう場所のこういう風俗を書いてやろうということから、書いた作品がずいぶんあるでしょう。それの影響みたいな気がしますね。本当に小説と背景、どこでそういうことが起こるのかというのは密接な関係があって、ある都会なら都会でしか起こりえない事件、地方も城下町であるからこそ起こったとか、ありますよね。そういう何かが起こるっていうことは、事件を起こす人の性格と環境からくるわけでしょう。性格だけでも駄目だし、環境だけでも駄目で、全部が合致した時に異常なことが起こる。特に長篇の場合には、背景というのが非常に重要になるわけです。

まず人がいて場所を決めるタイプの作家と、場所があって人が出てくるタイプの作家がいますけれど、場所があって人が出てくるというのは、そういう場所にいるに一番ふさわしい人物を作者が選んで、その人物の生き方なり何なりを描いていくということですね。シムノンなんかもそうで、パリのいろんな場所の、いかにもその場所らしい事件、その場所らしい人を書いているから、風俗がものすごく隔たってしまった古い作品でも、まるできのう書かれた作品のように思えるんです。場所を書くことだけに夢中になってしまうと、時代が変わると読めなくなったりするんだけれど、そこで生活している人々を適確に捉えていると、何年たっても古びないんですね。

ただそのためには、普段からよく見ていなければできないけれど、今の日本みたいに情報過多で、どこもかしこも同じようになってしまうと、難しくなるねえ。その点時代ものだと、それがかなり自由に、遊び心でできるんで、書いてて割に楽しいですね。今度のシリーズでは江戸の盛り場を次々に書いてやろうとか、吉原の中だけにしようとか、そういう背景を選んで、そこを書く楽しみというのが出てくる。もちろんそれは机の前に座りっきりでは書けないですよ。

僕がそれを非常に意識的に出した原因というのは、永井荷風の日記を読んでいると、かなりの年になっても実に好奇心旺盛に、毎日外へ出て何か見て歩いてるんですね。やっぱり小説というのは足で書かなきゃいけないんだなあという気がしてね。作家というのはまず好奇心が旺盛でないと駄目でしょうね。

第7講　僕の修業時代

師と身近に接したことがプラスになった

　創刊号以来続けてきたこの「エンタテインメント小説の書き方を伝授しよう」も、いよいよ今回でおしまいということになりました。で、その締めくくりとして、三十数年にわたって曲がりなりにも現役の作家を続けてきた僕自身の若い頃を振り返り、作家として影響を受けた人々、ことがらについてあれこれお話ししてみたいと思います。

　以前、昔風の師弟関係というのも悪くないと言いましたけれど、僕自身、十七、八の頃には正岡容（いるる）、二十一から二十五、六ぐらいまでは大坪砂男という、二人の異色作家に師事していた時期がありました。その時一番プラスになったのは、才能のある人が小説を書いている姿を間近に見た、ということでしょうね。それは編集者の立場で、催促するために座りこんでいたとしても同じだったろうと思いますけど、ただ弟子に対しては、編集者に言わないようなことも言いますからね。そういう身近にいて聞いたことは、いろいろな形でプラスになっています。それは、あ、こういうことを聞いたな、と思い出すんじゃなくて、何かに対してあるリアクションをした時に、後で考えて、そうか、これは以前大坪さんにああ言われたことが働いていたんじゃないかな、と思い当たる程度の形で気がつくんですけどね。

　正岡さんよりは、大坪さんの方の影響が強かったですね。大坪さんという人はなまけ者で、なかなか自分で小説を書かなかったんだけれど、あの人は小説を読む力というのかな、この小説はどこがいいんだという、言葉にあらわしにくい良さを、割合うまく言いあらわすことのできる人だったような気がするんです。ただそれは、文章にすると捕えられない。いろんな言い換えをして、それでもうまく言いあらわせないんだけれど、五つか六つの言いあらわし方をされると、相手が何を言おうとしているのかが、かなりこちらに分かってくる。そういう分かり方だったですけれど。

みんな好奇心旺盛だった移動サロンの頃

本当にあの頃は、今に比べると世の中が良かったんだろうと思うんですよね。今、僕なんか当時の大坪さんやその友人達より年上になってしまったけれど、だいたい四十代後半、そろそろ五十に手が届こうかというこういう人達を中心に、週に一回から多い時は二回、お昼すぎの割合早い時間から集まって、終電間際まで、時には終電が終わった後も、半日あっち行ったりこっち行ったりして、つまり一軒のサロンに集まるんじゃなくて、移動サロンみたいな形での会合が続いていました。

今、そんなこと、できやしませんからね。週に一ぺん、若い人達に半日そばにいられたら、こっちはやっぱり困るもの。あの当時も困ってたのかもしれないけれど（笑）。でもみんな、仕事しないでよく話してたなあ。それで一応食えたんですよね。今はそんなことしたら、とても食べていけない。

この移動サロンでは、世の中のありとあらゆることが話題になりましたね。哲学の話から吉原の話まで、神の問題から性欲の問題まで、最近読んだ小説、まだ翻訳されていない小説の話、そこからモラルの問題になったり、何から何まで出てきました。みんな好奇心が旺盛でしたからね。この間も言ったけれど、小説を書く第一の条件というのは、やっぱり好奇心旺盛ということじゃないかな。

昔、新宿の紀伊國屋のそばにあった、というよりも今の紀伊國屋ビルのあるところにあった「丘」という喫茶店が、移動サロンの最初の出発点になることが多かったですね。そのうち大坪さんが大岡山へ引っ越してからは大岡山の喫茶店が最初になりましたけれど。新宿の「丘」に集まってた頃、昼間、常連しかいない時は皆長居しているけれど、ただ、常連には常連のエチケットというのがあって、フリの客や、食事の後に近所の人が来るという時間帯には、一応そこを離れるわけです。そういう時、こっちもどこかで食事したりしたあと、あまりお金も残っていないと、歌舞伎町にある牛乳屋さんに行くんですね。明治牛乳か何かの販売店で、割に土間が広くて、そこにテーブルがあって、座って牛乳が飲めたんです。そういうところで牛乳を何本か買って飲みながら話を続けたり――割にお酒飲まない人が多かったんですよ。

「丘」の常連の中でも、一部入れ替わりはありましたけど、中心になっていた大坪さん、翻訳家の宇野利泰さん、阿部主計（かずえ）さん、作家の日影丈吉さん、外務省にいた松村喜雄さんといったメンバーはあまり替わらなかったですね。やっぱり何かあとに残る、勉強になるというようなことは、誰か中心人物がいないと駄目なんです。同世代だけで固まっていても駄目で、いろんな世代の人とつき合うことで、自分達の知らないことが話題に出てきますからね、しかも単なる情報の交換ではなく、それぞれの情報に、経験者の考察がくっつくわけで、それが面白かったなあ。

小説は何を書くかよりどう書くかが問題

そういう場で、大坪さんはよくこれから書こうという小説の話をしましたね。作家には話してしまうと書けないという人と、話して、相手のリアクションを窺いながら練っていくタイプの人といますよね。僕なんかもどっちかというと話したいんだけれど、いつも話すほどちゃんとまとまらないからなあ。大坪さんは、まとまってから実際に書き出すまでが長い人でしたね。話を思いついたとたんに書いてしまうというのは、非常に危険なことだと僕は思うんです。話はできたけれど、さて、それを今度はどう書くか。やっぱり小説というのは、どういう話を書くかだけではなく、どういう話をどう書くか、を問題にしなければいけないんですね。

大坪さんもそうだけれど、その前の師匠の正岡さんも非常にクセのある人で、そのクセのあるところが今になって考えるといろいろ勉強になりましたね。この正岡さんも、どう書くかということを非常に問題にしていた人です。正岡さんという人は、自分から妙なところへ入っちゃって、若い僕なんかから見ても、ちょっと考え方を変えたら、この人はもっと売れるんじゃないかなという気がしましたけれど、先輩から言われても、絶対に人のいうことを聞く人じゃなかったですね。一方大坪さんという人は、人の意見、アドヴァイスによく耳を傾ける人で、それが良ければちゃんと取り入れていました。ただ実際に、できあがったものがいいかどうかということになると、それは今の僕の年と経験から考えて、思案するところはありますけど。一番先に話を聞いた時の方が面白かった、なんていう時もありましたし。そういう時には、なぜそこがこの人には書けなかったんだろうと、後になって考えるんですね。つまり、こうやればもっと面白くなると分かっていても、作家のタイプによっては、書けない書き方というのがあるんだな、という勉強にはなりました。

実際に師事したこの二人のほかにも、影響を受けた作家は何人もいますが、僕としてはやはりどう書くかというところに関心がありましたね。岡本綺堂なんか、どう書くかに苦労しているようには見えないけれど、ああいう文体をちゃんと作り出すまで、大変だったんじゃないのかなあ。

それから外国の翻訳ものの小説を、もとが分からないよう、うまく日本に移し換えた小説を書いてみるというのも勉強になりました。うまい作家は、みんなそれをやっているんです。山本周五郎なんか本当によく、何くわぬ顔で翻訳ものなんか読んで、それを時代ものにうまく使っているんですね。

自信のなさが幸いした早川の編集者時代

その後いろいろなことがあって、僕は大坪さんから離れ、編集者として早川書房に入社するんですが、それが昭和三十一年頃のことですね。当時の僕は生意気でしたからねえ。前の師匠の正岡さんには破門されるし、大坪さんとは何となく気まずくなって別れてしまって――本当に生意気でしたよ。ベテラン編集者を平気で怒らせていましたから。

早川では創刊間もない「日本語版エラリイ・クイーンズ・ミステリ・マガジン（EQMM）」の編集長をやっていたんですが、当時は経済的な理由であまり外部に原稿依頼ができませんでしたから、いきおい内部原稿の比重が高くなって、細かいコラムに至るまで、何本も僕自身が原稿を書かざるを得ない状況で、何か自分の才能を自分で発掘していたようなところがありました。

とにかく売れる雑誌を作らなければならないから、あまり自分勝手なものは書けないし。だから編集者の目で自分を見て、自分に書かせていた、という感じがありますね。最初のうちはちゃんとしたプロの作家に頼めるほどの原稿料はとても出せませんでしたけれど、二年目ぐらいからはいくらか上がって、ようやく外部に頼めるようになりました。それでも他に比べると安かったですね。その割には皆さん、嫌がらずに書いてくれたなあ。やはり変わった、面白い雑誌だということがあったんでしょうね。非常にしゃれた感じがあったし。

この「ＥＱＭＭ」は苦労もしましたけれど、でも割に自分の思い通りにやって、やった結果が良かったですからねえ。あの時もし、うぬぼれていたら、非常におかしなことになっていたと思います。当時あらゆることに自信がなかったから、今になってみるとずいぶん損をしていたこともあるけれども、あの時期には根本的に自信がないということが、プラスに働いたんじゃないかな。そこで本当に自信を持ってしまったら、このまま作家としてより、編集者としての方が才能があるんじゃないかと思い込んだりして、編集の仕事から足が洗えなかったんじゃないかと思います。

そういう意味で福島正実くんは、作家としての部分をかなり犠牲にしてしまったところがありますね。あの人はともかくＳＦに対して情熱を傾けていて、ＳＦを何とかしなければいけないというのがあったでしょう。だから編集の仕事というものが切り捨てられなくて、後になって今度は翻訳の仕事が切り捨てられなくなったから――。僕の場合、翻訳というのは付け焼刃でいいかげんだったから、簡単に切り捨てられたんですね。おそらく福島くんなんかは、小説書くより翻訳の方が早くできたでしょうけど、僕は小説書く方がずっと早かったもの。

僕が毎日早川に通勤していたのは三年半ぐらいでしょうか。その後半年くらいは週に一度か二度出社していたから、結局早川書房には四年いたことになりますね。やめたのは、一応いろいろなアイディアが出つくして、これ以上やってるとボロが出るということもあったし、「ＥＱＭＭ」も「ハヤカワ・ミステリ・シリーズ」も軌道に乗ってきましたから。

「ＥＱＭＭ」が一番売れた時期といえば、「マンハント」や「ヒッチコックマガジン」といった競争誌があった頃ですね。今は光文社の「ＥＱ」しかないし、しかもあれは隔月でしょう。雑誌というのは競争誌があった方がいいんですよ。お互いに刺激し合って活気が出てきますし、質も高まりますからね。

二度も音楽がスランプから救ってくれた

おかしなもので、雑誌にとってマニアというのはいなければ困るけれど、マニアを大切にしすぎたら必ず失敗するんですね。ですから今のＳＦ専門誌も、ＳＦ同人誌を作っているような若い人達も大事にしながら、同時にそれに半ば背を向けたような形をうまくとらないと、現在のミステリィ専門誌と同じようなことになってしまうんじゃないかなあ。

それと雑誌でいい作品を紹介したり、書評したりするにはやり方があって、やっぱりあれは一種のアジテーターでないと駄目なんですね。鑑賞力があるというだけじゃ駄目で、同時に編集者の目も持っていないと、うまい紹介記事は書けないんじゃないかな。と言っても、しばしば鑑賞力さえない人が紹介記事を書いているけれど。読んでいてもどこが面白いのか、さっぱり分からない。だから、これを読みたいという気が起こらないんですね。要するにセールス・ポイントがつかめてないんだなあ。

僕はこの早川時代を除けば、これまでほぼ順調に作家生活を続けてきた方だと思いますけれど、それでもはっきりとスランプに落ち入った時期が、二回ほどありましたね。最初は早川書房へ入社する前の二十二、三の頃で、小説が全く書けなくなってしまったんです。このスランプから立ち直ったきっかけは、ラジオで戦前有名だったピアニストのギーゼキングの弾く、ラヴェルのピアノ曲を聞いたことでした。それを聴いていたら、突然ふいっと小説を書きたくなって、書いたらすらすらと書けたんですね。それでまた普通に書けるようになって、それからいわゆるクラシック・モダンというものに少し凝って、聴いていた時期がありました。

二度目のスランプは三十代の初め、ちょうど植草甚一さんがモダン・ジャズに凝り出して、そのエッセーを盛んに書いていた頃で、当時僕は新井薬師に住んでいたんだけれど、東中野の駅のそばにあったレコード屋さんの親父さんと顔なじみになって、そこで植草さんの推奨したレコードを買ってきたんですよ。チコ・ハミルトンのレコード……じゃなくて、フレッド・カッツというチェリストに、チコ・ハミルトンが応援で入っているというレコードなんですけど、それを聴いたら、ふっとまた小説が書きたくなってね。書き出したらすらすら書けるんですね。

最初はクラシック・モダン、その次はモダン・ジャズと、二度音楽に救われたんですけど、そのくせ今ではこういった音楽なんて聴きませんしね。面白いものです。僕の小説は視覚的で、あまり音がないんですけど、自分にないからこそ、触発されたということがあるかもしれませんね。だからといって、その時非常に音に対して敏感になって、僕の小説の中に音が入ってきたわけでもないんです。

自然に身についていた時代ものの〝感覚〟

僕が最初の単行本を出したのは二十五歳の時で、『魔海風雲録』という書下しの長篇時代小説でしたが、これはそれまで読物雑誌に書いていた時代小説の総決算のつもりで書いたものです。時代小説というのは、今の若い人ならよほどきちっとした基礎知識を身につけないと書けないでしょうけど、僕らの世代までは、それほど意識しなくても自然に基礎ができてたんですね。

子供の頃にはまわりにまだ、幕末生まれのおじいさんおばあさんが生きていたし、明治初期のままの家並もあちこちに残っていて、江戸の町なかを彷彿とさせるところがずいぶんありましたからね。それと小さい頃から芝居を見たり講談を聞いたりしていたし、江戸文芸もずいぶん読んで、そんなことが自然とある程度身についていたんですね。それから戦争中の灯火管制で、夜の町に燈りのない、江戸の夜ふけというのがどんな状態になるかというのも経験しましたし。後は江戸の地図や当時の風俗習慣を調べるだけで、〝感覚〟はつかめていたんですね。

でもこれから時代小説を書こうという人にとっては、時代ものらしいセリフまわしなんていうのは、テレビの時代劇ぐらいしかありませんから、その影響をモロに受けてしまうんですね。若い人の時代ものを読んでいて、何でこんな言葉使いをするんだろうというのがありますけど、自分ではっきり分かっていなくて、これが古めかしい言い方だろうと思って書いてるんじゃないかな。だったら時代もののセリフなんて、むしろ現代語で書いてしまえばいいんですけどねえ。現代語で、難しい熟語を使わなければ、時代もののせりふになるんです。逆に本当にリアリスティックな当時の江戸の言葉で書いても、今の読者には分かりませんよ。

僕の二冊目の本は、間に早川時代を挟んで、『魔海風雲録』から七年後に刊行された、長篇推理小説『やぶにらみの時計』なんですが、これが僕の本当の意味での作家としての出発点ということになりました。ここに至るまでに僕が最も影響を受けた人間というのは、実は僕の三歳上の兄なんです。前に言った正岡さんや大坪さんの影響も確かに大きいけれど、この二人には出会わなくても作家にはなれただろうと思うんですね。でも兄がいなかったら、今の都筑道夫はなかったのではないか、と思っています。

兄は鶯春亭梅橋という落語家で、楽屋で翻訳ミステリイやフロイト全集なんか読んでいたりするような、当時としてはかなり変わった噺家でした。この兄から僕は、芝居や落語、映画、推理小説の手ほどきを受けたんです。当時、兄を知る人は皆「あなたのお兄さんは頭がいいねえ」と言ってましたけれど、僕には頭の切れすぎる兄への反発もかなりあって、この兄への屈折した思いの中で、僕の二十代は過ぎていきました。

兄は一部でその才能を注目されながらも、当時の落語界にはその新しさが受け入れられないまま、二十九歳で病死しました。僕が早川へ入社する前年のことです。あれからもう二十八年になろうとしています。

都筑道夫の小説指南

第1講　エンタテインメント小説

　エンタテインメント（entertainment）――このことばは、もちろん英語でありまして、字引を引きますと、「もてなし・食事への招待」、「宴会・酒宴」、「慰み・娯楽・演芸」といった解釈が出てまいります。要するに、人を楽しませることです。で、この場合に、今、私がエンタテインメントということばを使う、その意味は、正確にいうならば、エンタテインメント小説ということになるわけで、ごく気軽にいえば、「娯楽のための小説」の書き方を、これからお話ししようというわけです。

　ところで、小説というものは、本来誰のために書くのかということが、しばしば問いかけられるものです。その場合に、たいがいの作家が、どういう答え方をするかというと、主にふたつに分かれております。ひとつは、実にこともなげに、「お金のために書く」と答える場合ですけれども、これには、気取りといってもよい部分がかなりありまして、たしかに、小説を書いて生活をする以上、お金を得るために書くわけですけれども、それだけではない。お金を儲けるだけのためならば、小説のように他人に手伝ってもらえる部分がまったくといってよいくらいない仕事というのは、あまり効率のよいお金儲けにはならないわけですから、やはり、小説が書きたいから書くというのが本音ということになります。

　ですから、もうひとつの答えとして、一所懸命考えたあげく、他人を納得させうる答えというのが見つからないために、つまりは、「小説というのは、自分のために書くのだ」という答え方をする。これにも半分くらいは気取りの部分があります。自分のためにだけ小説を書くとは限らないわけです。ですから、結局のところその中間を採りまして、小説というのは、「小説の書きたい人間が書くものであって、その中でのエンタテインメント・ノヴェルというものは、小説の書きたい人間が、同時に、人を楽しませる目的を持って、それによって報酬を得ようとして書くものである」という説明ができるかと思います。

その場合に、まず第一として考えなければならないことは、自分の好き勝手なことを書くのではなくて、大雑把に考えうる読者の好みに応じて、つまり読者を楽しませるために小説を書くということになります。

けれども、この読者というものが、作家にとっては曲者でありまして、なかなか把みにくい。おもしろい小説とひと口にいいますけれど、人によって実にたくさんのおもしろがり方があるわけで、ある人にとってはおもしろくてたまらない小説が、別の人にとってはおもしろくも何ともない、ということも大いにありうるわけです。したがって、人を楽しませる小説を書くにはどういうふうにすればよいか、ということも、なかなかひと口には説明できません。だいたい、小説の書き方というのは、百人の小説家がいれば百の書き方がある、といってもいいくらいで、それぞれの作家が、自分で苦しみ、考えて、会得していくものなのだと思います。

ことに、エンタテインメント・ノヴェルの中で、いちばん大切な、「おもしろい話」という部分、つまりストーリィを考える技術というのは、これはもう絶対といっていいくらい、他人にその秘訣を伝えることが不可能なものであります。したがって、エンタテインメントの書き方というものも、本来は成り立たないわけですけれども、そのいちばん重要な部分が、おもしろい話を考え出す技術であるとすれば、残りの部分は、それを「文章でいかに語るか」ということになると思います。その「いかに語るか」という部分は、つまり小説を書く技巧ということですが、その技巧の部分では、たとえば、大きな風景を描写するのに身近なほうから書き始めたほうがよいのか、それとも遠くの風景から書き始めたほうが効果が上がるのか、といったようなことは、いろいろな作家たちが長い間試みた結果の最大公約数のようなものができておりまして、そういうものは、ひとつの秘訣というような形で、小説を書きはじめる人たちに伝えることができるだろうと、私は考えております。つまり、そういう、ひとつできあがった「おもしろい話」を、「いかに文章で語るか」――その部分だけに限定してお伝えするといってもいいかもしれません。

それが、この本の目的とするところであります。

小説を書く第一歩

読書から始まる

「どうすれば小説が書けるか」ということを質問されて、原稿用紙を買ってきて、それに（万年筆でもボールペンでも、何でもいいから）筆記具を使って、ことばを書きつけていけば小説ができる、という答えがあります。これは、まあ、ひとつのジョークではありますけれども、同時に、小説の書き方というのは、そんなふうにしか説明できないくらい、つまり、うまく言い表しようのない部分が多いということでもあるわけです。また、頭の中でいくら考えていても、頭の中にあるのはストーリイであって、小説ではない。実際に書いてみなければわからないという、実に単純な真理を、いまのジョークは含んでいるわけです。小説を書く方法というのは、ただひとつ、実際に小説を書いてみることだ、ということになるのでしょう。

しかし、まあ、それをどう書いていったらいいかわからない――初めての方は、そう反論なさるに違いない。そこで、私がいつも、これから小説を書きたいとおっしゃる方に勧めるのは、たくさんの小説を読むことです。小説を書きたいという以上、その方は小説を読んでいるはずです。それも、ひとつかふたつ読んだだけで、自分で書きたいという気を起こすわけがない。どんなに少なくとも、十や二十、五十や百の小説を読んでいるはずですけれども、実際のところをいいますと、五十や百では足りないのであります。

小説を書く第一歩は、たくさんの小説を読むことです。ひと口にエンタテインメントといっても、推理小説、SF、ポルノ小説、ロマンティックな恋愛小説、実にいろいろなジャンルがあるわけです。それらのジャンルのどれも好き嫌いなく、ひと通り眼を通して、その中から、自分がどういう小説を書きたいか、それを発見するのが第一歩ということになるのです。

筆写のすすめ

たくさんの小説を読んで、自分がどういうジャンルの小説を書きたいかということが決まったとします。さて、次に、自分が書きたいと思っているジャンルの小説の中で、これまでに自分が読んだ、いちばん好きな作品（二番目でも、三番目でもいいわけですけれども）、自分が興味をもった作品を紙に書き写してみることも、小説の書き方を覚える第一歩であるように、私は考えています。

この場合、そのとき使う紙というのは、ノートの切れっ端や、新聞の折込み広告の裏の白い部分というようなものでは、ちょっと困るのであります。小説というのは、作者から編集者に渡すときには、かならず原稿用紙に書いて渡すのでありますから、まず原稿用紙を用意するのが、二番目になるわけです。

さて、それに何で書くか？　もちろん、万年筆なり、ボールペンなり、鉛筆なり、自分のいちばん書きやすいものでよいわけですけれども、鉛筆の場合は、あまり薄い色のものは使わないほうがよい。というのは、コピー・マシンというものが発達してきてからは、原稿をコピーして、イラストレーションを描く絵描きさんに渡したり、控えを取っておいたりするようになっていますので、あまり色の薄い鉛筆などで書くと、それがうまくでないことがあるからです。万年筆・ボールペンなどをお使いになるほうが無難でしょう。

原稿用紙の使い方

原稿用紙に話を戻しますと、これには、ふつう、四百字詰と二百字詰の二種類があります。二十字詰二十行と二十字詰十行、この二種類に分かれているわけです。中には、十七字詰とか、十五字詰十行とか、そういう変則的な原稿用紙もありますが、それは、特定の雑誌などの専用に作られた原稿用紙である場合が多いのです。その雑誌が十五字詰で組んである場合に、十五字詰の原稿用紙を刷って、それを用いるというわけですけれども、ふつう文房具屋さんで売っている原稿用紙は、四百字詰か二百字詰と決まっております。ところで、小説の場合、原稿用紙は、必ず縦書きに使うということになっております。横書き用の原稿用紙を縦書き用に流用しても、いっこうにかまわないのですけれども、日本の小説は縦に組んでありますから、最初から原稿を横書きに書くというのは、これは避けたほうがよろしいでしょう。

さて、いま、あなたは、四百字詰なり二百字詰なりの原稿用紙を前にして、自分の好きな小説作品が載っている本を開いて、筆記具を持った――そう思ってください。

その場合、その作品は、短篇小説であろうが、中篇小説であろうが、長篇であろうが、いっこうにかまいません。まあ、長篇一冊を書き写すということは、たいへんなことでありますし、また、長篇一冊を書き写すくらいの情熱がありますと、その長篇を書いた作家のことばの使い方とか、文章の息づかい――ここで作者は息をついているな、あるいは、ここで力を入れているな、というようなこと――が、書き写すことによってわかります。ですから、長篇一冊を書き写せるエネルギーがあるならば、それはまたそれで結構なんですけれども、短篇（四百字詰の原稿用紙にして四十枚くらい、あるいは、もう少し短くても結構です）をひとつ、書き写してみることからはじめるのがよいと思います。

注意するのは、その場合に、絶対に自分の先入観といったものを交えずに、その本に書いてある通りに写すということです。たとえば、書き出しが一字下がって組んでありましたら、原稿用紙の頭から一字下がったところから、つまり二字目の枡（ます）から書きはじめる。そして、本をご覧になるとわかると思いますけれども、句読点（、とか。）は、一字分をとっているわけですから、そういうところは、かならず一字分をとる。決して自分の書き方というものを発明しないで、そこに組んである通りに書いてみるということです。そうしますと、ひとつの小説が活字になる前の感じが把めると同時に、原稿用紙の使い方というものが、会得できると思います。

なぜ、こんな余計なようなことをいうのかといいますと、実にしばしば、原稿用紙の使い方を知らないで小説を書きはじめる方がいるからです。

世の中には、すべてのことについて、いろいろな約束ごとというのがありまして、その約束ごとにのっとって仕事をしないと、うまく受け入れてもらえない、ということがあります。約束ごとというのは、ただ単に、ひとつのしきたりとしてそれがあるのではなくて、そういう約束ごとを生む大きな理由というのが、かならずあるものです。つまり、そういうふうに活字を組むのがいちばん見やすいとか、あるいは、その他諸々の理由があって、原稿用紙はこのように使わなければいけないという、ひとつのルールができているわけです。そのルールを無視した原稿というのは、読むほうも読みづらいし、それを実際に本にするために、活字を組んでいく印刷所の人たちの受け取り方も違ってくる。でたらめな書き方がしてありますと、一般的な慣例にしたがって、それを直していかなければならない。そういう、余計な苦労をかける原稿というものは、どうしてもそれだけの、一種の偏見をもって見られがちであります。

原稿用紙の使い方といったルールは、ですから、きちんと守ったほうがいいわけです。それを守るためには、ルールを知らなければいけない。そのルールを覚えるには、もちろん、周囲にいる、実際に小説を書いている人、小説を書く勉強をしている人に教わってもいいのですけれども、そういう知り合いがいないという人は、まず、本に書いてある通りに、原稿用紙に書いてみる。それによって、原稿用紙の使い方というのが、わかってくると思います。

熟読・音読

さて、いま、あなたは、三十枚なり四十枚なりの小説を一篇、三十枚なり四十枚なりの原稿用紙を使って（もちろん、二百字詰の原稿用紙であるならば、それぞれの二倍になるわけです）、書き写したわけです。それを書き写しながら、あるいは書き写し終えて、たぶんあなたは、活字で小説を読んでいたときとはまた別な、もう一歩深入りした形で、その小説を味わうことができたと思います。

これは、なかなか大切なことでありまして、昔の人が、本を一冊まるごと書き写すということをよくやったんですけれども、それは、本の数が少なく、しかも高価だったというような条件もあったためでしょうが、ひとつには、自分で書き写したものというのは、自分の頭の中にはっきりと入る、細かいところまでからだで記憶できるという利点があって、本を書き写すという習慣があったのだろうと思います。

それと同じように、小説を書き写すことによって、その作者のことばの使い方とか文章の区切り方、行のかえ方といったものが、わかってくるわけです。活字で読んでいる場合には、その小説がおもしろければおもしろいほど、どうしてもその読みやすさに引きずられて、細かいところにまで注意が行き渡らないものです。それを実際に自分の手で、一字一字、原稿用紙の枡目をうずめて写していく作業――これは、小説を書くということがなかなか時間もかかり、そして、細かいところまで気を遣わなければいけないものだということを教えてくれただろうと思います。

ですから、いま、あなたは、一篇の小説を書き写されたわけですけれども、これだけでやめにしないで、他の作家の他の作品も、書き写してご覧になることをお勧めします。小説を書くことの第一歩は、ひとの小説を読むということ、それも、深く読む、すなわち書き写すということによってであるべきだと、私は考えているのです。

いくつかの作品を書き写したら、その次に、これは絶対にやったほうがいいというほど重要なことではありませんけれど、ついでにお勧めしておきたいことがあります。私は、その方法によって、会話の運び方とかいうものをいくらか会得したような気がしているのですが、それは、自分が書き写した小説を、今度は声に出して読んでみるということです。現代の小説は朗読に適さない、といわれておりまして、たしかに、『平家物語』や『太平記』を読むように音吐朗々、節をつけて詠むということはできないだろうと思いますけれど、すぐれた小説というのは、声に出して読んでみることのできる、ことばのもつ音楽性のようなものを、ちゃんと備えている作品が多いと、私は考えています。それを、自分の書き写した原稿によって、声を出して読んでみる。そうしますと、活字で読んでいるときには、ただの調子のよさで書いているように見えた会話のやりとりなどに、意外な点を発見することがあります。短く切らなければいけない、あるいは長々としゃべらなければいけない、そういう必要――ちょっとしち面倒くさく、必然性といういい方をしたほうがいいかとも思います――必然性というものが、字で書き写したときも見逃しがちなものですが、音読してみるとよくわかる、という場合があるんです。それで私は、それをお勧めするわけですけれども、ものを覚えるのに、声を出して読んで覚える人間は、黙読して覚えられる人間より頭がよくないんだということを、昔、私はいわれたことがあります。そのため、声に出してものを読むのが少し恥ずかしかったことがありますが、そもそも小説を書くというのは、極端ないい方をしますと、いささか世間に向かって恥をかく業でありますんで、それを習うために恥をかくぐらいは何でもないことと思わなければいけないのではないかと思います。

文字で原稿用紙に書き写してみる、声に出して、自分の耳でそれを確かめながら、それを味わってみる——そうすることによって、最初にストーリイのおもしろさだけにつられてサッと読んだときより、いま、あなたの目の前にある誰かさんの小説というのは、ぐっと深みを増しただろうと思います。

ひとの作品から自分自身の小説へ

手始めは、短篇小説

そこで、次には、ひとの作品から離れて、あなた自身の小説を書いてみる、という段取りになるわけです。

もうすでに、何篇かの小説を書き写したわけでありますから、原稿用紙の使い方というのは、おわかりになったろうと思います。

そこで何を書くかということです。

これは、自分の興味がないものは、人間はだいたいにおいて扱えないことになっておりまして、まず、あなた自身が好きなタイプの小説を書いてみることになるわけですけれども、あなたがどんなタイプの小説が好きか、私にはわかりません。それに、私の不得意なジャンルの小説について説明しても、どうせうまく行くはずがないので、私自身の好きなジャンル——これはもう、私は推理小説の専門家ということになっておりまして、それに次ぐものとして怪奇小説も書く作家、ついでにときどきSFも書く作家ということになっておりますので、主として推理小説と怪奇小説とSFについてお話しすることにいたします。

この三つのジャンルの中で、私がいちばん好きなのは、実は怪奇小説であります。それに、たとえば、原稿用紙にして二十枚でガッチリした推理小説を書くというのは、たいへんなことでありますけれども、二十枚の怪奇小説というのは、いちばん手頃な枚数であります。小説というのは、いつも、そんなに短い枚数で書くとは限らなくて、二十枚で書く書き方、四十枚で書く書き方、五十枚の書き方、あるいは百枚、二百枚、五百枚での書き方というのは、それぞれに、多少違いはあります。けれども、こうした本の中で大長篇の書き方を説明するなんてことは、まず不可能でありまして、そういうところは、あなた自身が長篇作家になりたい場合は、短篇の書き方から類推して、だんだんに自分で会得していただくしかない。そういったわけで、こういう本の性質として、短い小説を書くことからはじめたいと思います。

小説の書き方というのは、いくら抽象的に起承転結がどうの、構成の立て方がどうのといってみても、なかなか会得できないものでして、最初にお話ししたように、小説を書くコツを身につけるいちばんの方法は、まず小説を書いてみることです。それには、さしあたって短い小説から手を着けるのが、いちばんよいだろうと思うのです。

さて、いちばん短い小説というのはどのくらいの枚数から書けるのかといいますと、これはもう、小説の書き方を説明するいちばんむずかしいところであるわけなんですけれども、それこそ原稿用紙一枚から一億枚まで、いくらでも短く書けるし、いくらでも長く書ける。ただ、二十字一行の小説なんてのは不可能でありますけれども、これも、あるいは大天才がことばを選んで創り上げれば、二十字でもひとつの何かを感じさせる、それでいて俳句などとも違う、詩ではない、これは小説であるといえるものが書けるかもしれません。つまり、どんなにも小さくなるし、どんなにも大きくなれる、まるで孫悟空のような融通無碍(ゆうずうむげ)な存在、あるいは孫悟空を掌の上で丸め込んでしまうお釈迦様のような存在が小説である、ともいえるので、そこがもっともむずかしいわけであります。

私は、いちばん短いもので、二百字の小説を書いたことがあります。六百字くらいのものは、随分たくさん書いていますし、ちょうど四百字一枚というものもかなり書いたことがあります。そういう短い小説は、現在、「ショート・ショート」と呼ばれています。

ショート・ショートということばは、短篇小説を意味する、英語のショート・ストーリィ（short story）よりも、さらに短い小説というわけで、ショート・ショート・ストーリイといわれたもののストーリイが取れてしまって、ショート・ショートとなったわけです。

このショート・ショートの書き方というのは、ふつうの短篇小説の書き方と、またちょっと違っておりまして、短ければ、短いほどむずかしいといったところがありますので、まず最初に手を着けるには、二十枚か三十枚、そのくらいの小説から書きはじめるのがいいのではないかと思います。

さて、だいたいの枚数が決まりまして、その枚数に見合うだけの原稿用紙が、いま、あなたの前に置かれたわけです。これから小説を書きはじめるわけですけれども、あなたの頭の中には、まだ何も浮かんできていない、と仮定しましょう。もちろん、何を書くか、つまり、どういうタイプの小説を書くかというのは、すでにあなたの中で決まっているわけですけれども、私のほうは、それに合わせないで勝手に（先ほど申し上げたように二十枚の怪談というのは非常に手頃な枚数でありますので）まず怪奇小説という形で考えてみたいと思います。

書く前の心構え

その前に、まず小説を書く心構えとして、あなたがまだ一度も書いたことがない人だとしてお話しするわけですけれども、小説というのは、日記とも違うし、手紙とも違うのだということを、まず心得てください。

日記というのは、自分の眼を通した、その日の出来事でありまして、他人との接触の仕方というのも、常に自分の眼から見た他人であります。他人が、はっきりした人格としてそこに現れなくても、あの人に会ったら顔色が悪かったとか、あの人がこういうおもしろい話をしたとか、そういう書き方でも、日記は済むわけです。それから、手紙で、最近身近にあったことを、友人に知らせる場合でも、「あなたも知っているであろう某氏と、きょう会ったけれども、彼はこういう生活をしていた」というようなことを書けば、それで相手に通じる。つまり、相手はその某氏に対する予備知識があるわけです。先ほどの日記の場合も、日記の読者は自分自身でありますから、当然そこに書かれた人物について、自分自身が多くの知識を持っている。したがって、ある場合には、「Kがいつもの顔つきで、昼休みに訪ねて来た」と、頭文字を使って、それを書くだけで、後日それを読むときに、ひとつのイメージが浮かぶわけです。

これに対して、小説は、まったくあなたの生活を知らない人が読む。もちろん、小説の登場人物についても、読者は、まったく予備知識を持っていない——ということは、小説に出てくる人物は、常に初対面の相手なのです。読者にとって初対面の相手である以上、その重要な役割をする人物は、読者が小説を読み進めていくうちに、あるいは読み終わったときに、くっきりとした人格としてのイメージを持つようにならなければいけないということです。そこが、日記や手紙と、小説との、いちばん大きな違いといってもいいだろうと思います。

題名と書き出し

さて、原稿用紙を前にして、あなたはこれから小説を書くわけで、それに対して私は、二十枚の怪奇小説あたりが手ごろだといいましたけれども、私の話を聞きながら、あなたは、自分の好きなジャンルのことを考えていてくださっても結構です。小説の書き方というのは、根本的には、どんなジャンルのものでも、それほど大きな違いはないわけです。まず、小説には題名をつけなければいけません。こんなことは、まあ当たり前のことなんですけれども、題名が最初についているとついていないとでは、随分違ってくるものでありまして、私の長い間の経験によりますと、たいがい、最初に題名がつかない場合には、書き終わるまで題名がつかない。書き終わっても、なかなかいい題名がつかないことが多いのです。題名がついたら、もう小説が書き上がったも同然だ、という人もあるくらいです。

題名がついていたほうが楽なことは確かですけれども、やはり題名は題名にしか過ぎないのでありまして、題名ができれば、もう小説が書けたも同然だとは、私も思いません。けれども、題名は、先についたほうが、よい題名ができる可能性が、私の場合も多いのです。といっても、何の内容もないのに題名をつけるということは、これはまたたいへんにむずかしい。実際には、職業として作家を長い間続けている間には、そういうこともしばしばありました。まだ何のストーリイもできていないのに、雑誌の目次——多色刷ですから、本文よりも締切が早いのです——に載せるために、とかく題名をくれ、といわれる。そういうときには、ふっと思いついたタイトルを渡す。そんな場合、非常によい題名がついたのに、それに伴ったストーリイができてこないということも、たまにはあるのですけれど、だいたいにおいて、よいタイトルがついた場合には、よいお話ができる、というのがふつうであります。

というのは、題名というのは、小説の頭のようなものでありまして、書き出しの一枚、二枚と合わせて、その小説の顔となるわけです。小説の顔、つまり読者にとっての第一印象となる非常に大事なものです。ですから、よい題名がつくと、かなり安心して小説を書くことができるので、まず最初に題名を考えることになります。

題名は、どんなに短くてもよく、もちろん一字の題名もあります。「秋」とか、「月」とかいう題名をつけることもあるわけですけれども、たとえたった一字の題名でも、そのことばのイメージから、いろんなものが湧き上がってくるものです。

小説の原稿というものは、一枚目に、まず題名を書き、作者の名前を署名するところからはじまります。これには、題名に何行、署名に何行とれ、というようような厳密なルールがあるわけではありません。小説の本文を書くように、原稿用紙の枡目に一字ずつ、小さく題名を書く方もいるようです。けれども、これは、私の好みもあるのでしょうけれども、題名は題名らしく、はっきり書き、サインも、本文よりは大きな字ではっきり書くほうが、何か、これから小説を書きはじめるんだぞという、自分の心に対する励みがつくような気がいたしますので、その意味から、たとえば題名に三行をとる。その三行の上のほうから、大きくはっきり題名を書き、次の二行に署名し、したがって、六行目から本文を書き始める。あるいは、そこに小見出し――第一章とかいうような肩書のつかない、「ある秋の夜に」とか、「桜の花の散ったあと」とかいうような見出し――があって、次に本文がくるような場合には、小見出しを二行分のスペースに書く。これが、ことばではなくて、一、二、三というような和数字、1、2、3のような洋数字になる場合もありますけれど、それも二行を費して書く。したがって、そういう場合は、本文は八行目からはじめる、というような書き方を、私はしております。これは、何も、その通り実行しなくてもよいわけですけれど、先ほど申し上げたように、これから小説を書くのだ――と、そう構える必要はないのですけれども――自分自身にいい聞かせる効用があると、私は思っております。

ストーリイ設計のむずかしさ

さて、本来は、本文の最初の行を書くときには、それが二十枚の作品であるならば、二十枚目にはどういうことが起こっているか、ということが、確実に、作者の頭の中に入っていなければいけないわけです。ことに、エンタテインメント小説というものは、読者を楽しませることが第一の目的でありますので、ストーリイのおもしろさ、ストーリイがどう変化していくかということのおもしろさが、生命であります。ですから、その話がどういう具合に語られて、どうなっていくか――その結末までが、書きはじめるときには、作者の頭の中に確実になければいけないのです。

もちろん、書き進めていくうちに、予定していたストーリイよりも、逆のほうに話をもっていったほうがおもしろくなるのではないか、といったような反省なり、突然のひらめきがあってストーリイが変わっていくこともあるわけですけれども、ともかく、基本的な設計図がきちんとできている上に、文字で建築物を組み立てていく。それが小説というものであります。

もちろん、人によっては、小説というものは、作者の思うがままにはならない、小説自体がひとりでに動き出す、そのときに初めて、すぐれた小説というものが書ける、という方もあります。けれど、私の専門とする推理小説なり怪奇小説、あるいはＳＦというものは、結末の意外性とか、それぞれに大きな要素がありますので、書きはじめて、ひとりでに動き出すのを待つというようなことでは、うまくいかない場合もあるわけですから、設計図はきちんと引いておいたほうが望ましいのです。ただ、その設計図がひとりでに動き出し、変わってきてしまうというのは、前にも申し上げた通り、むしろ歓迎すべきことかもわかりません。

そこで、その設計図、おもしろいストーリイというのをどうやって考えるか、これがエンタテインメント小説の根本の必要条件であるのに、実はこれが、ことばで他人にうまく説明できない部分なのです。

まず第一に、おもしろい話というのが何か、ということですが、最初に申し上げた通り人によっていろいろと違うわけです。また、その話をどう運んでいくのが、その人に合っているのかということ、これはなかなか第三者からはわからないものでありまして、おもしろい話を創るというのは、経験から体得していくというよりも、私の考えでは九五パーセントぐらいは天性、あるいは、後天的に培われたものであるにしても、その人が作家になる以前に、すでに決まっている才能によるといってもよいものだと思います。その人が、現在までに、どれだけたくさんの小説を読み、どういう作家が好きになり、どういう話が好きになっているか、ということによって決まってくる。つまり、先天的に、物語を生み出す才能というものがあって、そこに後天的な読書体験、あるいは生活体験からくるディテールをつけ加えていく、その作業によって生まれるものでありまして、まったくお話を作ったことのない人に対して、こうやるとできますよということは、不可能な部分であります。

それに、おもしろい話といっても、いったい誰をおもしろがらせるのかという大きな問題があります。これは、深く考えれば考えるほど、わけがわからなくなる問題です。私は、ごく単純に割りきりまして、私自身がおもしろがる話を、おもしろがってくれる読者のために書く、というような態度をとっております。というのは、人によっておもしろがり方が違うわけなので、無理に一定の読者を想定しようと思ってもできない。ですから、作者自身がどんなに合わせようとしても、合わすことはできないわけです。また、たとえば野球を一度も見たことがない人間が野球の話を書くということも、まず不可能といっていい。つまり自分の興味の範囲を超えたことは書けないわけです。

もちろん、自分がよく知りつくしていることでなければ書けないというわけではありません。私なぞは、しょっちゅう、人が殺される話を書いておりますけれども、私自身が人を殺したことがあるわけでも何でもないんで、ただ、激しい感情を伴った行為からの類推によって、人を殺すときには、こういう気持がするのではないか、てなことを考えて書くわけですから、自分のやったことのないことでも書かなければならない。作者というのは、多かれ少なかれ、そういう作業もやっているのです。といって、それに対してまったく興味がなければ書くこともできない。したがいまして、おもしろい話を書く、とひと口にいっても、それはなかなか把(とら)まえにくい。把まえにくいものをどうやって作るかというような話は、なおさらしにくい——というわけでありまして、これは、みなさんがそれぞれに、こういう話を書いたら読者はおもしろがるのではなかろうか、てなことを考えていただくよりしようがないわけです。

第2講　怪奇小説を読む

なぜ、いま、怪奇小説か

ここでは、すでに申しあげたように、怪奇小説の短篇についての私の考え方をお話ししたいと思います。

怪奇小説というジャンルは、かなり古くからあったものですけれども、だいたい今世紀の初め、一九二〇年代に入りまして、怪奇小説はすでに死にかけているジャンルであるということが、一般的にいわれるようになりました。

怪奇小説は、そもそもロマンティシズムと結びついて栄えたジャンルでありまして、ゴシック・ロマン（Gothic Romance）ということばが、怪奇小説の呼び方のひとつとしてあるくらいです。ロマンティシズムとどう結びつくかといいますと、人間が死後、霊の形でこの世に現れる。それを、その死んだ人間の情念の現れとして受けとる――つまり、幽霊がどうして出るか、出てどういうことをするかということを、人間の情念の働きとして描いていく――そういうロマンティシズムの文学の書き方に従って発展したわけであります。だからこそ、文学の本流がロマンティシズムからリアリズムに移っていきますとともに、怪奇小説は次第に廃れはじめて、死にかけているジャンルだといわれるようになったわけです。

けれども、死にかけているといわれながらも――怪奇小説というジャンルが、殺されても殺されても化けて出てくる幽霊を書くせいでもありましょうか――非常に執念深く生き延びておりまして、今世紀に入ってからも、死にかけているジャンルだからこそ、なおさら情熱を注ぐのだという作家も現れまして、そこにひとつの転機が訪れたのです。

それはどういうことかといいますと、ロマンティシズムの怪奇小説からリアリズムの怪奇小説への移行であります。どのみち、怪奇小説というのは、生きている人間の側から書くのでありますけれども、生きている人間と幽霊との関係を、ロマンティシズムの場合には、幽霊の側にウェイトをかけて書いていたのが、近年のリアリズムの短篇小説の発達につれて、幽霊を受けとめる人間の側から書くようになったわけです。これによって、怪奇小説はひとつの転機を迎えるとともに、エンタテインメントのジャンルにおいて、非常にユニークな形を取ったといえるだろうと私は思っております。

そしてまた、ごく近年においては、機械文明への反発から、超自然現象といったものに一般の関心が向いてきまして、怪奇小説のルネッサンスといわれるような現象が起こったことは、周知の事実でありましょう。それは、映画によって惹き起こされた部分が多いのですけれども、それとともに、映画のシナリオを書いた人たちが、それを小説に書くというようなこともありまして、アメリカを中心に、（この場合は長篇）怪奇小説のルネッサンスが起きたわけであります。日本では、それはたちまちのうちに、小さな波として消え去ろうとしていますが、本国のアメリカでは、いまだにエンタテインメントの大きな主軸を占めておりまして、むしろミステリイなどを圧倒するような力を持っています。エンタテインメントでベストセラーになるのは、ポリティカル・スリラーと怪奇小説、というような形を呈していまして、ミステリイよりも盛んだといえると思います。

それは、ひとつには、スティーヴン・キング（Stephen King）という、たいへんに才能のある若い作家が怪奇小説に打ち込んでおりまして、その作品――『キャリー（Carrie）』、『呪われた町（'Salem's Lot）』、『シャイニング（The Shining）』など――が、毎年ベストセラーズになるというせいもあるだろうと思います。

アメリカにおける長篇怪奇小説のルネッサンスには、多分に、ロマンティシズム復活の動きが込められているのですけれども、スティーヴン・キングの場合には、ロマンティシズム復活というよりは、やはり今世紀に入ってからの、リアリズムによって怪奇小説を書くという方向に忠実であるような気がいたします。

私は、リアリズムによって、つまり幽霊を受けとる側の人間を書くことによって、短篇怪奇小説の転機が来たというところに、たいへん興味を持ちまして、短篇の怪奇小説を多数書いているわけです。この章に載せてある『風見鶏』という作品も、『電話の中の宇宙人』（これも載せてあります）が、アンソロジーのテーマに気を取られ過ぎてロマンティックな怪談になってしまったことへの反省から生まれたものです。怪異を受け止める側の人間の問題という形で、いちおうこれならばよいだろうというものになったわけであります。

先ほど申し上げたように、アメリカと違って、日本では、いま、怪奇小説というものが、もてはやされてはおりません。したがって、エンタテインメントの書き方をお話しする際に、まずそれを持ってくるということは、いささかアマノジャクに過ぎるきらいはあるかとも思いますけれど、もともと私は、アマノジャクな人間ですし、エンタテインメントの主軸にも、一種のアマノジャク性といったものがあるわけです。一般的にいうならば、現在流行しているジャンルにのっとって、その中に何か新しいものを出してくる人が成功する。いちばんよいのは、そこで、ひとつの流行を創り出すほどの作家になることです。けれども、しばしば、それが早過ぎたり遅過ぎたりするわけですね。私なぞは、常に、これからこういうものがよいだろうと考えると、十年くらい早過ぎてしまう。いま、冒険小説がAF（アドヴェンチュア・フィクションの略）とか呼ばれて、たいへん流行しておりますけれど、私は十五、六年前に盛んに冒険小説を書いておりました。いまさら冒険小説を書くのは面倒くさいという心境になっているわけです。

だからことさらに怪奇小説を例にとる、というわけではありませんけれど、怪奇小説の書き方というものの中にも、エンタテインメントの書き方全体につながる問題があるわけなので、ジャンルにこだわるということでなく、全体につながることとして聞いていただきたいと思います。

三つの作品

本来、小説の書き方というのは、あなたならあなたが書いた小説を、私が読ませていただいて、この話は、こういうタイプの話が好きな人をおもしろがらせるにしては、まだ工夫がたりないように思えるとか、ここを強調したほうが、もっと狙いがはっきりするとか、そういうことを具体的にいうしかないわけで、抽象的にこういう話はこう書くべきだといったことを説明するのはむずかしいものなのです。

私は、これまでにかなり長い間、若い人たちに、エンタテインメント小説を書くにはどうしたらよいかということを、お話ししてきた経験があるのですけれども、その場合も、実際にそこに誰かの書いた小説があって、それに対して、ここにはこういう拙いところがある、こういう巧いところがある、ここをこう直せばもっとおもしろくなるのではないか、というようなことを主に話してきたわけです。やはり、サンプルがないとお話は進めにくい。

そこで、せっかく原稿用紙を広げて、筆記具を手に取っていただいたところを、お気の毒ですけれども、私の書いた小説を読んでいただこうかと思います。

何も、この作品が私の自信作だから読んでいただくというわけではなくて（実をいいますと、かなり自信を持っている作品には違いないんですけれども）、この本は私の著書でありますので、他の方の作品を取り上げますと、版権問題などのいろいろなことが派生してまいりますんで、ただ単に便宜のために、私の作品を、まず読んでいただこうと思っているわけです。

読んでいただくには、ひとつのわけがあります。これから読んでいただく『風見鶏』という作品――『十七人目の死神』という短篇集に収録されていますが、そのあとがきに、詳しい枚数や、成立までの事情が出ておりますので、もっと詳しく知りたいという興味のある方は、それもお読みください――は、私の作品の中でも、きわめて不思議なでき上がり方をした作品であります。

最初は、ほぼ同じストーリィを四、五枚のショート・ショートという形で書きました。ショート・ショートとしてのまとまりはついたわけですけれども、ここで扱っている題材に、作者自身の愛着がありまして、それが、四、五枚のショート・ショートの形式では、完全に表しきれなかったのではないかという気がしたわけです。

そういう場合に、それをまた書き直して雑誌に発表するというようなことは、日本の慣例上、あまり歓迎されませんけれど、自分の著書に入れるときに徹底的に書き直すということは、作者の自由でありますんで、機会があったらそうしようと思っておりましたところ、今はもう故人となりました、日本のSFの育ての親である福島正実君から、SFのアンソロジーに入れる三十枚くらいの作品がないか、という話がありました。そのときに、そのショート・ショートを三十枚の短篇に書き直したわけです。

しかし、それも、そのアンソロジー（『SFエロチックミステリ』）が出まして、読み返してみると、まだ何か釈然としないところがある。そこで、さらに何年か経って、私自身の短篇集に入れるときに、完全に形を変えて書き上げたのが、この『風見鶏』という作品です。

まず、それを読んでいただきましょう。

風見鶏

切りぬき文字のNとEとSとOとを、先端につけた十字の上で、風見鶏（ウェザー・コック）が身じろぎしている。黒い鉄板から生れた平べったい雄鶏は、ヨーロッパの古い教会の屋根から、運ばれてきたような手のこんだかたちで、誇らしげに尾羽をそびやかしていた。西がOになっているところを見ると、イタリアか、スペインか、フランスで製（つく）られたものなのだろう。それをのせたスペイン瓦の屋根の手前は、寺の墓地だ。風雨に頽れかけた三界万霊塔（さんがいばんれいとう）が、ぬっと頭をもたげている。卵塔場（らんとうば）のむこうは低くなっていて、釉瓦（ゆうが）の家は、斜面に建っているらしい。風見の鶏と五輪の塔とは、ほとんどおなじ高さにあって、東西の宗教文化を競っているかのようだった。そう見ると、背景の空を染めた夕日のいろは、地獄の業火を思わせる。

「とうとう見つけた」

一郎は崖の上に立って、身じろぎしている影絵の鶏を見つめながら、喉のおくでつぶやいた。六十五日めに、ついに探しあてたのだ。風見鶏と三界万霊塔がならんでいる、という不思議な光景を、やっとのことで、見つけたのだ。

「きみの言葉を信じて、よかった。やっぱり、ほんとのことをいってたんだね、きみは」

　一郎は胸のうちで、夜ごとの女に呼びかけた。探してみる気になるまでに、かなりの日かずがあったから、最初の電話がかかってきたのは、かれこれ三月(みつき)ちかくも前だったろう。ベルが鳴りだしたとき、一郎はもう寝床に入っていた。岩波文庫の『白鯨』の上巻を、枕のわきに落して、うとうとしかけたところだった。自分の電話だったら、起きあがらなかったにちがいない。けれども、そうではなかったし、そこが自分の家でも、自分の部屋でもなかったのだ。一郎は薄い蒲団から、不承ぶしょうに匍(は)いだして、四畳半のすみの畳に、じかにおいてある電話機に手をのばした。

「谷田製作所ですが——」

　相手はなにもいわなかった。切れたわけではない。息づかいらしいものが、かすかに聞えている。目ざまし時計を見ると、十一時二十分だった。眉をひそめながら、一郎はくりかえした。

「もしもし、谷田製作所ですが——」

　それでも、相手はなにもいわない。

「もしもし、谷田製作所です。ご用がないなら、切りますよ……いいですか？　もしもし、ほんとうに切りますよ……」

　はっきり目がさめて、腹が立ってくるのを我慢しながら、一郎が念を押すと、

「あの……」

　女の低い声だった。

「もしもし、谷田製作所ですが、ぼくは宿直員なんです。夜だけしかいないもので、仕事のことはよくわかりません。あしたでは、いけないんでしょうか？」

「あの……どなたでもいいんです」

　女はまだ若いらしい。すこし舌がもつれているようだった。

「伝言するだけでよければ、うかがいますが——でも、ほんとにぼくじゃあ、わかりませんよ」

「いいんです。お願いします。あたしを助けてください」

　女は急に早口になった。めんくらって、一郎は聞きかえした。

「助けるって、なにを？」

「ここから、出してください。お願いです。閉じこ

められているんです。そとへ出たいんです」

「出たいのに、出られないんですか——あなた、どこにいるんです?」

「お部屋のなか——」

「鍵でもこわれたんですか。それなら大きな声で、おとなりを呼ぶとかなんとか……」

「できません、そんなこと」

　女の声はせつなげだった。一郎はトイレットかバス・ルームに、とじこめられた若い女のネグリジェすがたを、なまなましく思い浮かべた。大金持の家ならば、そういう場所にも、電話がひいてあるかも知れない。けれど、見も知らぬ他人を夜ふけに呼びおこして、救いをもとめるのは不自然だ。

「大声あげるのがいやだったら、警察か消防署に、電話すればいいじゃないですか」

「だめなんです」

「どうして?」

「だれも、信じてくれないの。あたし、ここに閉じこめられているんです。いまに殺されるかも知れません」

　やっぱり、いたずらだ、と一郎は思った。不景気なバーのホステスかなにかが、行きあたりばったりにダイアルして、退屈をしのいでいるにちがいない。

「なんだか、よくわかりませんけどね。ぼくじゃ、お役に立ちそうもない。知っているひとに、たのみなさい」

「いないんです。だれも知らないの、あたし」

「いい加減にしてくださいよ。おやすみ」

　いたずらだとしても、谷田製作所を知っているだれか、という可能性はある。弱電機関係で、それも、もちろん下請の小さな町工場だ。常(じょう)やといの宿直員なぞいらないのに、そういう名目で、寝場所を提供してくれているのは、経営者の好意だった。それも、ごく遠い親戚というだけで、はかってくれた親切だから、電話の応対ひとつにも、気をつかわなければいけない。声がとがらないように注意しながら、一郎は電話を切った。朝の八時をすぎれば、ちかくの住居から、経営者と住みこみの従業員がやってくる。八時半ごろからは、通いの従業員たちが顔を出す。それまでには、支度をととのえて、出かけなければならない。寝不足は、昼間の仕事にさしつかえる。あわてて寝床にもぐりこんだが、また電話が鳴りそうな気がして、しばらくのあいだは、眠れなかった。

けれども、あくる朝、目ざまし時計に嚇しおこされたときには、妙な女のことなぞわすれていた。教育図書の出版販売会社に、一郎はつとめている。町の本屋に委託して売るのではなくて、セールスマンが直接、学校や家庭に、売りこみにまわるシステムだ。一郎は外勤社員で、担当は一般家庭だった。競争相手が多い上に、おくれて発足して、規模も小さいから、セールスは楽ではない。会社へもどって、報告書そのほか、めんどうな書類しごとをすますと、たいがい六時をすぎてしまう。それから九時ごろまで、時間をつぶして、谷田製作所へ帰るのだ。時間つぶしも、毎日となると、苦業だった。むだな金はつかえないから、古本屋を探しあるいて、安い文庫本を買ったり、それを喫茶店へ持ちこんで、なん時間もねばったり、パチンコ屋で慎重に台をえらんで、タバコを稼いだり、寝床に入るときには、くたびれきっている。すると、また電話に起された。ゆうべの女を思いだしたのは、受話器を耳にあててからだ。時計を見ると、午後十一時十四分。

「もしもし、谷田製作——」

「ゆうべの方ね?」

女の声は、今夜は最初から、はずんでいた。一郎はつい皮肉な調子になって、

「ゆうべのひとですね。まだ出られないんですか。よっぽど不器用なんだな」

「お願い。助けてください」

「助けてもらいたいのは、こっちですよ。からかって、あとであんたが笑おうがなにしようが、ぼくはあんたを知らないんだから、かまわない。こっちは平気です。でも、ぼくは朝が早いんだ。疲れてるんです。つきあえませんよ。もっと暇のあるひとにかけたら、どうなんです?」

「待って! お願いだから、切らないでください。聞くだけでいいから、聞いて——あたし、この家に閉じこめられているんです」

女は真実、おびえているらしい。その早口につりこまれて、一郎は聞いた。

「この家って、どこです?」

「わかりません。二階です。二階の廊下に、電話があるんです。いま女のひとが、お風呂へはいっているから……」

「女のひとって？」

「あたしを見張っているひと。からだの大きな女のひとです。いつもいまごろ、下のお風呂にはいるの。三十分ぐらい、出てこないんです。だから、いまなら電話をかけられるんだけど……」

「どうして、ここの電話がわかったんです。谷田製作所の電話番号が？」

「いつも、でたらめにまわすんです。きのうもそう。きょうはそれをおぼえてて……」

「記憶力はいいんだな。あんたの名前は？」

「わからないんです」

「わからない？　名前がわからなくて、家がどこにあるかわからなくて――じゃあ、なぜ閉じこめられているかは？　それは、わかっているんですか」

「わかりません」

　この女、頭がおかしいのかも知れない。一郎はだしぬけに聞いてみた。

「三かける六はいくつ？」

「十八。でも、どうして――」

「五百七十三たす九百五十四は？」

出まかせにあげた数字を、一郎が頭のなかで加算しおわったとき、女も答えていた。

「千五百二十七」

「ここがどこだか、わかる？」

「ここって？」

「あんたやぼくが、住んでるところさ」

「東京でしょう？　なぜ、そんなこと聞くの？　あたし、子どもじゃないのよ」

　女の声は、喉に豆電球がともったみたいに華やいで、甘くかわいらしく聞えた。

「子どもじゃないって、いくつなんです？」

「さあ……わからないの」

「けっきょく、なんにもわからないのか。それじゃあ、閉じこめられてる、ということは、どうしてわかるの？」

「だって、外へ出してくれないんですもの。女のひとがときどき窓をあけてくれるのよ。日にあたるようにって。そうすると、ひとが歩いてるのが、見えることがあるわ。男のひとも、女のひとも、服を着てる。見張りの女のひとも、服を着てる。でも、あたしは着ていないから、外へは出られないんですって」

「きみはその……つまり、裸なのかい、いつも？」

「ええ、裸なの」

　こともなげに、女は答えた。にぎっている受話器の両はじが、急に黒人女の乳房のように見えだして、一郎は絶句した。つばを飲みこんだのが、聞えたのかも知れない。女は怪訝(けげん)そうな声で、

「もしもし、どうかしたの？」

「いや、どうもしないよ」

　一郎はあわてて、話題をかえた。

「窓からは、何が見える？　ひとが歩いてるほかにだよ」

「お墓が見えるわ。お墓がたくさん」

「ふざけちゃいけない。あの世から電話してる、というんじゃないだろうね？」

「ほんとに、お墓があるのよ。石の塔も見えるわ。四角な石の上に、まるい石がのっていて、その上が三角で――」

「五輪の塔だな」

「そのとなりに、青い屋根が見えるの。屋根の上に、鳥がいるわ」

「どうも変だな、きみのいうことは」

「生きてる鳥じゃないのよ。ウェッテルハーン」

「その、なんとかハーンてのは――？」

　一郎が聞きかえしたとたん、女は息をのむような喉声をあげて、電話を切ってしまった。なんとかハーン。たしか、ウェッテルハーンだ。ドイツ語らしい。学生のころに少しかじって、まだコンサイスの独和だけは持っている。それを引いてみると、Wetterhahn 風信機、風見のおんどり、と出ていた。スレートかトタンの青い屋根の上に、風見鶏がついているのだろう。しかし、そのとなりに、五輪の塔が建っているなんて、考えられない。やっぱり、でたらめをいっているのだ。舌うちをして、一郎は寝床にもぐりこんだ。あくる朝は、頭が重かった。ズボンの寝おしも、うまくいっていなかった。その晩は、十一時五分にベルが鳴った。しばらく考えてから、逆にからかってやる気で、一郎は受話器をとりあげた。けれども、なにもいわないさきに、女はシャボン玉みたいな吐息を、かわいく聞かせて、

「よかった。出てくれないかと思ったの」

「出るには出たがね。どう考えても、きみを助けることは、できそうもないな」

「考えてくれただけでも、ありがたいわ。こんなに話相手になってくれたひと、あなたが初めてですもの。いままでのひとは、いたずらだと思って怒ったり、あたしを気ちがい扱いしたり——そんなことは百とお番にいえって、どなられたこともあった。いわれた通りにしてみたけれど、怖くてなにもいえなかったわ」

「どうして？」

「だって、怒ってるみたいな声で、いろいろ聞くんですもの」

「やさしく聞けば、なんでも答えてくれるわけか。そうだろうな。ドイツ語を解するほどのレディなんだから」

「ドイツ語って？」

「ゆうべ風見鶏のことを、ウェッテルハーンっていったじゃないか」

「そうだったかしら。ウェッテルハーンって、ドイツ語なの？」

「まあ、いいよ。きみは裸かい、今夜も」

「ええ、裸」

「お乳は大きいほう、小さいほう？」

「わからないわ。ふたつあって、ふくらんでるけど」

「おかしいな。お乳は三つあるはずだぜ」

「そうなの？　あたし、片輪なもんで、外に出してもらえないのかしら。だけど、見張りの女のひとも、お乳はふたつっきりよ、あたしのより大きいけれど」

「顔はまるいほう？　それとも、細長い？　きみの顔のことだがね」

「まるいほうかしら。細長くはないし、見張りみたいに四角くもないから」

「楕円形だろう、卵のようなかたちの」

「あら、卵はまんまるで、黄いろいじゃない？　平べったくて、細長いときもあるけど……あたし顔は白いわよ。目がふたつあって、鼻はひとつ。口もひとつで、耳はふたつ——ああ、鼻の穴もふたつだわ」

「目玉焼やオムレツにした卵しか知らないらしいな、きみは。髪の毛は長いの？　編んでるとか、ちぢれてるとか……」

「ちぢれてはいないわよ。ああ、待って——ちぢれてる。ちぢれてる。おなかの下に、菱がたに生えてるのは」

一郎は、どきりとした。しかし、女は平気でつづけて、

「頭の毛はね。ほうっておけば、長くなるんだけれど、見張りの女のひとが、バリカンで刈ってくれるの」

「すると、きみは丸坊主にされているのか。髪の毛のいろはなにいろ？」

「黒よ。頭のも、おなかの下のも」

「電話は二階の廊下に、あるっていったね？　裸で寒くない？」

「寒くないわ。廊下に絨緞が敷いてあるの。部屋のなかもよ」

「電話だけどね。ダイアルのまんなかに、番号を書いた紙が貼ってない？　その電話の番号が」

「貼ってないわ。電話は四角い台の上にのってるの。台のわきにスイッチがあって、それを手前に倒すと、つかえるようになるんだけれど」

「下と切りかえられるようになってるんだな、きっと。階段はどうなってる？　裸で丸坊主にされてたんじゃ、恥ずかしいかも知れないけど、ほんとに逃げだしたいのなら、なんとかなるんじゃないかな。下におりてみるとか、窓からぬけだすとか……」

「だめなの。階段の下には戸があって、あたしじゃあかないんですもの。窓もそうなのよ」

いたずらとも思えなくなってきたが、事情はいっこうに呑みこめなかった。なおも聞きだしてみると、二階には洋風の部屋が、ふたつあるだけらしい。赤っぽい絨緞が、どちらの部屋にも敷きつめてあって、ベッドはおろか、家具らしいものは、なにひとつないようだ。ということは、病院ではないのだろう。名前もわからない。年齢もわからない。二階に軟禁されている理由も、わからないというのだから、逆行性健忘症の患者で、自宅療養をしているとも考えられる。だが、そうだとすると、裸にした上、頭を坊主刈にまでしておく必要はなさそうだ。

次の日は、夜が十一時をすぎるのが、待ちどおしかった。けれど、十二時になっても、電話のベルは鳴りださない。待ちくたびれて、午前二時ごろ、一郎は眠った。あくる日、寝不足の重いあたまを肩にのせて、私鉄沿線の商店街を歩いていると、目のさ

きに風見鶏があった。あんてぃっく・しょっぷ・なにがし、とガラス扉に浮かした舶来古道具屋の軒に、淡いピンクに塗りたくられた平たい雄鶏が、長い睫毛にアイシャドウ、リアリスティックにえがかれた目を、見ひらいていたのだ。男色家（ソドマイト）のように、その目にひかれて、一郎がガラス扉を押すと、背の高いブルージーンズの娘が、がらくたのあいだから、にきびだらけの顔で立ちあがった。

「あのウェッテ――風見鶏は、売りものですか？」

一郎が聞くと、娘はちょっと首をかしげて、

「ウェザー・コックですか。お望みなら、ご相談に応じられると思います。でも、兄がいないと、お値段がわからないんですけど」

切り口上の返事に、かえってほっとして、一郎はまわれ右をしながら、

「そうですか。ありがとう。また来ます」

風見鶏を売っている店がある。風見鶏をつけている家も、実際にあるかも知れない。いつもより早く、谷田製作所に帰ると、一郎は電話を待った。けれども、ベルは鳴らなかった。一郎は、腹を立てた。あくる晩は電話機を毛布でくるんで、早ばやと蒲団にもぐりこんだが、十二時までは眠れなかった。翌晩も、おなじことをした。十一時五分に、毛布の下でベルが鳴った。一郎は飛びおきて、毛布をひろげた。

「ごめんなさい。ずっと女のひとがそばにいて、かけられなかったの」

おずおずした声を聞くと、一郎は心配でたまらなくなった。

「気づかれたのかい、毎晩、ぼくに電話していることを？」

「そうじゃないの。お風呂がこわれたんですって――ねえ、怒ってる？」

「怒っていたけど、もういいんだ。きみ……きみはほんとうに、そこから逃げだしたいのかい？」

「ええ」

「このあいだ、窓から風見鶏――ウェッテルハーンと墓地が見える、といったね？」

「ええ」

「それで、考えたんだけどね。ぼくはセールスマンで、ほうぼう歩きまわるのが、商売なんだ」

「セールスマンて？」

「よその家を一軒、一軒たずねてまわって、ものを

売る商売さ」

「なにを売るの?」

「学習図鑑とか――動物や花の絵が、いっぱいかいてある本やなんかを、売るんだけどね」

「動物の絵のある本なら、あたしも持ってるわ。ツェーブラにベールにギラフに……」

「ツェーブラって、縞馬だったかな。ドイツ語はもう、けっこうだよ。だから、ぼくは毎日、あっちこっちを歩きまわってる。根気よく探せば、風見鶏と五輪の塔が見つかるだろう、と思うんだ。きみはぼくのところに電話するとき、ダイアルをなんど廻す?」

「ああ、数のかいてある穴ね。ちょっと待って――一回、二回、三回……七回だわ」

「とすると、その家は都内二十三区のうちにあるはずだ。だったら、きっと見つかるよ。風見鶏と五輪の塔がならんで見えるところで、うしろを振りかえれば、きみのいる部屋の窓があるってわけだ」

「すぐに見つけて。ほんとに見つけてね」

女の声が粲(かがや)くと、一郎も思わず力をこめて、

「かならず見つけるよ」

「いいことがあるわ。赤い紙があるの。まっ赤な紙。それを大きな星のかたちに切って、あたし、窓に貼っておくわ。いくつも、いくつも」

「そりゃ、いい考えだ。きみは頭がいいんだな」

一郎がほめると、女はうれしげに、星がきらめくような笑い声を、小さくあげた。あくる日から、仕事はそっちのけにして、一郎は風見鶏をさがし歩いた。受持地区を歩きつくすと、ほかの地区へ足をのばした。電話は毎晩、かかさずに鳴った。女の声は、一郎を信じきって、明るかった。セールスのやりかたや、街で見たことを、根ほり葉ほり聞きたがって、楽しげだった。二十分から、長くても四十分の会話は、一郎の生きがいになった。仕事の成績は、さっぱりあがらなくなったけれども、気にもしなかった。そして、六十五日めに、とうとう見つけたのだった、風見鶏と三界万霊塔がならんでいる風景を。

山の手の住宅街によくあるような、それは崖の上の道だった。石塀をめぐらした閑雅な屋敷のあいだを、長い石段の坂道が、稲妻形にくだっている。くだるほどに、左右の家のかまえは落ちて、坂の下は商店街になっているらしい。坂のとちゅうの右がわ

に、小さな寺の古ぼけた門があった。低い土塀のむこうが、やがて卵塔場になって、頽れかけた三界万霊塔が見えたとたん、一郎は息がとまりそうになった。塔のむこうにスペイン瓦の屋根が沈んで、血を噴いたような空をバックに、風見鶏が羽ばたいている。

　喉を突きやぶりかねない心臓を、胸に手をあてて押しもどしながら、一郎は坂道の左がわを見た。なん軒かの平屋のむこうに、モルタル塗の二階屋が、首を出している。二階には、曇ガラスのはまった窓がひとつ。一郎は膝をはずませて、平屋のあいだの露地を急いだ。項（うなじ）が痛いほど仰むいた目が、曇ガラスの窓の斑点をみとめたとたん、感動の涙でかすんだ。斑点はひとつ、ふたつ、三つ、四つ、ガラスの内がわに貼りつけた赤い大きな星形だった。

「見つけた！　とうとう見つけた！」

　二階屋をかこんだ高いブロック塀の門の前に、一郎は立った。板張の扉がしまっていて、門には表札も出ていない。それでも、ブザーのプッシュ・ボタンはついていた。しかし、いくら押しても、反応はなかった。家のなかで、ブザーが鳴っているかどうか、耳をすましてもわからなかった。ブロック塀について、脇へまわってみると、勝手口の木戸があった。けれど、横猿（よこざる）のつまみは動かないし、押しても叩いても、あかなかった。

　くねった露地を折れて、くだって、一郎はひとまず商店街に出た。角にタバコ屋があったので、たずねてみると、住んでいるひとの姓さえも、知らなかった。米屋をみつけて聞いてみると、さすがに姓は知っていたが、それも鈴木というありふれた苗字で、大がらな中年女がひとりで住んでいるらしい、という話だった。米を配達したことはあるが、中年女が門まで出てきてうけとるので、屋内の様子はぜんぜん知らない、と主人がいった。商取引のとき以外は、道ですれちがっても、口をきかないのはもちろん、会釈さえしない、と米屋のおかみさんは、おもしろくなさそうだった。

「もう間違いないぞ」

　一郎は交番をさがして、歩きだした。巡査が相手にしてくれなければ、所轄署へでも、警視庁へでも、ゆくつもりだった。ふと気がつくと、しおれた服に、膝のたるみかけたズボンの老けだちの小男が、わきをならんで歩いている。商店のガラス戸にうつった一郎自身だった。さがしあてた交番の横手の窓には、およそ人好きのしない悪相な男の顔が、のぞいていた。それも、一郎自身だった。一郎がためらっていると、机のむこうから、巡査が問いかけ顔に立ってきた。一郎はちょっと頭をさげてから、

「いちばん近い駅へいく道を、教えてくれませんか。国電でも、私鉄でもいいんですけれど」

その晩、電話がかかってくると、一郎は元気よくいった。

「きょうもだめだった。でも、きっと見つかるよ。いつか、かならず見つけてみせる」

「あたし、我慢して待ってるわ。きっと見つかるわね」

女の声も、はずんでいた。

「そうだ、見つかるとも。希望をすてちゃいけない。いつかきっと、記憶といっしょに幸福ももどってくる、と信じるんだよ」

「ええ、信じるわ」

「ぼくがついてる。ぼくが毎日、懸命にさがしてるんだ。東京はひろいといったって、限度がある。きっと見つけてみせるよ」

電話では、たのもしい青年の声に聞えたに違いない。一郎はそう思いながら、頭のなかの美しい女の像に、ほほえみかけた。あしたの晩も、電話はかかってくるだろう。あさっての晩も、しあさっての晩も、電話はかかってくるだろう。それを生きがいに、あすからまたセールスに精を出そう。首を曲げて、受話器を肩にはさむと、夕方、あのモルタル塗の二階屋のところ番地を書きとめたページを、手帳からやぶりとった。自分ながらも頼もしげに聞える声で、送話口に話しかけながら、一郎は裂きとったページを、小さく小さくコンフェッティのようにちぎっていた。


『風見鶏』という、私が書いた短篇を読んでいただいたわけですが、どんなふうにお感じになったでしょうか。

この作品は、エンタテインメント小説のジャンルの上からいいますと、怪奇小説の部類に入る小説です。けれども、怪奇小説としては、かなりひねった作品であります。怪奇小説というのは、文字通り、怪奇なこ

とを描く小説ですけれども、いわゆる「超自然」の怪異を描いた作品とは、この『風見鶏』はちょっと違っております。私は、『風見鶏』を、もっとも近代的な形をとった怪奇小説というつもりで書いたのです。私は、これまでに随分たくさんの怪奇小説を書いておりまして、数の上では、おそらく日本でいちばん多くの怪奇小説を書いた作家ということに、もうそろそろなっていると思います。これまでに、怪奇小説をいちばん書いた日本の作家は、田中貢太郎でありますけれど、この方の作品は、全部で二百数十篇。七、八年前に、私がほぼそれに近づいておりましたので、すでに、その数を越えただろうと思います。

　そういう、たくさんの怪奇小説を書いてきた中で、この作品は、私自身かなり気に入っているものです。その、どういうところに私の狙いがあるか、ということをお話しする前に、この作品の原型を読んでいただこうと思います。

　その原型というのは、「異論派（いろは）ガルタ」という通しタイトルで、ある新聞の日曜版に読切連載の形で載せたものです。「異論派ガルタ」というタイトル通りに、一回目は、「い」で始まる題名のショート・ショート、二回目は、「ろ」のつくショート・ショートというふうに書き続けてきた中の一篇でありまして、「よ」の項に書いた『夜の声』という題名の作品です。この『夜の声』が、『風見鶏』の母胎になっております。ごく短い四、五枚のものですから、それを読んでいただこうと思います。

夜の声

「信じてください。ほんとうなんです。あたしを助けて」

　細くきれいで悲しげな、若い女の声だった。午後十一時すぎ、おそくとも三十分までに、電話はかならずかかってくる。毎晩、毎晩、かかってくる。

　いたずらだろう、と最初は思った。不景気なバーの女かなにかが、行きあたりばったりにダイアルして、退屈をしのいでいるのだろう、と。

「そういって、だれも相手にしてくれないの。おねがいですから、聞くだけ聞いて」

　女は小さな家のなかに、軟禁されている、というのだ。自分がだれで、なぜ閉じこめられているのか、思いだせない。身のまわりの世話は、冷酷な顔つきの中年女がしてくれるが、なにを聞いても教えてくれない。その女が午後十一時すぎに、小一時間かかって風呂に入る。窓もあかないし、玄関もあかないから、逃げられはしないが、そのあいだに電話をつかうことはできる。手あたりしだいにダイアルして、出た相手に救いをもとめるのだが、だれも真剣に聞いてはくれない。

「だったら、一一〇番にたのめばいいじゃないか。きみが自分のいるとこを知らなくても、電話を逆探知してくれるよ」

そういって、彼も相手にしなかった。昼間は教育図書の外交員、夜は町工場の宿直をかけもちして、疲れている身だ。

「ねえ、きみ、いい加減にしてくれよ。警察が信じてくれないからって、いったい、ぼくにどうしろっていうんだ」

「あなたは口をきいてくださるわ。なんでもいいから、話してきかせて」

彼は毎晩、女と話をするようになった。口べたで、セールスマンとしては優秀でないこと。この工場の主人は遠い親類で、宿直員という名目で、部屋を提供してくれていること——自分の話をしつくすと、町で見たり聞いたりしたことを話した。

「どうせ毎日、出あるいてるんだ。窓からなにか、見えるといったね？」

「石の塔が見えるわ。小さな五重の塔。それから、風見鶏というの？　ブリキのにわとりが、青い屋根の上に立ってるのが見えるけど……」

「それをたよりに、きみが閉じこめられてる場所をさがしてみよう」

いつの間にか、彼は女のことばを信じこんでいた。女の身の上は、常識をはずれたものだったが、話しぶりからは嘘をついているとも、気ちがいだとも思えない。彼が元気づけると、若い声は明るくなって、時には短く笑うまでになった。

口べたの彼も、電話では気がるに話ができるのだ。昼間は石の小さな五重の塔と風見鶏を探してあるいて、夜は女からの電話をまつのが、彼の生活になった。

「きっと見つかるよ。きみはダイアルを七回しか、まわさない。だから、都内二十三区のなかに、きみの閉じこめられている家があるってことは、間違いないんだ。きっと見つけて、助けにいくよ」

「窓ガラスに、赤い紙をはっておくわ。早く見つけてね」

ひと月たち、ふた月たった。六十八日めの夕方、彼は崖の上の道を歩いていた。目の下に倉庫のような家がある。小さな窓に、赤い紙がはってあった。ふりかえると、寺の墓地だった。石の塔が目だっていて、そのむこうに、青い屋根とブリキの雄鶏が、夕日に赤くそまっていた。

「とうとう、見つけた。見つけたんだ！」

胸をはずませながら、彼は崖下におりた。陰気な家の玄関には、表札も出ていない。思いきって、ブザーをおした。ふだんはひけ目に感じている人相のわるさも、こういうときには刑事くさく見えて、役に立つかも知れない。そう思って、気をひき立てていたが、ブザーの返事は、なにもなかった。いよいよ、あやしい。彼の思いうかべている美しいひとが、ここに軟禁されていることは、もう間違いなかった。

周囲で様子をきいてみると、つめたい顔つきの中年女がひとりで住んでいて、近所づきあいもしない、ということだった。巡査が相手にしてくれなければ、警視庁へでもどこへでも、いく気だった。

けれども、交番の前に立って、窓ガラスにうつった自分のすがたを見つめたとたん、彼はためらった。人ずきのしない貧相な小男の顔を――自分の顔を見つめながら、彼はおずおずと巡査にいった。

「いちばん近い国電の駅を、教えてくれませんか？」

その晩、電話がかかってくると、彼は明るい声でいった。

「きっと見つかるよ。希望をすてちゃいけない。いつかきっと、記憶といっしょに、幸福ももどってくる、と信じるんだよ。ぼくがついているじゃないか。ぼくが毎日、探してるんだからね」

電話では、たのもしい青年の声に聞えたに違いない。彼はそう思いながら、頭のなかの美しい女の像に、ほほえみかけた。

『夜の声』を読んでいただいたわけですけれども、ごく短い作品ですから、まだ、『風見鶏』の記憶も残っておられると思いますんで、それと比較していただきましょう。

まず、根本的に描いているものは、同じことでありますす。非常に奇妙な感じのする出来事——その出来事そのものは、二作品とも同じであります。ショート・ショートというものが、非常に多くのものを内蔵している形式であることが、このことからもおわかりになるだろうと思います。いろいろのエピソードなどを入れなくとも、細密描写などをつけ加えることによって、『夜の声』のごく短い話が、『風見鶏』の長さにまで膨らんでいくわけです。

ショート・ショートという形式は、非常に気のきいた話として、日本でももてはやされているわけですけれども、ひとつひとつの短い話の中に、作者はできるだけ多くのものを盛り込んで、その骨組みだけを読んでいただいているわけであります。

こういう、ショート・ショートのような形式で書いたものを、後に短篇に書き直す、中篇小説で書いたものを長篇に膨らませるということは、日本の作家も、英米の作家も、しばしばやっていることであります。ことに、中篇小説の形で書いたものを長篇に書き直すということは、しょっちゅうあります。あるいは逆に、五百枚ぐらいの長篇として書いたものを、枝葉を剪りとって、二百枚ぐらいの中篇の形にして、その形でいっぺん雑誌に発表する。それから、単行本として、五百枚の作品を世に問う、というようなことは、しばしば行われます。もっとも、その場合に、五百枚を二百枚にする作業というのは、ときには作者自身が行わないで、そのダイジェスト版というか、短縮版の権利を買った出版社の編集者が削り取るということもあるようですけれども、作者自身がちゃんと縮めることもあって、長いものを縮めたり、短いものを長く書き直したりするということは、珍しいことではありません。

日本では、久生十蘭という、私のたいへん尊敬している作家が——この人は、どちらかというと、短篇の非常に巧い人でありますけれども、この人の場合は枚数ということに関わりなく——いったんは、これでいいだろうと思って書いた作品が、あとで読み返してみると気に入らない。それをまた何年か経って書き直すというようなことを、随分やっております。

私が、この『夜の声』を書き直したのは、別に久生十蘭のまねをしたわけではありませんで、この「異論派ガルタ」というシリーズが完結した後で、その中の作品を読み返しているうちに、この『夜の声』という作品だけが、妙に心の中にひっかかりまして、何かこの形式、ショート・ショートという形式だけでは訴えきれないものを、無理して書いてしまったような気がしたのです。といって、すぐにはそれをどうやって書き直すといった気もなかったんですけれど、ちょうどそのころに、故福島正実君から、『SFエロチックミステリ』というアンソロジーを編集するので、三十枚くらいの、エロチシズムのある短篇を出してくれないか、という話がありまして、そのときに思い出したのが、この『夜の声』という作品なのです。

この作品ならば、『SFエロチックミステリ』というアンソロジーのテーマにふさわしいような、三十枚くらいの短篇に書き直せるのではないかと思いまして、すぐに書き直しに取りかかって、原稿を福島君に渡しました。そして、その作品は、アンソロジーの中に収まったわけであります。今度はそれを読んでいただきたいと思います。

電話の中の宇宙人

電話のベルが鳴りだしたとき、杉田一郎は、寝床にはいっていた。足があたたまってきて、ウトウトしかけたところだった。自分の電話だったら、起きあがらなかったろう。だが、自分の電話など、一郎は持っていない。おまけにそこは、自分の家でも、自分の部屋でも、ないのだった。一郎は寝床をはいだして、六畳間のすみの畳にじかに置いてある電話機に、不承ぶしょうに手をのばした。

「谷田製作所ですが」

相手はなにも、いわなかった。切れたわけではない。かすかな息づかいらしいものが、たしかに聞えている。

「もしもし……」

眉をひそめながら、一郎は待った。やっぱり相手は、なにもいわない。

「もしもし、谷田製作所です。用がないなら、切りますよ」

腹が立ってくるのを我慢しながら、一郎はもういちど念をおした。

「ほんとに切りますよ」

「あの……」女の低い声だった。

「もしもし、ぼくは宿直員なんです。仕事のことはわかりません。明日にしてくれませんか」

「あの……どなたでもいいんです」

「でも、ほんとにぼくじゃあ、わかりませんよ。夜ここへ、泊ってるだけなんだから」

「いいんです。お願いします。あたしを助けてください」

女の声は、急に早口になった。

一郎はめんくらって、聞きかえした。

「助けるって、なにを?」

「あたしをここから、出してください。閉じこめられてるんです。あたし、外へ出たいんです」

「出たいのに、出られないんですか。あなた、どこにいるんです?」

「お部屋のなか――」

「鍵でもこわれたんですか。それなら、大きな声でお隣を呼ぶとかなんとか……」

「できません、そんなこと」

女の声は、せつなげだった。一郎はなんとなく、トイレットかバスルームにとじこめられた若い女のすがたを、なまなましく思い浮かべた。大金持ちの家なら、そういった場所にも、電話がひいてあるかも知れない。でも、見も知らない他人を夜ふけに呼びおこして、救いをもとめるのは不自然だった。

「大声をあげるのがいやだったら、警察か消防署に電話すればいいじゃないですか」

「だめなんです」

「どうして?」

「信用してくれないの。あたし、ここに閉じこめられてるんです。いまに殺されるかも知れません」

やっぱり、いたずらだ、と一郎は思った。不景気なバーのホステスかなにかが、行きあたりばったりにダイアルして、退屈をしのいでいるにちがいない。

「なんだかよくわかりませんけどね。ぼくじゃお役に立ちそうもない。知ってる人にたのみなさい」

「いないんです。だれも知らないわ。あたし、地球の人間じゃないんですもの」

「いい加減にしてくださいよ。おやすみ」

いたずらにしても、谷田製作所を知っているだれか、という可能性はある、弱電機関係、それも、もちろん下請けの小さな町工場だ。常雇いの宿直員などいらないのに、そういう名目で、寝場所を提供してくれているのは、経営者の好意だった。しかも、ごく遠い親戚というだけで、はかってくれた親切だから、電話の応対ひとつにも、気をつかわなければいけないのだ。一郎は声の調子を押えて、電話を切った。

　朝の八時十分前になれば、近くの住居から、経営者と住みこみの従業員がやってくる。八時になれば、通いの従業員たちもやってくる。それまでに支度をととのえて、一郎は出かけなければならない。寝不足は、昼間の仕事にさしつかえる。あわてて寝床にもぐりこんだが、すぐまた電話が鳴りそうな気がして、しばらくのあいだ眠れなかった。

　けれども翌朝、目ざまし時計に威(おど)しおこされたときにはもう妙な女のことなど、わすれていた。一郎は昼間、教育図書の出版販売会社につとめている。町の本屋に委託して売るのではなく、セールスマンが直接、学校や家庭をまわってあるいて、売りつけるやつだ。一郎はその外勤社員で、担当は一般家庭だった。競争会社が多い上に、おくれて発足して、規模も小さいときているから、セールスは楽ではない。

　おまけに一郎は、性質からいっても、風采からいっても、外交員むきではなかった。外まわりのあと会社へもどって、退社時間は午後六時。報告書そのほかの書類仕事がめんどうで、たいがい六時半になる。それから九時ごろまで時間をつぶして、谷田製作所に帰るのだが、時間つぶしも毎日となると、ことに使える金がごくわずかとなると、一種の苦業だ。一郎はくたびれきって、寝床へはいる。すると、きょうもまた、電話のベルが鳴りだした。時間もきのうと大差なく、午後十一時十五分。

　もっとも一郎は、時計を見たわけではない。それでも、昨夜とおなじころだというのはわかって、とたんに女のことを思い出した。しばらく待ったが、電話は鳴りやまない。

「もしもし、谷田製作――」

「ゆうべの方ね？」

「ゆうべの人か。まだ出られないんですか。よっぽど無器用なんだな」

「お願い。助けてください」

「助けてもらいたいのは、こっちですよ。からかって、あとであんたが笑おうが、なにしようが、ぼくはあんたを知らないんだから、かまわない。こっちは平気です。でも、ぼくは朝が早い。疲れてる。つきあえませんよ。もっと暇のあるひとにかけたら、どうなんです？」

「待って！　お願いだから、切らないでください。聞くだけでいいから、聞いて——あたし、この家に閉じこめられているんです」

「この家って、どこです？」

「わかりません。二階です。二階の廊下に、電話があるんです。いま女のひとがお風呂へはいってるから……」

「女のひとって？」

「あたしを見張ってるひと。からだの大きな女のひとです。いつも今ごろ、下のお風呂にはいるの。一時間ぐらい、出てこないんです。だから、今なら電話をかけられるんだけど」

「どうして、ここの電話がわかったんです。谷田製作所の電話番号が？」

「いつもデタラメにまわすんです。きのうもそう。きょうはそれをおぼえてて……」

「記憶力はいいんだな。あんたの名前は？」

「わからないんです」

「わからない？　名前がわからなくて、家がどこにあるかわからなくて、じゃあ、なぜ閉じこめられてるかは？　それは、わかってるんですか」

「わかりません」

「それじゃあ、きみ——」

　頭がおかしいんじゃないの？　といいかけて、一郎は思いついた。

「三たす六はいくつ？」

　だしぬけに聞いてみると、女はびっくりしたように、

「九つ。でも、どうして——」

「五百七十三たす九百五十四は？」

　出まかせにあげた数字を、一郎が頭のなかで加算しおわったとき、女も答えていた。

「千五百二十七」

「ここはどこ？」

「ここって？」

「あんたや、ぼくが住んでる都会さ」

「東京でしょう？　なぜ、そんなこと聞くの？　あたし、子どもじゃないのよ」

　女の声はいくらか明るくなって、甘くかわいらしく聞えた。

「じゃあ、あんたがいま見てるものを、話してきかせてくれないか。たとえば電話機の色、なに色だとか——」

「黒よ。長い脚が四本ついた台の上にのってるわ。台のわきにスイッチがあって、それを手前にたおすと、使えるようになるんです」

「下と切りかえられるんだな。ダイアルのまんなかに、番号を書いた紙が貼ってない？　その電話の番号」

「貼ってないわ」

「廊下はただの床？　それとも絨緞かなんか、敷いてある？」

　一郎はいつの間にか、根ほり葉ほり聞いていた。廊下はただの木の床で、二階には部屋がふたつ。どちらも日本間だが、いっぽうには畳の上に絨緞を敷いて、ベッドが置いてある。ふた部屋を通じて、ほかに家具らしいものはない。和室のままのほうは畳が六枚、洋風にしたほうは、もっと広いというから、八畳間なのだろう。家のなかがいつも静かなところから考えると、大がらで無口な中年女のほかには、だれも住んでいないらしい。二階から勝手におりようとさえしなければ、監視人にちがいない大女も、べつに怖いことはないという。

　つまり、軟禁されているのだ、ということが、およそ吞みこめたときには、もう三十分以上たっていた。それに気づいて、一郎は冷静になった。とたんに、イマイマしくもなってきた。相手の女に対してもだが、より以上、自分自身に腹が立った。

「これだけ、お相手してあげたんだ。もういいだろう？　事情はわかったけど、ぼくにはなにもしてやれないよ。毎晩せっせと電話して、テレパシーの持ちぬしでも、捜しあてるんだな。そういうスーパーマンなら、たちまち、あんたの居場所がわかるだろう、声を聞いただけでね」

　受話器をたたきつけるようにして、一郎は寝床にもぐりこんだ。あくる朝は、ひどく頭が重かった。はっきりした記憶はないが、ひと晩じゅう、ポタージュみたいな夢の世界をはいまわって、寝返りばかり打っていたのだろう。

その晩は、ベルが鳴るとすぐに、受話器をとりあげた。どうせかかってくるものなら、からかう立場に今夜はまわって、楽しんでやろう、と思ったのだ。一郎がなにもいわないさきに、女はシャボン玉みたいな吐息を、かわいく聞かせて、

「よかった。出てくれないかと思ったの」

「出るには出たさ。でも、きみを助ける方法は、けっきょく思いつかなかったよ」

「考えてくれただけでも、ありがたいわ。こんなに話相手になってくれたひと、あなたが初めてなのよ。今までのひとは、いたずらだと思って怒ったり、あたしを気ちがい扱いしたり――そんなことは一一〇番にいえって、どなられたことがあってね。いわれた通りにしてみたけど……」

「一度だけ？　一一〇番にかけたのは」

「三度かけたわ。三度めに電話を逆探知するから、そのまま待ってろ、といわれたんだけど、見張りがあがってきそうになったんで――」

「切っちまったのか。残念だったな。もう一度やってみたらどう？」

「あきらめたわ。まるで怒ってるみたいな口調でしょう？　どのひとも。だから、ぜんぶ説明するのに、とっても時間がかかるんですもの」

一郎が積極的だったせいか、その晩はかなりのデータが聞きだせた。けっきょく女は、自分の名前がわからない。年齢もわからない。現在の家に軟禁された理由も、かいもくわからない。どこで生まれて、どんな生活をしてきたかも、思い出せない。けれど、世のなかのたいがいのことには、いちおうの知識を持っている。ということは、記憶喪失症の患者なのだろう。女の説明を、頭のなかで絵にしてみても、閉じこめられている場所が、病院でないことは明らかだ。昼間のうち数時間、雑誌や本を読ましてもらえる。夜になると、やはり数時間、中年女がポータブル・テレビを階下から運んできて、見せてくれるというのだから、まず間違いなく、自宅療養ちゅうの逆行性健忘症患者、と考えていい。

そう察しがつくと、一郎はにわかに興味をうしなった。こっちだって、生活という大病をしょいこん

で、毎日うなって暮しているのだ。いいご身分の病人の機嫌むすびの役を、黙って押しつけられていることはない。いい加減に電話を切ろうとしたとたん、一郎は思いだした。

「最初の晩にきみ、地球の人間じゃない、といったね。どういうこと、あれは？」

「あたしにはわからないんだけれど――だめだわ。見張りがくるから、またあした」

あしたの晩が、待ちどおしかった。その晩がきて、十一時七分にベルが鳴ると、一郎はすぐ受話器をとった。

「ゆうべのことを、まず聞かしてくれないか。地球の人間じゃないってことが、どうしてわかるんだ？」

「お前は遠い星からきた人間だって、いわれたことがあるの」

「自分の考えはどう？　普通の人間とちがったところが、あると思うのかい？」

「さあ、よくわからない。違うといえば、見張りはいろいろ着ているけど、あたしは着ていないことぐらいかしら」

「きみは裸なのか、いつも」

「ええ」

「顔は？　顔はまるい？　それとも、細長い？　目はいくつある？　鼻は？　口は？」

「ちょっと待ってよ。顔はまるいほうかしら。細長くはないし、見張りみたいに四角くもないから」

「楕円形だね、卵みたいな」

「そういえば、そうだわ。目はふたつ。鼻はひとつ。口もひとつよ。耳はふたつだけど、ああ、鼻の穴もふたつだわ」

「髪の毛は長い？　ちぢれてるとか――」

「ちぢれてはいないわ。ああ、待って。ちぢれてる、おなかの下に生えてるのは……」

一郎は、どきりとした。だが、女はこともなげに続けて、

「頭の毛はね、ほうっておけば長くなるけど、見張りが鋏で切ってくれるの。顔のいろは白いほうよ。お風呂へはいれば薄赤くなるけれど」

肌のいろも、白いらしい。腕は二本、足も二本。指はそれぞれ五本ずつ。乳房がふたつで、それぞれを手で蔽うには、指をひろげなければならない、と

いうのだから、若い女性らしく、見事にふくらんでいるのだろう。ほかに女は、気になるようなことはいわなかった。つまり、普通の地球人とちがったところは、ないらしい。ただ日本人でない場合も、考えられる。

「髪の毛のいろを、聞かしてくれないか。目のいろも……」

「黒よ。頭のも、おなかの下のも——目の色もおなじ……」

「ほかになにか、へんだと思うことはないかな」

一郎は電話機のそばに寝床を敷いて、腹ばいになっていた。メモをとるために枕もとに用意した紙に、話をしながら鉛筆を走らしている。卵がたの額をした女のヌードが、単純な線でかきあがっていた。子どものころには、ひとにほめられて、自分でも絵かきになるつもりだった。だから、耳にはいったイメージを目に見えるものにした手ぎわは、そう稚拙ではない。けれど、自分であっさり才能に見きりをつけたくらいだから、ずばぬけて上手でもない。

「そういえば、ときどき頭が痛くなるわ。なにか思い出しそうで、大声をあげたくなるの。いやにキラキラした壁が、ぐるっとあって、あたしはその部屋のなかいっぱいに、雲みたいに広がってる。壁には戸も、窓も、なんにもないんだけど、あっちこっちが四角く、赤くなったり、緑色になったり、紫色になったりして、その色がふたつ重なりあうと、そこから外へ出られるの。あたしはからだを細長く、細長くしていって、大急ぎでぬけだすんだけれど、それがとっても苦しくて、おまけに外はまっ暗で広いから、こんどはどんな形になったらいいか、わからない。そのまっ暗いなかで、あたしのからだが光ってて……」

「ずいぶん、はっきりしてるね。それは幻覚？　目に見えるの？」

「見えるといえば見えるし、頭のなかで思い浮かべているようでもあるし、わからないわ。そういう状態になると、いつも見張りが気づいて、すぐ注射をしてくれるの。そうすると眠くなって、目がさめたときには、もと通りになってる」

一郎は首をかしげた。ますます、わけがわからない。ただの健忘症患者を自宅療養させるのに、裸にしておくだろうか。注射というのは麻酔薬か、鎮静剤のたぐいだろうが、せっかくなにか思い出しそうになった患者を、もとの空白状態にもどすために、医療処置をすることがあるだろうか。

「ひょっとすると、きみ、そんなふうに閉じこめられてるくらいなら、いっそ死んだほうが増しだ、と思ってるんじゃないか?」

「そんなことないわ。死にたくないから、こうやって、助けてもらいたがってるんじゃないの」

「そういや、そうだな。見張りの女がきみのことを、遠い星から来た人間だ、といったのは、どういうとき?」

「見張りがいったんじゃないわよ。男のひと。このごろ来ないけど、前はよくきた男のひと。そのひとがいったの、遠い星から来た人間だから、あたしはきれいなんだって」

「どんな感じの男?」

「うまくいえないわ。背の高い怖い顔をしたひと。でも、笑うとやさしい顔になるのよ。ときどき昼間きて、一時間か二時間いて、帰ってしまうわ。変なことしていくの」

「変なことって?」

「裸になって、あたしを抱いて、よくわからない。いつもなんだか、いい気持ちになって、あたし、寝てしまうから」

一郎はしばらく、なにもいわなかった。女もなにもいわなかった。と思うと、あっ、と小さな声がして、電話は切れた。それでも一郎は受話器を耳にあてて、長いあいだ動かなかった。目の前の紙をにらみつけて、裸の女の足のあいだを、三角形にやけに黒く塗りつぶすと、一郎は受話器をほうりだして、あおむけになった。あくる朝、一郎は三十分も寝すごした。

電話は毎晩、十一時をすぎると、かかってきた。女は自分の話よりも、一郎のことを聞きたがった。一郎にしても、自分の話をするほうが、頭を悩まさないですむだけ、気が楽だった。やがて女は一郎の顔立ちから性質、好きな食べものまで知るようになった。それが真実かどうかは、問題でなかった。夜ふけの一時間ばかりを、恋人同士のように話しあえればいいのだった。

一郎は相手を、電話のなかの美しい宇宙人、と思いこむことにした。といっても、女の立ち場がぜんぜん気にならなかったわけではない。夜の電話がひと月ほどつづいてみると、女が気ちがいだとは思えなくなった。精神病にもいろいろあるだろうから、話のつじつまもあい、こちらの言葉を申しぶんなく理解しても、なおかつ狂っている場合があるかも知れない。だが、軟禁しておかなければならないような病人には、どうしても思えなかった。一郎の頭のなかに出来あがった相手のすがたは、赤ん坊からいきなり大人になったような、すなおで美しい女性だった。

「いつか、きみ、窓からなにか見えるといったね？」

「ええ、石の塔がみえるの。小さな五重の塔。それから、風見鳥というの？　ブリキかなにかでつくった赤茶けたにわとりが、青い屋根の上に立ってるのが見えるけど――」

部屋の窓は、模様入りのガラスがはめてあって、外は見えない。あきもしない。電話のおいてある廊下のはしに、やはりあかない小さな窓があって、そこには曇りガラスがはめてある。そのガラスにひびがはいっているのを、セロテープを貼って補修してあるのだ。曇りガラスに内側から、セロテープを貼りつけると、そこだけが透明になる。その透明な部分から、のぞいてみると、小さな石の五重塔と、風見鳥がみえるというのだった。

「それが、どうしたっていうの？」

「ぼくはセールスマンだ。毎日、外を歩いてる。気をつけて歩いたら、いつかその五重塔と風見鳥のついた青い屋根が、見つかると思うんだよ」

「うれしい。見つけてね。きっと見つけてね。あたし、きっとあんたが助けてくれる、と思ってたわ。このごろ、よく夢を見んの。あんたの夢よ。昔来た男のひとみたいに、あんたがあたしを抱いて、気持ちよく寝かせてくれんの。けさもベッドのシーツを汚して、おばさんに怒られちゃった」

女の夢のなかで、自分はどんな顔かたちをしているのだろう。一郎はそれを考えながら眠って、女の夢を見た。夢のなかの女は、一郎の愛撫に積極的にこたえて、のびやかに裸身をうねらせた。電話の声よりも、ずっと成熟した態度だった。そういえば、馴れるにしたがって、女のものいいが子どもっぽくなってきたことに、一郎は気づいていた。

いつからそうなったのか、気になりだしてみると、言葉づかいだけではない。一郎の話への興味のしめしかたも、ずっと子どもっぽくなっている。以前は口やかましい課長補佐が、会社のあるビルのエレベーターのなかで、痴漢あつかいされた話とか、訪問先の主婦のさまざまな反応とかを、おもしろがって聞いたのに、いまでは町で見かけた変った広告とか、暇つぶしにデパートのオモチャ売場をうろついた話などに、興味を持つのだ。本や雑誌も、あまり読まなくなったらしい。テレビの話も、マンガ番組のことが多い。声はむしろ、あどけなくなって、甘さを増してきたけれど、考えてみると、妙な感じだ。

「きょうも見つかんなかったのね。早く見つけて。待ちくたびれちゃう」

「仕事をそっちのけにして、歩いてるんだがね。きみは電話のダイアルを、七回しかまわさない。だから、その家は都内二十三区のなかに、かならずあるはずなんだ。おかげで販売成績はちっともあがらないが、かまやしない」

なにしろ、受持ち区域は歩きつくして、ほかの地区をまわっているのだから、セールスのしようがないのだ。デタラメの報告書をだしているのがわかったら、クビになるかもしれないが、いまの一郎には毎晩の電話と、五重塔と風見鳥さがしが生きがいなのだった。

「成績が悪くなるいっぽうなのに、だんだん元気になってくるんで、仲間はふしぎがってるよ」

「ねえ、あたし、いいことを考えた。赤い紙があるの。血みたいにまっ赤なの。それを星のかたちに切って、いくつも窓ガラスに貼っとくわ。きっと外からでも見えるわよ。見えたら、そこがベッドのある部屋。まっすぐあがってきて、あたしを抱いて、あんたんとこへ連れてってね」

「ああ、もちろんだ。いいことを考えたね」

「一生懸命、考えたの、ほめてくれる？」

「ほめてあげるよ」

最初に電話がかかってきた晩から、もうふた月以上すぎていた。女は屈託のなさそうな笑い声さえ、しばしば、あげるようになった。話題はますます子どもっぽくなったが、それでいて、ときおり、はっとするようなことをしゃべって、一郎を眠れなくさせた。夢よりもっと重苦しく、電話よりももっと恥しらずな裸身が、まるで現実のもののように、のしかかってくるのは、そんな晩だった。

またひと月たった。つまり、三月めだ。それも終りに近づいたある日の夕方、一郎は崖の上の道を歩いていた。山の手の住宅街によくあるような、崖の上にかなり高級な住宅があって、そこから崖の下へだんだん雑な家なみが重なり、商店街に達しているといった場所だ。その崖のいっかくから、ゆるい石段の坂道をおりようとして、一郎は立ちどまった。

ちょうど目の高さに、青い洋風瓦の屋根がある。その上に薄く錆をのせた金属製のにわとりが、E、N、W、Sの切りぬき文字のついた十字形の脚をふまえて、静かに立っているのだった。崖のはずれは寺の墓地で、石の五重の塔が目立っている。青い瓦屋根の家は、そのむこうの低くなったところに建っていて、棟瓦と風見の鳥が、五重の塔と並んでいるように見えるのだ。

一郎はふりかえった。石段坂のこちら側に、崖にそっくり背をもたれて、モルタルづくりの二階家がある。二階の横腹には、小さな窓がひとつだけあって、曇りガラスがはまっていた。一郎は足を早めて、坂をおりた。二階家をふりあおぐと、右側の窓の型板ガラスの内側に、血のように赤い大きな星が、三つ四つ貼りつけてある。

「見つけた！　とうとう見つけた！」

一郎の胸は、はずんだ。石段の坂にそって、横道をはいったところに、玄関があった。見るからに陰気な、ひっそりとした家だった。表札は出ていない。一郎は思いきって、ドアのわきのブザーを押した。ふだんはひけ目に感じている人相の悪さも、こういうときには役に立つかも知れない。よく刑事に間違えられるのだ。

呼吸をととのえながら、一郎は待った。なんの返事もない。もう一度ブザーをおしてみたが、やはり出てくるひとの気配はなかった。いよいよ、あやしい。ドアをたたいた。返事はなかった。監視役の中年女がるすならば、一郎の現れるのを待ちかねているはずの女が、階下へおりてきて、声ぐらい出してみるはずだ。そうしないということは、見張りがいて、知らん顔をしている、ということだろう。一郎は、ひとまず家の前を離れて、商店街のほうへ歩いた。

すぐタバコ屋が目についたので、聞いてみると、おどろいたことに、住んでいるひとの姓さえも、知らなかった。それでも、角ばった顔の大がらな中年女が、ひとりで住んでいるらしいことは、知っていた。冷淡なたちらしく、近所づきあいもしていないようだ、と教えてくれた。米屋を見つけて聞いてみると、さすがに姓は知っていたが、それも田中というごくありふれた苗字で、偽名の可能性が大ありだった。いつも中年女のほうから米を買いにきて、配達したことはなく、商取引のとき以外は、道ですれちがっても、口をきかないのはもちろん、会釈さえもしない、と米屋のおかみさんは、おもしろくなさそうな口ぶりだった。

「もう間違いないぞ」

一郎は交番をさがして、歩きだした。巡査が相手にしてくれなければ、警視庁へでもどこへでも、いくつもりだった。ふと気がつくと、だらんとした背広をきて、膝のゆるみかけたズボンをはいた老けた男が、わきを並んで歩いている。商店のガラスにうつった一郎自身だ。さがしあてた交番の横手の窓には、およそ人ずきのしない貧相な男の顔が、のぞいていた。それも一郎自身だった。一郎はためらった。だが、思いきって、交番の正面に立つと、巡査のニキビづらを見すえて、口をひらいた。

「いちばん近い国電の駅を、教えてくれませんか？」

一郎は自分で自分に、おどろいていた。教えられた道を、機械的に歩きだしながら、しきりに考えようとつとめた。けれど、なにも考えることはできなかった。

「きょうも、だめだった。でも、きっと見つかるよ。いつかかならず見つかるよ」

その晩、電話がかかってくると、一郎は明るい声でいった。

「そうね。きっと見つかるわね」

女も明るい声でいった。

「そうだ、見つかる。希望をすてちゃいけない。いつかきっと、記憶といっしょに幸福ももどってくる、と信じるんだよ」

「ええ、信じるわ」

「ぼくがついてる。ぼくが毎日、懸命に捜してるんだ。東京は広いといったって、限りがある。きっと見つけてみせるよ」
電話では、たのもしい青年の声に聞えたに違いない。一郎はそう思いながら、頭のなかの美しい女の像に、ほほえみかけた。あしたの晩も、電話はかかってくるだろう。その次の晩も、その次の晩も、電話はかかってくるだろう。その電話を生きがいに、一郎は東京の町から町を歩きまわる自分のすがたを思いえがいて、満足げに息をついた。

ショート・ショート『夜の声』を書き直した『電話の中の宇宙人』を、今読んでいただいたわけですけれど、このふたつの話も、まったく同じ話であるという感じがしただろうと思います。どちらも、電話を掛けてくる何か得体の知れない女性——その何だか割り切れない奇妙な感じを主にして、作品が成り立っています。

ディテールを書き込んで、『夜の声』ではどこか希薄であった部分が埋められたような気が、一応はしたんですけれども、またしばらく経ってみますと、これは違うという感じがしたわけです。そして、数年後に、私の怪奇小説を集めた短篇集『十七人目の死神』——この短篇集は、ごく古風な怪奇小説からSF的な色彩の強い怪奇小説、ユーモラスな怪奇小説まで、怪奇小説の中のヴァラエティというものを狙ったものです——の中に、どうしても、この『夜の声』を原型とする作品を、何とか完成させて入れたいという気がして、もう一度試みたのが、最初に読んでいただいた『風見鶏』ということになります。

ここで、以上の三つの作品を考えていただくと、『風見鶏』と『夜の声』とが、かなり表と裏というような感じになっているということに、たぶん気がつかれたと思います。『夜の声』では、作者自身が把まえられなかったものに、『電話の中の宇宙人』を経て、初めて作者が気がついた。一種の発見をした。発見というと大げさになりますけれども、そういっても過言ではないでしょう。

小説を書くということは、作者が小説のすべてを支配するわけで、エンタテインメントの場合、おもしろいストーリィをこしらえるということが、そのうちの半ばになるわけですけれども、そのストーリィを考えたときに、その本質がどこにあるかを、作者自身が、常に完全に見きわめているとは限らないものです。そのよい例がこの作品になるのではないかと思って、同じような話を繰り返し繰り返し、読んでいただいたわけです。

　つまり、『風見鶏』では、完全に、男のほう――電話を受ける主人公――を強調して書いている。他の作品と結末も同じだけれど、男の心理が強調されているのが、『風見鶏』ということになるだろうと思います。

　ふつう、こういうふうに何回か書き直した場合には、もとの作品は、すべて捨ててしまいまして、それ以降は本の中に残さないでおくというのが、作者の本来採るべき道なんですけれども、ただこの場合には、アイディアだけを強調した、『夜の声』のストーリイがなんとなく捨てきれないで、これだけは例外としたわけです。「異論派ガルタ」というシリーズと、それ以前に同じような形式で書いたショート・ショートのグループの、ふたつを合わせたショート・ショート集『夢幻地獄四十八景』という本の中に、今でも、この『夜の声』は残してあります。

　また、『風見鶏』は、『十七人目の死神』が出ましたあとで、私の自選のアンソロジー『都筑道夫自選傑作短篇集』にも入れましたし、他の方が、怪奇小説のアンソロジーに取り上げてくれまして、幾つかのアンソロジーに入っております。

　前にいい忘れましたけれど、こういう形で短篇を書き直すことを、推理小説のジャンルでいちばん多くやっているのが、ハードボイルドのレイモンド・チャンドラー（Raymond Chandler）であります。チャンドラーの場合には、長篇作家の基礎を固める以前に、パルプ・マガジン（pulp magazine）と呼ばれる推理小説雑誌、冒険小説雑誌などに発表した短篇を、のちに長篇の一部として使ったり、長篇に書き延ばしたりして完成させているわけであります。

作品の狙いと表現

ディテールの書き込みが生む怖さ

　では、これから、いま読んでいただいた三つの作品について、もう少し詳しくお話ししてみたいと思います。

　『夜の声』と『風見鶏』のいちばん大きな違いは、『風見鶏』のほうが、枚数が余計にあるせいでありましょうけれど、ディテールがより具体的になっているということでしょう。

ショート・ショートのような、アイディアの骨格がむき出しにならざるを得ない作品の場合には、ディテールをつけ加えている暇がないわけです。ディテールを書き込んでいると、与えられた枚数は、たちまちなくなってしまう。そこで、アイディアの骨格のもつおもしろさで読者に訴えようとしているわけです。そもそも、ショート・ショートという形式というのは、読者が半分創り上げる形式であろうと、私は思っています。つまり、アイディアの骨組みの上に、読者が想像力を広げて読む。それがショート・ショートの短さの持つ意味であろうと思います。その場合に、この『夜の声』という作品は、どんなふうにも読めるという、読者が参加する道筋が限定しかねるアイディアだったことも事実でありますけれども、その意味で逆に不親切になっているのではないかという反省があったわけです。そこをもっとはっきり限定したのが、『風見鶏』といえると思います。

怪奇小説で、怪奇な、奇妙なことを語る際にいちばん大事な方法論的なもののひとつは、細部にリアリティを与えるということであります。日常的なことが、具体的に、リアリスティックに書いてあるから、そのリアリティからすべり出してくる奇妙な感じというものが、より奇妙に現れてくるわけです。『風見鶏』の場合は違いますけれど、読者を怖がらせることを目的とした小説の場合には、怖さというものがディテールを具体的にすることによって出てくる。

この『風見鶏』という作品は、読者を怖がらせることを狙った怪奇小説ではありませんけれど、読者に、こういう奇妙な怪奇なことさえも怪奇として受けとることができないような孤独な人間、超自然なことを受けとる人間の怖さといったものを強調しているわけであります。そういう場合に、その主人公の生活というものが、具体的に出れば出るほど、この作品の効果は上がるだろうと考えました。電話がかかってきたときに、主人公がどんな本を読んでいたか、毎日の生活がどんなふうであるか、ようやく捜し当てた風見鶏がどんな形をしていたか――そういうことを具体的に書いていったのも、そのためです。

そういうふうに、この主人公の一郎という青年(?)の心理をはっきり出すためには、女のしゃべり方とか、女の性格とかは、むしろ非人間的に、あまり限定しないように、努めて書いているわけで、はっきり男のほうにウェイトがかかっている。そういう点に注意して読みくらべていただくと、小説ができ上がるまでのプロセスが、いくらかでもおわかりになるだろうと思います。

エンタテインメント小説でいちばん重要なもの、それが、何度も申しあげるように、そういうディテールであります。細部の工夫（非常に具体的に書くこともあるし、物語ふうに書き流すこともあるのですけれど）が、ことに短篇の場合は、作品を生かしもすれば、殺すことにもなる、といえるだろうと思います。

本来、エンタテインメントというのは、日常性を超越したような非常にナンセンスな話や、ばかばかしい話、奇妙な話、恐ろしい話、日常では味わえないような冒険といった誇張した世界を描くのがふつうであります。そういう話をおもしろく読ませるためには、その話を読者に納得させる説得力が必要ということであります。こんなことがこの世の中にあり得るのかなあ、という拒否反応をもっている読者を引きずり込んで、ストーリィに夢中にさせてしまうもの、つまりは説得力ということです。その説得力というのは、細かい部分の具体性とか、どう展開させていくかという工夫にかかっているのだろうと思うのです。

読者を引き込む書き出しの工夫

もう少し、作品の細かいところに目を向けてみますと、書き出しの部分が、『夜の声』と『電話の中の宇宙人』とは、まったく同じでありまして、夜更けに正体不明の女から奇妙な電話がかかってくる。それに対して、『風見鶏』では、主人公が、電話の中で語られた奇妙な風景——女が窓から見ることのできるわずかな風景——を実際に見つけた場面からはじまっています。それがどういう意味を持つかという説明を後回しにして、西洋的な風見鶏と、ごく日本的な三界万霊塔が並んでいるという風景を描写しているわけです。

なぜこういう書き方をしたのかといいますと、『夜の声』は枚数の短いショート・ショートでありますから、奇妙な現象だけを書かなければならなかった。ところが、『風見鶏』の場合は、男の側にウェイトをかけるということが、作者の姿勢としてははっきり最初からあったわけです。そこで、夜更けに電話がかかってくるという奇妙な出来事を少し後回しにすることによって、現実の出来事からはじめる。そして、その現実の風景を、できるだけ色彩感を盛り込んで、非現実的に、あるいは絵画的に見えるように誇張して書いて、その風景を前にした男の心の中へ入っていく。つまり、一種の回想の形式、三ヵ月くらい前のことを思い出す形式で、なぜ彼がその風景を懸命に捜したかという話になっていく。つまり、主人公の一郎が、最初は奇妙な電話に操られながら、最後にその怪異を逆手に取って、一種の自己満足の世界に到達する――その自己満足の世界に到達した姿によって、この一郎の孤独感を出す――この狙いからいうと、いきなり電話の声からはじめるよりも、捜し当てた風景をかなりどぎつく書くというスタイルがいちばんいいのではないか、そう思ったわけです。

その風景についても、最初に風見鶏のことを書きまして、西がOになっている（ふつうアメリカ、イギリスの風見鶏というのは、西は英語でウエストですから、Wになっています。イタリア語、フランス語、スペイン語の場合は、Oになります）点で、ふつうと違う。なぜそういう書き方をしたかという点にも、私なりの工夫がありまして、何かこの風見鶏というものが特別のもののような感じを読者が受けるだろう、ただの風見鶏ではないんだ、ということが、この冒頭に込められているわけです。

作品を読み進めていけば、この風見鶏の西がOになっていることに何の意味もないことがわかるわけですが、小説の題名と書き出しというのは、短篇によらず長篇によらず、たいへん大事なところでありまして、題名と書き出しと結末ができ上がれば、小説はもう書けたような気持になるものです。

短篇の題名というのは、印象的であって、といってしつこくなく、さりげなく、ことば自体としてはそれほどの意味はないけれども、その底に何か大きな広がりが感じられるというのが理想だろうという気がします。この場合も『風見鶏』という題名は、それほどしつこくなく、主人公が捜し求める女性を象徴するものでもあるので、それに決めて、その風見鶏の描写からはじめたわけです。

行動によって心理を描く

次に、三つの作品を読み比べて、『風見鶏』が、『電話の中の宇宙人』よりずっと、『夜の声』に近づいているということにお気づきになったろうと思います。『電話の中の宇宙人』では、特にこれが、『ＳＦエロチックミステリ』というアンソロジーに入ることを意識したせいもありまして、電話をかけてくる女が、次第に子どもっぽくなっていくという奇妙さも出してみたのですけれども、むしろ、そういうところでは、あまり超自然的な感じを出さないほうがよいだろうという反省をいたしました。ただ、ことばの中にときどきドイツ語が出てくるというような矛盾したというか、奇妙なところで、この女の得体の知れなさを出そうとしたのが、『風見鶏』です。また、『風見鶏』では、それと同時に、一郎という主人公の心の動きを主にしているといいましても、実際に心理描写らしい心理描写をしていないのです。これもまた、一つの狙いでありまして、行動を通して、心理の説明をなるべくしないで説明していくという手法をとった最大の理由は、あまりに心理を説明してしまうと、妙な女から電話がかかってくるということの空々しさといいますか、お話の部分が浮き上がってしまうからです。あまり異常さを強調してしまうと、説得力がなくなってしまうということです。

実は、私がこの手法を学んだのは、ハードボイルド・ミステリイの書き方からであります。ハードボイルドの推理小説と怪談を同じ手法で書くというのは、それだけ聞くと、ばかばかしいような感じがするかもしれませんけれど、元来、ハードボイルドというのは、複雑な現代の中で生きている人間の心理、うまく口で説明できないような心理を描いていこうというものでした。犯罪を通して現代人を描く――こういう気障ないい方は、あまりしたくないんですけれど、それがハードボイルド・ミステリイというものだろうと、私は思っています。

そういうつまり、なかなか説明しにくい心理を説明するために、行動を通して心理を描く――そういう手法が、近代怪談の、それもひねったタイプの作品にはふさわしいのではないかと思ったわけです。

今までお話ししてきたように細かく説明してみても、小説というものは、生きものに近いもので、しばしば作者の筆の先から勝手に動き出してしまいます。風見鶏の描写から始めたことが、絶対であるかどうか、また、ハードボイルド・ミステリイの手法が、絶対の手法であったかどうか、断言することはできませんけれど、ただ、手法を変えてしまうと、同じ話でもまったく違う作品になってくるでしょう。それは、この三つの話が、同じ話でありながら、やはり少しずつ違ったものになっているということで、おわかりだろうと思います。

小説の書き方には、これが絶対だというものは、おそらくないだろうと思います。けれど、手法を変えれば同じ話でも違ってしまうということは、やはり手法というものが、エンタテインメントの小説に限らずに、非常に重要なものであることを示しているのだろうと思います。

ショート・ショートをめぐって

『夜の声』はもちろん、それを書き直した結果の『風見鶏』も、長さの基準からいいますとショート・ショートといえるものですので、ここでショート・ショートとはどういうものか、整理しておきたいと思います。

よく聞かれることに、ショート・ストーリイとショート・ショート、それぞれが、どの程度の長さのものをいうのかということがあります。実はこれには基準があるようでいて、ないわけです。たとえば四百字詰原稿用紙百枚の小説というのは、中篇小説という呼び方をされることがしばしばありますけれども、英米では、翻訳して百枚、百五十枚くらいになる作品でも、だいたいにおいてショート・ストーリイと呼ばれています。こういう呼び方というのは、しばしば便宜主義によっておりますから、雑誌の目次づらの宣伝効果などを狙って呼び分けられることが多いのであります。百枚くらいのものが、ある場合にはショート・ストーリイと呼ばれ、ある場合にはノヴェレット（novelette）と呼ばれることもあります。アメリカでは、長篇小説がノヴェル（novel）、中篇小説はノヴェラ（novella）あるいは、ノヴェレットと呼ばれます。というわけで、ショート・ショートの基準、これも曖昧であります。

そもそも、ショート・ショートの始まりというのは、「コズモポリタン（Cosmopolitan）」――現在の「コズモポリタン」は、一度つぶれた後で、現在のような、どちらかというと女性雑誌の形になったのですけれども、以前は違いまして、いわゆるスリック・マガジン（slick magazine）という、つるつるした綺麗な紙に刷った、原色の写真や挿画入りの高級雑誌であったのです――という雑誌からなのです。そういうスリック・マガジンには、短篇小説をかならず一篇か二篇、載せる定めになっておりました。スリック・マガジンというのは、前半に上質な紙を使い、そこに綺麗な色刷りの写真を入れてあり、後半の印刷用紙はふつうの紙になる。ですから、小説は、書き出しの二ページ、あるいは四ページ分が上質な紙の部分に載せてあり、色刷りの挿画もそこに載るわけです。で、その二ページ、あるいは四ページの最後に、continued on page 208（二〇八ページに続く）というような指示が入りまして、後半の紙質を落とした部分に、その小説の主要な部分が載るという編集上の約束事があるのです。

　それを、「コズモポリタン」の編集者が、上質な紙の部分だけで小説を終わらせたらどうであろうと考えたのです。かなり大きな挿画を入れて、見開き二ページか四ページ、最大限六ページで終わる小説を載せれば、後半に跳んで続きを読むという読者の不便さが除かれて、商売になるのではなかろうかと考えた。そこで、これを、イギリスの大作家、サマセット・モーム（Somerset Maugham）がちょうどアメリカにきているときに話したところ、おもしろいからやってみようというので、一年間でしたか、二年間でしたか、モームは書いたわけです。そういう掲載形式を「コズモポリタン」の編集者が、ショート・ショート・ストーリイと名づけたところ、いつのまにかストーリイがとれてしまい、ショート・ショートというひとつのジャンルを生みだしたわけです。

　モームは、「コズモポリタン」誌に載せた小説を集めまして、『コズモポリタンズ』という短篇集を作ったんですけれども、この短篇集をお読みになった方はごぞんじの通り、とてもショート・ショートのジャンルには入れられないような、かなり長い、おそらく見開き六ページから八ページにわたったのではないかと思われるような、翻訳して五十枚近い短篇も入っています。モーム自身には、ショート・ショートという概念はなかったのでしょう。

　ともかく、この掲載形式はたいへん評判になりまして、見開き二ページ、あるいは四ページで終わるショート・ショートというものを、スリック・マガジンが盛んに載せだして、それが新聞その他に伝染していったというのが、アメリカにおけるショート・ショートの歴史なのです。したがって、一ページに何語入るか

（アメリカでは、原稿用紙何枚という数え方ではなくて、原稿料も一語何セントという計算をします）ということによって、ショート・ショートの長さにも、差があるわけであります。

以前、日本のショート・ショートのアンソロジーを作ろうとしたときに、いったいどのくらいの長さを想定したらよいだろうということが、問題になりました。そのアンソロジーを作ろうとしたのは日本推理作家協会でありますけれども、そのとき、私と星新一さんとその他にふたり、計四人が選者になったわけであります。最初の編集会議のときに、長さの基準をどこにおくかの話がありまして、日本でショート・ショートを広めたのは、星と都筑なのだから、このふたりに決めさせようということになりました。

当時、私も星さんも、しばしば二十枚の小説というのを雑誌から注文されていました。だいたいにおいて、短篇小説というのは、二十枚、三十枚、五十枚といった具合に、ストーリィの考え方というのは違ってくるわけですが、ふたりとも、二十枚の小説を考えるときは、五枚のショート・ショートを考えるときと同じ考え方をするという点で意見が一致しまして、ショート・ショートは二十枚まで、という一応の基準を作ったわけです。もともと基準がないものですから、日本におけるショート・ショートのfounderといいますか、基礎を作った人間として、勝手に強引に決めてしまったわけです——いま、強引にといいましたけれど、これには多分に謙遜の意味が含まれておりまして、ショート・ショートをたくさん書いた人間としての考え方によると、二十枚までをショート・ショートと呼ぶのがいいだろうということになった、ということなのです。

じゃあ、二十一枚ではどうなんだということがあります。二十一枚でもショート・ショートでありうる。二十二枚では？　これもショート・ショート。二十三枚は？　となりますと、だんだん長くなりまして、三十枚のショート・ショートもありうるわけです。現に、私のショート・ショート集には三十枚の作品も入っております。しかしこれは、二十枚で書くつもりが、延びてしまって三十枚になった。したがって、基本は、ショート・ショートの考え方で書いているわけです。一方、三十枚で、ショート・ショートでない短篇というものもあります。そのへんを細かくいいますと、非常にむずかしくなってくるので、一応、二十枚までをショート・ショートと呼ぶという目安を作ったわけです。

それを別のことばで説明してくれといわれた場合に、私は、戯曲における一幕物の感じで書ける限度が、だいたい二十枚から二十五枚くらいであろう、そんないい方をすることにしております。これも、必ずしもすべてをいい表しているといえないことは、もちろんです。

ただ、三十枚の小説というものを頼まれましたときに、だいたいにおいて、三十五枚にも書けるし、四十枚にも書けるようなストーリイを考えます。そうなると、芝居でいう一幕物の感じではなくなってくるわけですね。もちろん二十枚の短篇でも、芝居とは違いますから、ひとつの場面で終わるということはなくて、人物の動きに従って場面が変わるということはあります。ですから、一幕物といういい方も、ちょっと変なんですけれども、ともかく一場面で終わる、だいたいにおいて数時間の話、そういうものがショート・ショートであると考えているわけです。

これをもっと抽象的にいい表すとしますと、次のようにいえるかと思います。

長篇小説というのは、枝葉の繁った一本の木である。短篇小説というのは、枝葉の繁った木の一本の枝である。そして、ショート・ショートというのは、枝の切り口である。

ときには長篇小説を一本の棒にたとえることもあります。一本の棒の端から端までを全部書くのが長篇小説。で、その棒の、任意の部分を切り取って読者に提供するのが短篇小説。その切り口を示すのがショート・ショート。

これもやや抽象的ないい方で、では、その棒の半分を切り取ったのは短篇小説か中篇小説か、というようなことを聞き返されると、とたんにしどろもどろになってしまうわけですけれども、ただ、ショート・ショートというものには、切り口の向こうに、棒全体の長さ、枝全体の長さを示すというような覚悟が、少なくとも必要なのではないかと思います。そうでなければ、ふつうの短篇小説をわざわざ短くして、読者サービスをすることはないでしょう。

ショート・ショートというものが、アメリカで発達した理由は、雑誌のアクセサリーとしての有効性のほかに、ショート・ショートという形式のもつおもしろさ——小さな世界を覗くことによって、大きな世界を覗かせる——にあったのだろうと思います。

それをいえば短篇小説だってそうじゃないかといわれそうですけれども、短篇小説、特にエンタテインメントの短篇小説の場合には、ひとつの短いお話という完結性がありまして、ショート・ショートのほうが、むしろ、エンタテインメントの世界では広がりを持たせることのできる形式であろうと私は考えております。私が、なかばショート・ショートの専門家のように、たくさんの作品を書いてきたのも、そこに興味を持ったからなのです。

第3講　怪奇小説を書く

創作の秘訣

書き出しの定石

　もともとは漢詩のことばなんでしょうけれども、「起承転結」ということばがあります。これがしばしば、小説の書き方においても、とりわけ重要なこととされていています。近ごろは、起承転結なんてことをうるさくいわなくなりましたけれども、やはりこれは、エンタテインメントを書く上では、きちんと考えなければいけないことだと、私は思っています。つまり、起・承・転・結の四つの部分によって、どんな小説も成り立っているわけです。そして、そのそれぞれに工夫が必要でありまして、その工夫が巧くいったときに、おもしろい小説――もっと端的な即物的ないい方をすれば、売れる原稿――が書けたということになるのだろうと思います。

　「起」は発端であります。

　前にも申しました通り、題名と書き出しが、小説の顔であるわけですから、たいへん大事なものでありますす。ことに、雑誌に、大勢の作家と交って作品が並ぶというときには、その書き出しというものに工夫が強く要求されるわけでありまして、最初の一行、二行で、がっちり読者の心を把む――そうすれば、最後まで読んでくれるというふうにふつういわれております。しかし、まあ近ごろは、書き出しに工夫を凝らす作家は少なくなっておりまして、それで通用するということは、読者の嗜好というものが変わってきているとも、いえるだろうと思います。ただ、それだけに、書き出しに工夫のない作品に交って工夫した作品が並べば、それは余計に目立つということもあるだろうと思うので、私は、書き出しの工夫ということを、充分に心掛けなければならないだろうと思っております。

　昔、エンタテインメントの連載小説というものが重要視されていた時代に、おもしろいことをいった作家がおりました。雑誌連載の長篇小説というのは、竜頭蛇尾であってもかまわないというのです。竜頭蛇尾というのは、頭は竜なんだけれど、しっぽは蛇であるという、虚仮（こけ）おどしの見本のようなものをいうとき使われることばでありますけれども、それを逆手にとって、竜頭蛇尾でかまわないといった。なぜかといいますと、昔の連載小説というのは、十二回、つまり一年間にわたるわけであります。そのうち、結末はたったの一回。それに対して、そこへ行くまでというのが、延々十一回分もあるわけで、その十一回がおもしろければ、最後が蛇のしっぽだって、読者のほうもまあ満足するものだということです。いくらかやけっぱちに聞こえるようなことばであります。もちろんこれは、竜頭竜尾であるにこしたことはないのですけれども、蛇頭竜尾よりも竜頭蛇尾のほうがよいだろうということなのです。それくらい小説というものは頭が大切だ、ということだろうと思います。一種のアレゴリー（喩え話）として、おもしろく私は覚えているわけです。

　もちろん、一回で最後まで読み通してしまう短篇小説の場合には、竜頭蛇尾であっては、ちょっと困ります。結末の工夫も、一所懸命考えなければいけないわけです。

　書き出しということに戻りますと、ひところ、ショート・ショートを書く場合に、何も材料が浮かばないと、「電話のベルが鳴った」、あるいは、「ドアにノックの音がした」と、まず書いてしまうということがありました。これは、私だけのことではありません。期せずして、星新一さんも、材料に困ると、「ノックの音がした」という書き出しを書いてから考えるということをいっておられました。いつのまにかそうした作品がたまる、それを、『ノックの音が』という短篇集にしたという話を聞きましたけれど、私の場合にも、誰かが訪ねてきた、ドアを開けたら、どういう人が立っていた、というところから、話を創っていたわけです。アイディアの起爆剤として、アパートなり何なりの部屋、主人公のところに誰かが訪ねてくる、あるいは、突然電話がかかってくる。阿刀田高さんも、材料に困ると、ベルが鳴ったと書いてから考えるということをいっておられたので、これは、ショート・ショートのひとつのコツのようなものなんじゃないかと思っております。

先にあげた『夜の声』の場合にも、そういう点では、定石通りの作り方をしたわけで、不思議な電話がかかってくる。電話の相手も何だかわけがわからないし、非常に異常な状態でいるらしい。それを、正常な状態にいる人間が、その電話を受けたために生活が狂ってくるという書き方をするつもりだったんですけれど、その狂い加減を書いていくと、たちまちのうちに、十枚、二十枚かかってしまうんで、わずか四、五枚のショート・ショートでは、そういう定石を使うわけにはいかない。別の定石として、その電話の主がどういうものであったかがはっきりわかるというものがありますけれど、これは、現象が不思議であればあるほど、むずかしい。

「奇妙な味」とモダン・ハラー

もうひとつ、非常に奇妙なことを書いて、それを小説として成立させる際のコツとして、結局わからなかったというところへ逃げる、という手が、昔からあるわけです。つまり、読者にその部分を勝手に想像させてしまう。読者の中には、非常にこぢんまりした解決を想像する人もあるわけだし、どんどん広げていって、矛盾したことを想像する人もある。その矛盾の伏線のようなものを、前半に張りめぐらしておいて、最後に結局何だかわからないということで落とす、という定石があるわけです。その矛盾が異常であればあるほど、人間の考えの及ばないような不思議さを匂わせることができるわけで、この手を非常に巧く使うと、たいへんな傑作が生まれる場合が多いのです。

こうしたリアリズムの短篇怪奇小説というのは、本当に思いがけないような人も怪談を書いています。たとえば、およそ怪談などというものと縁がなさそうなグレアム・グリーン（Graham Greene）にも、初期の『二十一の短篇』という短篇集に、『エジウェア通りの横町のちいさな劇場』という短篇があります。たいへんによくできた怪奇小説なんですけれども、これも、まったく説明のない、実に奇妙な小説であります。

こういう感じのする怪奇小説を、亡くなった江戸川乱歩さんは、きわめて率直に、「奇妙な味」の小説と分類しておられまして、それが今や、日本のエンタテインメント文壇では、ひとつのジャンルをいい表すことばになっております。

何か曖昧ないい方しかできないような、本当に何か奇妙な小説だというような小説というものがあるものでありまして、それらのほとんどが、近代的な怪奇小説という形をとっているといっていいと思います。こういうものを、アメリカ、イギリスでは、だいたいにおいて、モダン・ハラー（modern horror）と呼んでおります。ハラーというのは、恐怖ということで、ハラー・ストーリイ、すなわち恐怖小説ということになるわけですけれども、それのごく現代的な形——それをモダン・ハラーと呼んでいるわけであります。

私が書いている怪談は、そのモダン・ハラーを狙っているわけでありまして、十九世紀的な、ロマンティックな、幽霊が出ることに意味がある小説を今さら書いても始まらないだろうと私は思っているわけです。

古くさい、なぜ幽霊が出てくるかというような話がお好きであれば、それを書いてもかまわないのですけれど——事実、最近では、幽霊を信じる人のパーセンテージが上がってきておりますから、そういう小説も成り立つと思いますけれども——モダン・ハラーが出てきたのは、科学の発達に従って、そういう超自然現象を信じない人が非常に増えてきたということが背景にあったわけです。そこで、今さら幽霊の話を書いてもしようがないというところから、怪談は死にかけているジャンルだというい方も出てきたのであります。私なぞ、怪奇小説が好きで、たくさん書いておりますけれども、幽霊の存在などはあまり信じておりません。

だいたいにおいて、幽霊を本当に信じている人の小説というのは、どちらかというと、おもしろくない場合が多いのです。たとえば、実際に幽霊に会ったという話を、その人とふたりっきりで、向かい合わせに聞いている場合には、相手の人柄というものがわかっておりますから、ある程度の怖さはある。けれども、それをその通りに、録音を採ったものを筆記に起こして読んでみても、たいがいの場合は怖くはない。それと同じに、幽霊を信じている作家が懸命に語っても、幽霊の出てきた状態の異常さとか美しさは出てきますけれど、怖さは出ないものです。

なにげなく書かれた怖さ

近代におけるロマンティシズムの日本における旗手は、泉鏡花でありますけれど、泉鏡花の怪奇小説というのは、ほとんど怖さを感じさせないわけです。泉鏡花は幽霊というものを信じていて、作品の中にしばしば幽霊が出てくるのですけれど、たいがいの場合、その幽霊は、非常に美しい存在として出てまいります。妖しさ、壮絶美というものはあるんですけれども、怪奇小説の狙いであるべき、怖さというものには欠けております。むしろ、鏡花がなにげなく書いたような随筆の中に逆に怖さが出ているというのは、たいへん皮肉なことだと思います。

これは、泉鏡花のどういう題の随筆だったかは忘れてしまいましたが（あいにく、私はロマンティシズムの小説が嫌いなもので、泉鏡花の本もほとんど持っておりませんので、それを調べることができないのです）、鏡花がまだ若くて、牛込横寺町の尾崎紅葉の家へしょっちゅう出入りをして、紅葉の子どもを背負ってお守りなどをしていたときの話があります。

牛込の坂を東へ下って行きますと、現在の神田川、昔は江戸川と呼ばれていた流れがあります。実は、私もそのそばで生まれたのですけれども、飯田橋のところへ出るまでは、その川は江戸川と呼ばれておりまして、江戸川橋をはじめ、いくつかの橋が架かっております。あの川は、昔はしばしば秋の大水などが出た川でありまして、敗戦後にも一度、大きな出水がありました。川っぷちに住んでいた人たちの中で、私の知っていたお年寄りなどが、その出水（でみず）で亡くなっております。それはともかくとして、秋の大雨の後か何かで、川の水嵩（みずかさ）が非常に増している。紅葉の赤ん坊を背負った鏡花が、たしか古川橋か石切橋の話だと覚えておりますけれど、橋の上まで子どもをあやしながら散歩してきまして、橋の上からふっと水の中を覗くと、絣（かすり）の着物を着た男の子が川の底を歩いていた、というエッセーがあります。

実は、その子どもは、歩いていたのではないのです。大水が出るほど流れが早く水嵩が増したころに、江戸川では、ときどき水死人が出ます。私が子どものころにも、水死人が出たというので、川っぷちに人がたかって、それを覗きにいった記憶がありますけれど、川上のほうから、絣の着物を着た男の子の死体が流れてきたのが、どういうわけだか川の中に垂直に、やや前屈みの形で立っているような感じになって、ユラユラと動いてきた。それが、川の底を歩いているように見えたのでありましょう。

これは怪談ではありませんけれど、鏡花も怖い話が書けないわけではないのです。ですから、非常に怖い随筆になっております。ただ華麗な、ロマンティックな文体を持っていたために、その怖さが素直に出せなかったのではないだろうかと思っています。

もうひとつ、やはり鏡花の随筆だったと思うのですけれども、当時の中央線というのは、飯田橋が起点で、甲武鉄道という私鉄であったんだそうですけれど、鏡花が、その飯田橋の起点から甲武鉄道に乗ってどこかへ出かけたときのことです。汽車の最前部だか最後部に乗っておりまして、ふっと窓の外を見ますと、小さな妖しい、人のような、河童のようなものが、線路の上を乱舞している光景がはっきり見えた、という話です。真昼間の話として書いてあるのですけれども、それも一種の怖さを持っていたような気がします。

話が横道にそれましたけれど、モダン・ハラーの怖さというのは、あまりことばに工夫を凝らさないで――というよりも、正確にいえば、ことばに工夫を凝らしていないように見える書き方で、的確に読者に恐怖感を与えるということになるのだろうと思います。そこが、モダン・ハラーのむずかしさなのであります。

結末に必要な爽快感

ここで、また話をもとに戻しますが、起承転結の「承」は、「うける」という意味であります。発端の出来事をうけて、どこへ流れていくかという、話の方向をここで定めるわけです。

「転」というのは、「転じる」、「ころがる」わけです。話が大きく飛躍して、新しい面を開いていく。

そして最後に、きちんと「結ばれる」。すべてのことに、つじつまが合う。

だいたいにおいて、エンタテインメント小説の醍醐味は、いろいろなものが、どうなるのだろうと思われるくらい自由奔放に広がっていくところにあります。推理小説であれば、謎が謎を呼んで、いったいこれが人間の知恵で解決できるだろうかというような、不思議な様相を呈する。恋愛小説であるならば、主人公たちが運命の皮肉に操られて、さまざまな境遇にさらされて、いったいこれがうまく収まるだろうかと思われる。そして、そういう、これがうまくまとまりがつくのだろうかと思われることが、きれいに収まるところに収まるというのが、エンタテインメントの魅力であります。

ハッピー・エンドとは限らない。けれど、アンハッピー・エンドであっても、それなりの形できれいに収まる。これを、私は推理小説について、すべての不合理を合理化する小説、合理化してみせる小説といい表してみたことがあります。合理的に収まるところに収まる、その魅力ということであります。

ただ、エンタテインメント小説のハッピー・エンドというものに反発を感じる作者というものが常におりまして、ときどき、とんでもないアンハッピー・エンドもありますけれども、アンハッピー・エンドであっても、読者に一種の爽快感を与えなければ、成功しないわけです。もう随分前のイタリア映画に、『殺しが静かにやってくる』という、日本ではテレビ公開された作品があります。これはマカロニ・ウェスタンなんですけれども、フランスで人気のあるジャン・ルイ・トランティニアンが、喉を切られて口をきけない主人公のガンマンに扮しております。その主人公が、町にやってくる悪人たちに、さんざんばかにされる。町の人たちもさんざんに痛めつけられる。悪玉には、最近では美人女優のナスターシャ・キンスキーの父親としてのほうがわかりやすくなっている、クラウス・キンスキーというドイツ生まれの、リチャード・ウィドマークの若いころをちょっとひねったように不思議な顔をした悪役が扮しておりました。主人公の喉を切られたガンマンが、いまに立ち上がって、悪玉をやっつけるのだろう――そういう期待を、観る人にさんざん抱かせておいて、主人公もついに堪忍袋の緒を切って拳銃を抜く。すると、あっけなくクラウス・キンスキーに撃たれて、主人公は死んでしまうのです。「いつも、そううまくはいかねえんだ」とせせら笑って、悪玉が去っていくというところでおしまいになるという、エンタテインメントの常識でいえば、実に大胆不敵な映画を作った人がおりますけれども、これはさすがに商売にはならなかった。むしろ、そんなとんでもないことをやったということで話題になっただけでありまして、日本の映画配給会社も、これは観客が意外には思うだろうけれども、たいへん後味が悪い、当たらないだろうということで輸入しなかったんだろうと思います。

悪が栄えるという小説や映画もありますけれど、その悪の栄え方に、読者や観客が共感というか、カタルシス（感情の浄化作用）を覚えなければいけないわけです。堪忍袋の緒を切って銃を抜いたガンマンが撃たれて死んでしまうというような終わり方をしては、エンタテインメントとしては、まず成功しないわけであります。

したがって、起承転結の「結」というのは、たいがいにおいて、ごく常識的に終わります。もちろん、それを何とかしてもよいわけですけれども、あまり大きく狂わせてはいけないものとされております。狂わせるには天才が必要だということなのです。

アマチュアの作品例

私は、現在、西武百貨店で行われている「池袋コミュニティ・カレッジ」で、エンタテインメント小説の書き方の講義をしているわけですけれども、その講座に出席している方の作品を、ここで読んでいただきたいと思います。これは、怪奇小説を書いてごらんなさい、ということで書いてもらった作品です。

もともと、こうした講座の出席者の方に書いていただく作品というのは、それほど長い枚数のものというわけにはいきません。ひとつにはこちらの都合ということがあります。私は現役の小説書きでありますから、週に一度の講義のときに生徒さんの書いた作品を預かって、次の講義までに読み終えるということが、なかなかできにくいわけです。仮に、皆さんが張りきって五十枚の短篇を書いてきたとしますと、生徒さんの数が十人としても五百枚になるわけですから、その五百枚を丁寧に読むと、まるまる一週間ぐらいかかってしまいます。私自身の小説を書いている暇もなくなります。ですから、ショート・ショートを書くことを（それがいちばん入りやすい形式だろうと思いますので）おすすめすることが多いのです。けれども、ショート・ショートは、アイディアがなまの形で出てくることになりまして、小説を書く技術を覚えるというよりも、アイディアを評価される部分がどうしても多くなる。アイディアの工夫だけに精力を注ぐということは、まかりまちがうと、ショート・ショートしか書けない作家ができてしまうおそれがあるわけです。そこで、ショート・ショート風の発想でない小説、短篇小説を書いてもらおうと考えまして、岡本綺堂の短篇を取り上げ、その怪談を一篇、生徒さんに読んでいただいて、それをお手本に、目標にして、怪奇小説を書いてもらう——そういう試みをした中の、これは一篇です。

枚数は四百字詰で十枚ほどですから、長さの評価からすると、結果的にはショート・ショートということになりますけれど、考え方、書き方は、三十枚、四十枚の短篇と同じ書き方で書かれたものといっていいと思います。

岡本綺堂は、私がたいへん尊敬する作家であります。劇作家としての岡本綺堂ではなく、綺堂自身のいい方に倣えば、読物作家としての岡本綺堂を、私はたいへん尊敬しておりまして、今でも年に一度や二度は、『半七捕物帳』を全篇読み返すということをしております。と同時に、『青蛙堂鬼談』その他の短篇怪奇小説（岡本綺堂の場合には、怪談という日本古来の呼び方をしたほうがふさわしいように思いますけれど）を、明治以降の日本の怪奇小説の中で、私は非常に高く評価しております。大正・昭和の怪奇小説を書いた作家の中で、いちばん秀れた作品を書いた人は、岡本綺堂と内田百閒だと私は思っているのです。

受講者の方々に読んでいただいたのは、岡本綺堂の『猿の眼』という作品です。この作品は、『青蛙堂鬼談』の中の一篇ですけれども、この『青蛙堂鬼談』というのは、青蛙堂と名のる怪談好きの人の家に皆が集まりまして、次々に怪談を語る、つまり怪談会を行った記録という体裁になっております。

この『猿の眼』は、「第四の女は語る」という書き出しの一行がありまして、一行空いていて、

わたくしは文久元年酉年の生まれでございますから、当年は六十五になります。江戸が瓦解になりました明治元年が八つの年で、吉原の切りほどきが明治五年の十月、わたくしが十二の冬でございました。御承知でもございましょうが、この年の十一月に暦が変わりまして、十二月三日が正月元日となったのでございます。

という話しことばのスタイルで、本文が書かれてお

ります。

これをお手本にして書くようにいったせいか、生徒さんの書いた作品のほとんどが話しことばで書かれておりまして、ちょっとおもしろく思った記憶があります。

この『猿の眼』は、大正十四年に雑誌に発表されながら、それがちょうど幕末から明治初頭にかけての物語という、過去を扱った小説というせいもありましょうけれど、昭和五十七年に発表された小説といわれても、少しも違和感がありません。ちっとも古くなっていない、新鮮な怪奇小説だと私は思っています。ただ、私は、かならずしもこの作品が綺堂の怪奇小説の最高傑作だと思っているわけではありません。他に好きな作品、もっとよくできた小説というのはあるんですけれども、小説の書き方のこういうところが参考になるというような、巧さの例を示すことのできるくだりが何ヵ所かあるので、教材用としては実に恰好な作品なのです。それで、この作品を読んでもらって、それをお手本として書くということでできあがった作品のひとつが、次に掲げる小川英子さんの『首』という作品です。

では、まず、小川さんが書いてきたそのままの形を読んでいただこうと思います。二段に印刷してあるうちの上の段が、その作品です。

次に、もう一度前に戻って、下の段に印刷してある『首』を読んでいただきます。これは、私の意見を入れて小川さんが書き直した第二稿をもとに、私が一行一行説明しながら、他の受講者の方々からも意見を聞き、それを総合して、なぜこう直すのかを私が説明しながら、一行一行訂正していった、その結果を清書した決定稿であります。もちろん、基本になるストーリィは全然変わっておりません。

首

オカルト映画を観に行こうですって……。ごめんなさい、私、怪談めいた話は一切嫌いなの。お金を出してまでこわい思いをしに出かける人の気が知れない。あ、あなたのことを言ったわけではないのよ。気にしないで。あなたは合理主義者で幽霊の存在なんか信じていないらしいけど、私は子供の頃、本当にぞっとする出来事に会ったことがあって、その時以来……。そんなに笑わないでよ。ええ、もちろん、映画や小説は人を驚かすための作りものだということなんか、わかっています。でもいや。思い出すから。

そのことを話せですって……。とんでもない。今まで、誰にも打ち明けたことはないわ。でも。そうね、無神論者のあなたなら、合理的な判断を下してくれるかもしれない。

私が小学校二年生の頃でした。だからもう二十数年も前の話になるのね。春のお彼岸だったと思いま

首

お寺へ行く山道に、けしょろ花がたくさん咲いていたでしょう？　化粧花じゃないわよ、けしょろばな。薄紅色の小さな花なの。猩々袴（しょうじょうばかま）というのが、本当の名前だったかしら。あの土地では、煙管（きせる）のことを、けしょろというの。茎が煙管のかたちに曲っているから、そんな名がついたのね。

それを摘みながら、よくお寺へ遊びにいったわ。山門を入ったところに、お地蔵さまが六つ並んでいたでしょう。あの六地蔵のまえに莫蓙（ござ）を敷いて、セルロイドの赤いお皿や、黄いろい茶碗をならべて、園子ちゃんや美恵子ちゃんといつも一緒に、ままごとをしたものよ。お赤飯のかわりに、けしょろ花を盛って、おしべは黒いから、ごま塩ね。おおばこの葉の白いすじだけを取って、お蕎麦ですなんて……。

あの六地蔵も撮（と）ってきてくれたでしょうね。早く見せてよ。ほんとう？　宝祥寺が焼けたなんて、知らなかったわ。東京の新聞には、出なかったもの。そうね。小さなお寺ですものね。重要文化財がある

す。曾祖母と二人でお墓参りに出かけました。

　私の家は曹洞宗で、菩提寺は直指院（じきしいん）といいます。院号を持っているところをみると格の高いお寺だったのでしょうか、そういうことには詳しくないのでわかりませんが。あなたも知ってのとおり、私の田舎は富山県魚津市水崎町。だいたい北陸地方は信仰に篤（あつ）いところ。水崎町にも直指院の他に、善導寺、法伝寺、正覚寺、長久寺、西正寺など多くのお寺があります。その中で直指院は町の中心部にあり、一番大きなお寺でした。

　門の外に建つ「不許葷酒入山門」と彫った戒壇石の「山」という字を読んで、ほめられたことがあるのを覚えているわ。三つか四つの時だったかしら。

　山門の柱はひとかかえもある檜で、その横に赤いよだれかけをかけた六地蔵が並んでいました。山門から本堂まで石畳が続き、右側が墓地、左側が庫裏（くり）、庫裏の大きな囲炉裏には二百何十年も煙にいぶされ、まっ黒になった自在かぎが下がっていました。

　方丈様も奥様もやさしい人で、お寺の広い境内でよく遊んだものよ。鬼ごっこ、下駄隠し。蟬もたくさんいたし……。でも蟬取りは男の子の遊び。女のわけじゃなし。あそこで変っているものといえば……そう、ご本尊は無事だったの。阿弥陀さまだったかしら。あなたが春の北陸路を、撮りに出かけるというから、あのお寺、ぜったい気に入ると思ったんだけれど……。

　山門は焼け残ったの。四隅に竜の彫刻があって、柱は大きな檜だったでしょう。私たち子供が二人、両側から手をいっぱいに抱きつくと、その指先が、やっと相手に届くか、届かないぐらいで。本堂まで、長い石畳が続いていて、あの敷石の数がどうしても数えられなかったものよ。半分までくると、わからなくなるの。まだ六つだったんですもの。右側が墓地で、左側に鐘楼があったでしょう。鐘つき堂の鐘は、私がいた時から、なかったの。「戦争に狩り出されたまんま、戻って来ん」って、祖母が嘆いていたけれど、私たちは鐘のないのを幸いに、鐘楼にのぼって、よく海を眺めたわ。そこから見える日本海が、一番好きだった。

　波打ち際の水浅葱（あさぎ）から、沖の瑠璃（るり）色、遠い水平線の濃い群青と三層に変っていて、沖の岩に砕ける波の白さが、印象的だった。それに、山の中腹にいる子はお地蔵様の前にゴザを敷いて、セルロイドのお鍋やお皿を並べてままごとをしました。いつも一緒に遊んだのは、園子ちゃんと美恵子ちゃん。家が近くて仲が良かったんです。二人とも生きていれば今年三十三かしら。私だけが一つ下でしたから。

　方丈様に墓地と本堂は遊ぶところではないから入ってはいけないと言われていました。それでも、墓地のまん中の欅(けやき)の木に集まるかぶと虫やくわがたをねらって、男の子たちはこっそり木に登ったものです。時々黙認してくれましたが、枝をゆさゆさ揺って遊んでいると、方丈様は庫裏の窓から顔を出して、「こら」とどなりました。そんないたずらっ子も、本堂へは決して入りませんでした。うす暗い本堂は子供心にも気味の悪いものでしたから。

　本堂に入ることができるのは、行事のとき――四月八日の花祭りや二月十五日の涅槃会、お盆、そしてお彼岸。

　本堂の沓(くつ)脱ぎで、「よっこらせ」と一息つくのは曾祖母の癖でした。「お先に」と声をかけて園子ちゃんとお母さんが上がってゆきました。お墓にお線香を供えたあと、本堂とその奥にある位牌堂にもおのに、風が潮の香りを運んで来る。珍しかったのね。海も、山のお寺も。母が病気で、実家に預けられていたのだから、寂しさを感じなかったといえば嘘になるけど、あの一年間、楽しい思い出ばかりだったわ。たった一つのことをのぞいては……。

　たいしたことじゃないんだけれど、あなたに頼んだ絵のことなの。脇本堂の地獄絵――お彼岸には飾るから、ぜひ撮ってきてくれと頼んだでしょう、あの絵が焼けてしまったなんて、ほんとうに残念だわ。どうしても、もう一度、見たかった。

　さっき園子ちゃんと、美恵子ちゃんという友だちの話をしたでしょう。園子ちゃんは家が近くて、一番仲良しだったの。色白のひ弱そうな子でね。学校も、しょっちゅう休んでいたわ。だから、友だちも少なくて、私ともう一人、美恵子ちゃんぐらいだったかしら、よく遊んだのは。その子が、脇本堂の地獄絵の前に、じっと立っていた姿を今でも時々思いだすの。本堂と屋根つづきの二十畳、薄暗い板壁に、十大地獄を描いた掛け軸が、賽の河原を加えて十一幅、ずらりと掛け並べてあるんです。いつも掛けてあるわけではなくて、お彼岸の時だけ。だから、そ参りするんです。

　園子ちゃんとは学年が違ったので前ほど遊ばなくなりました。私はぐずぐずしている曾祖母をおいて、園子ちゃんのあとを追いかけて本堂に上がりましたが、そこで思わず立ちすくんでしまいました。本堂の左側の壁いっぱいに、全部で十本もあったでしょうか、地獄図の掛け軸が下がっていました。黒縄地獄、血の池地獄や針の山。いずれも生前犯した罪に応じて鬼たちに責め苛(さい)なまれる亡者の姿を極彩色で描き、子供の目を驚かすには十分な絵だったのです。

　園子ちゃんも気になったのか、位牌堂から戻ってきて、二人は手をつないで絵を見ていました。いつの間にか、曾祖母が後ろに立っていて、「いい子にしてないと地獄に落ちるぞえ」と笑いながら言いました。

　それまで熱心に見ていた園子ちゃんは急に私の手をふり払って駆け出すと本堂を出てゆきました。私はあっけにとられて後姿を見送りました。

　曾祖母が脅すようなことを言ったからでしょうか。顔色が青かったのが気になりました。


の日はお彼岸で、私はおばあちゃんに連れられて、お墓参りに来た帰りだったの。

　他にもお参りの人はいたけれど、本堂にあがると、奥の位牌堂へ行ってしまって、脇本堂には誰も、いなかった。そこにぽつんと、園子ちゃんが立っていたの。身動き一つしないで、じっと極彩色の地獄絵を見ていたわ。

　焦熱地獄、黒縄地獄、阿鼻地獄、渦まく炎の朱と流れる血の紅(べに)が、薄暗い中に沈んで、針の山の銀がかすかに光っている。赤鬼、青鬼、黒鬼の顔はもちろん、逃げまどう亡者の顔もの凄くて、私も眼をそらすことができなかった。園子ちゃんと並んで、息をつめて見ていたら、おばあちゃんが低く笑って、「いい子にしていないと、地獄に落ちるぞい」と言ったの。そしたら、園子ちゃん、急に駆けだすと、さよならも言わないで帰ってしまった。おばあちゃんが脅かしたので、怒ったのかな、と私は思ったの。でも、次の日、家へ遊びに来てくれてね。お寺へ行こうと誘うのよ。ちょうどお参りの人のいない時で、本堂には線香の匂いだけが幽かに漂っていた。もう一度、地獄絵を見るのはいやだったけれど、手招き翌日、その理由がわかりました。園子ちゃんが遊びに来たのです。そして、お寺へ行こうと誘いました。

本堂の正面入口の障子は、ふだんは閉められていますが、お彼岸の間は開け放されています。ちょうどお参りの人のいない時でした。お線香の匂いの漂う本堂に上がって、園子ちゃんは一枚の掛け軸の前に立つと手招きしました。私は少しためらったのですが、好奇心を押えられず、側に行くと、園子ちゃんはその絵を指さして、「これ、あたし」と言いました。それは賽の河原で子供たちが小石を積んでいる絵です。

私は誘われるままに、右下隅にしゃがんで石を拾っている子供の顔をのぞきこみました。

「似てないよ」

「今はね」

園子ちゃんはこともなげにそう言いました。

「お彼岸の時にはきっと会いに来てね」と小さな小指を出したので、なんの気なしに私も小指をからませ、二人は指切りをして、別れました。

杳脱ぎでふり返ったとき、高窓から入る光がなぜ

をするので側に行ったら、園子ちゃん、それは真剣な表情で、「これから話すこと、秘密よ。誰にも内緒にしてね」というの。

思わずつられて、こっくりうなずくと、それだけでは安心できないと思ったのか、園子ちゃんは小指を出した。もちろん、私も小指を出して、二人で声を揃えて指切りをしたけれど、針の山を血だらけになって登る亡者の姿が、私は気になって仕方がなかった。それから、園子ちゃんは四番めにかかっている賽の河原の絵を指さしたの。あなた、見たことないかしら。子どもの亡者が、あちらにひとり、こちらにふたり、しゃがみこんで、河原の石を積みあげている絵よ。積みあげるそばから、鬼が無慈悲に、鉄棒（かなぼう）でつきくずす。それをお地蔵さまが守ってくれるわけだけれど、絵のなかでは離れたところで、ただ見まもっているのね。青ざめた子どもたちの顔と、灰いろの河原、お地蔵さまも石の色をしているから、赤鬼のすがたが毒どくしく目立っている。

その右すみで、しゃがんで石をひろっている女の子を指さして、「これ、あたし」といったのよ、園子ちゃんは。

かそこにだけ当たって、うす暗い本堂に、子供の首が白く浮かび上がって見えました。

　園子ちゃんはその夏、海で溺れて死にました。高校生のお兄さんと泳ぎに行って、お兄さんが素潜(すもぐ)りをしているうちに溺れたのです。遊泳禁止の場所でもなかったし、他に人眼もあったのに、その日、園子ちゃんが溺れたのは不運というより他はありませんでした。

　富山県ではまだ土葬の習慣が残っていたのですが、お母さんは、小さな子供を土の中に埋めるのは可愛相だといいはって、火葬にしました。

　どうして、園子ちゃんは自分が死ぬことを予期したんでしょうか。それも、私の眼には少しも似ていない子供を指さして、これは自分だと言ったんでしょうか。

　地獄図は春と秋のお彼岸に披露されます。その秋のお彼岸が来ないでくれたらと私は願いました。指切りの約束が気になったからです。でもお彼岸の第一日め、足は自然に直指院に向いていました。

　山門はくぐったものの、どうしても本堂へ行く勇気が出ません。石畳の上で一人石けりをしていまし

　私、近よって、その子の顔をのぞき込んだけど、少しも似ていなかった。「似てないよ」と私がいうと、「今はね、でも、お彼岸の時に、きっと会いに来てね」

　こともなげに園子ちゃんは答えて、また、指切りの小指をさしだした。なんだかわからないけれど、こわくなって、「いやだ、いやだ」といいながら、私は逃げだしたの。

　沓脱ぎのところで、本堂の中をふり返ると、園子ちゃんはまだ地獄絵の前に立っていた。高窓からさし込む光が、園子ちゃんの黄いろい三尺をしめた胸から下にあたって、たもとの赤い花模様まで、妙にはっきりと見えたわ。でも、首から上が見えないの。ぞっとして、私、泣きながら家に帰った。「どうしたかい」って、祖母が何度もきいたけれど、答えようがないでしょう。祖母の前かけに顔をこすりつけて、ただ泣いていた。

　園子ちゃんが汽車にはねられたという知らせを聞いたのは、その晩だったわ。身体はばらばらに、線路の上でみつかったけれど、頭だけがみつからなくて、結局それが、どうしたわけか、機関車のさきの

た。もし、あの賽の河原の絵の中の子供が園子ちゃんの顔になっていたらどうしよう、そればかり考えていました。

　その時本堂からお参りをすませて出て来たのは美恵子ちゃんでした。美恵子ちゃんは一緒にいたおばあさんに、私と石けりをして遊ぶからと言って残りました。石けりしながら、私は気になって仕方がなかったことを美恵子ちゃんには打ち明ける気になったのです。仲が良かった三人ですもの、秘密を話して大丈夫と思ったから……。

　美恵子ちゃんは黙って聞き終ると、確かめて来ると言って本堂の中へ入って行きました。

　私はじっと美恵子ちゃんが戻って来るのを待ちました。でも美恵子ちゃんは出て来ません。五分、十分……。人影もなく、森閑とした境内に一人立っていると、美恵子ちゃんは本堂から永久に出て来ないんじゃないか。そして、本堂の中には、鬼たちと亡者の阿鼻叫喚が絵空事ではなく実在するように思われてなりませんでした。

　九月とはいえ残暑の厳しい年で、墓地の欅で蝉が急に鳴き始め、それが合図であるかのように私もし

ところに、ちょこんと乗っていたんですって。

　田舎だから、珍しい風習が残っていてね。お葬式のあと、墓地の近くの小川に、流れ灌頂（かんじょう）をつくるの。あなた、知っているかしら、川岸に棒を四本、四角く立てて、ざぶとん大の薄い布をはりわたして、そばに柄杓をそえておく。道行く人がその布に柄杓で川の水を注ぎかけて、回向をしてくれるわけよ。布が破れた時が、子どもの成仏したしるしなのね。破れた布は川へ流して、親より先に逝った子を悼むわけ。私も毎日、学校の帰りによって、意味もわからないまま御詠歌を唱えては、川の水を掬ってかけたわ。

一重組んでは父のため
二重組んでは母のため
三重組んでは古里の
兄弟我身と回向して
ひるはひとりで遊べども
日も入間（いりあい）のそのころは
地獄の鬼があらはれて……

ゃくりはじめました。一度泣き出すと涙はあとからあとから出てきて声をあげて泣きました。美恵子ちゃんが聞きつけて戻ってきてくれるかもしれないとも思いましたが、地獄の鬼たちが、罪ある者を求めて、本堂の闇の中から白日の下へ乗り込んで来そうで恐しくなりました。

一陣の風が、障子をゆするともう浮き足立って、美恵子ちゃんを残したまま、泣きながら家へ帰りました。

夜になってから、美恵子ちゃんが車にはねられたという知らせを聞きました。ひき逃げで犯人はとうとうつかまりませんでした。車輪にまきこまれたらしく遺体の損傷はひどかったそうです。それなのに、なぜか首だけは少しも傷ついていなかったそうです。

偶然？　そう、やっぱりそういう見方をするのね、園子ちゃんのあとに美恵子ちゃんが亡くなったのは……。

絵の中の子供のことは、園子ちゃんが私をからかうために言ったんですって。さあ、そんな風にはみえなかったわ。確かめれば一番いいけれど。それ以

地獄絵の子どもを指さして、園子ちゃんが「これ、あたし」といったのは、自分が死ぬのを予感してのことだったのかしら。そう考えると、もう一つ気になることがあるの。あの絵の子どもたち、みんな悲しそうな顔をして石を積んでいたのに、園子ちゃんが指さした右隅の子どもだけは、楽しそうに笑みさえ浮かべていたのよ。ううん、見まちがいじゃないわ。今でも、はっきり覚えている。その時も、確かめに行こうと、何度思ったかしれないわ。けれど、あの子の顔が、園子ちゃんになっていたら、どうしようかと思って——笑うのね。いいわよ、笑っても。

でも、園子ちゃんが「会いに来てね」といったその年の秋のお彼岸には、私、ひとりで宝祥寺へ行ったのよ。明けの日に行ったことは行ったんだけど、山門をくぐったものの、どうしても本堂に上る気になれなくて、石畳の上で、一人で石けりをしていた。そこへ、美恵子ちゃんがやって来たの。最初にいったように、三人でよく遊んだ仲だから、ふっと話す気になったのよ。美恵子ちゃんは黙って聞き終ると、「私、見てくる」といって、本堂に入って行ったわ。

それっきり、ずいぶん待ったんだけれど、美恵子

来、お彼岸の時にはお寺に行かないことにしているの。それに、その絵の中の子供の数がふえていたらどうしようかしら。ええ、美恵子ちゃんが。そしてもしも、もしもよ、美恵子ちゃんの隣りに私がいたりしたら困るでしょう。

笑わないでよ。それならあなたが確かめたらいいでしょう。

ただね、他の子供たちは鬼に責められながら、悲しそうな顔をして石を積んでいたのに、その右下隅の子だけは、楽しそうに、むしろ笑みさえ浮かべていたのはなぜかしら。

ちゃんは戻ってこなかった。本堂に声をかけても返事はないし、ひとりで探しに行く勇気はないし、誰かお参りに来ないかなと待っていたけれど、誰も来ないの。日暮れがただったせいかしら。境内にはお坊さんのすがたもなくて、鐘楼のむこうの雑木林から、もう夕闇が濃くわき出して来るようだったわ。風も出て、木の枝をざわざわ揺すっているし、本堂の藁葺(わらぶき)の大屋根がのしかかって来るみたいで、目を伏せると、色ガラスの石けりが、妙にきらきら光っている。私、とうとう大きな声で、「先に帰るよ」といって、山門のほうへ駈けだしてしまったの。それきり二度とあえなかったのよ、生きている美恵子ちゃんには。

むろん私が帰ったあとで、本堂から出てきたのね。帰り道で、夏の残りの花火を、どっさり集めて子どもたちが遊んでいた。それが一度に燃えあがって、通りかかった美恵子ちゃんの服についたのよ。大人が側にいたら、なんとかなったかもしれないけれど——そうよ、全身火傷で助からなかったの。でも、首から上はなんともなくて、きれいだったのよ、美恵子ちゃん。

地獄絵の写真を、撮ってきてもらいたかったわけが、わかったでしょう？　もう一度、園子ちゃんの顔が見たかったし、美恵子ちゃんも、きっと石を積んでいるはずだわ。ひょっとすると、隣りには、私がいるかも知れないし……。

リアリティを生む書き方

視覚に訴える

前に載せた二つの作品を読みくらべていただいて、どんなふうにお感じになったでしょうか。根本的な違いは、決定稿のほうが、ずっと具体的になっているということだと思います。およそこの世の中にはありえないようなことが起こるというのが、怪奇小説の通例でありますので、その非現実的なものを支える基盤として、現実性、細部のリアリティ、つまりディテールがたいせつになるわけです。

ただ最近では、超自然現象を信じるという方が増えているようで、ちょうどロマンティシズムの怪奇小説が盛んになったころの状態と似ている、といえばいえなくもありません。ですから、ディテールに工夫を凝らす、ディテールに現実感を与えるということは、現在では必要ないだろうと考える人があるかもしれません。けれども、それがどんな小説でも、それが未来を描こうと過去を描こうと、リアリティということは、いちばん重要なことであります。したがって、どれだけの具体性を一行一行がもつか、その一行一行が読者にどんなイメージを与えるかということを考えながら小説は書かなければならないのです。

第一稿と決定稿との大きな違いのもうひとつは、語り手は同じだけれど聞き手が違うということです。

第一稿では、最初に原稿用紙一枚を費して、なぜこういう話をするかという、語り手の姿勢が明らかにされています。つまり、語り手はこうした怪奇を信じたくない。しかし、自分の過去の経験の中にひとつそうした経験があるので、それを聞いてもらおう――そういう姿勢です。そういう姿勢が必要になるような小説も、もちろんありますけれども、この場合には、語り手自身に解釈がつかないという姿勢は、最後までずっと同じに貫かれているわけですから、何も初めにことごとしくいう必要はないだろうというのが、私の判断です。

というのは、四百字詰十枚前後という長さに仕上がった作品、そしてこのストーリイの中身からいってもそのくらいの長さに収めるのが妥当なお話ですから、小さくまとまったお話の中にいきなり飛び込んでいく、つまり読者をいきなり引きずり込んでいくというほうが効果的なのです。

　落語でいわゆるまくらを振って徐々に入っていく、そして派手なクライマックスがあるというタイプのストーリィですと、徐々に怪異に近づいていくという手法も有効ですけれども、この『首』のような作品の場合には、いきなり現場の雰囲気を伝える、読者をいきなり現場に立ち会わせるほうがよいだろうと思います。そこで、聞き手のほうを変えてごらんなさいといいまして、決定稿の形に直してもらったわけです。

　小川さん自身が書いた第二稿（本書には載せていません）は、「山のお寺へ行ってみた？」という一行が書き出しになっております。そこで行が変わって、「今頃なら、山道にぜんまいやけしょろ花がたくさん咲いていたでしょう。ん、化粧花じゃない。けしょろ花。薄紅色の小さな花よ」と続いていました。つまり、この話の聞き手は、語り手の故郷に写真を撮りに行こうと考えた写真家でありまして、その写真家に対して、あの地方へ行くのだったら、こういう所へ行って写真を撮って来て、と頼んだ。ところが、写真家が帰ってきて、それが不可能な状態になっていたことを告げる。そこで、実は、なぜ写真を撮って来てもらうことに執着したかを話す、という形になっているわけです。つまり、この話の聞き手は読者ではなくて、すでに現場を見て来た人という想定になっています。そういう聞き手を想定して、それを読者と同化させることによって、このストーリィの舞台へ直接に読者を引きずり込もう——二重構造といいますか、そういう技巧を使ってもらったわけですけれども、それによってイメージがより視覚的に、具体的になったのではないかと思います。

　作家にはいろんなタイプがありまして、ものごとを説明的に運んでいくのが得手の人、感覚的に描写で運んでいくのが得手の人などの、違いがあります。私はそれを、ごくわかりやすく聴覚型（耳で聴くタイプ）、視覚型（眼で見るタイプ）に分けております。

　小川さんは、どちらかというと聴くタイプと私は見たのですけれど、岡本綺堂という怪談の天才は、劇作家でありますから、耳のほうも発達しているし、同時に眼のほうもすぐれた、自分が描く情景を自分で見ながら書いているという感じを与える、非常にバランスのとれた作家であります。それをお手本にして書いたために、眼で見るタイプの作家が書くほうがふさわしいストーリイを作ることになった。したがって、小川さん自身の本来の資質からは少し外れているかもしれない視覚型の書き方を強要せざるを得なくなったというところはあると思います。そのために小川さんはかなり苦心なさったんだろうと思いますけれども、第一稿と決定稿を読みくらべてみますと、眼で見る感じ、具体性というものが、より明らかになっていると思います。

　ただ、その場合に、小川さん自身が書き直した第二稿の、「山のお寺へ行ってみた？」という書き出し、これを私が、決定稿にあるように「お寺へ行く山道に、けしょろ花がたくさん咲いていたでしょう？」というふうに直した理由は、お寺へ行って写真を撮って来てと頼んであったということが、後になってわかるわけですから、お寺へは行ったに決まっていると話し手は決め込んでいたほうがよい——お寺へ行ったものとして、そこにあるものを読者にいきなり紹介したほうがよいと判断したわけです。と同時に、お寺の山道へ読者を引っぱり込んで、そこにどんな花が咲いているか、その地方のそのお寺へ行く山道の最大の特徴を見せることによって、いきなりその場の雰囲気を味わわせるほうが、読者がイメージを浮かべやすいと考えたからです。そこで、その地方の独特なものであるけしょろ花（猩々袴のその地方での呼び名）の特徴をまず出しておいて、その花による連想からすぐに、語り手の子ども時代に入っていく。こういう短い怪談で、何人かの主要人物がでてくる場合には、その主要人物をできるだけ早く読者に紹介するほうが、話の運びは簡単なわけですから、花からの連想で子どものころそれをどう使ったか、という回想にすぐ飛んでしまう。これが過去の話であるということをわからせると同時に、後に重要になってくる人物たちをそれとなく紹介する、そういう技巧であります。

　第一稿と決定稿の次なる違いは、第一稿では、この話の舞台になっている寺がどこにあるか、その寺にどういうものがあるか、これらが説明の形でできます。それに対して、決定稿では、そこに実際に行ってみたのだけれども、そのお寺が火事で焼けていて、焼け残った部分もあり、残らなかった部分もあるという状態が告げられる。そこで、昔はどうであったかということを、すでに歩いて見て来た人に対して、道筋に沿って、あそこはこうだったんだと説明していく。つまり、一種の実況放送のような形、読者にお寺の参道を歩かせる形で、ひとつひとつ説明していく。そこに距離感というものまで、ある程度出せるのではないかというわけで、実況放送スタイルのような描写をしていきまして、そのお寺がどういう場所に立っているかなどを紹介しているのです。これは、第一稿のように何県何町にあるというような説明よりも、それがどこにあるかはともかくとして、イメージを作る方法としては、まさっているだろうと私は思います。

実は、このお寺にははっきりしたモデルがあるのです。小川さんが実際に子どものころに過ごした、日本海に近い土地にある実在のお寺ということを聞きまして、よけい、その場所を日本海沿岸というだけにとどめて、その他は曖昧にするということを勧めたわけです。というのは、実際にある場所を舞台にして、そこに実際にはない伝説を作るということは、小説のよくすることでありますけれども、それが怪異につながっているという場合には、あまりモデルがはっきりわからないほうがよいというのが私の意見であります。エンタテインメントの小説は、現実に対してあまり迷惑を掛けてはいけないものでしょうから、実際の所在地というのは曖昧にして、もちろん実際のお寺とは違う名前をつけてもらったわけです。

さりげなく、印象的に

さて、だいたい原稿用紙四枚ぐらいのところで、この話の眼目である十大地獄の掛軸というものが紹介されるわけでありますけれども、これは第一稿でも同じくらいの分量でそこまでいっているので、これまで説明した書き直しは、話をはしょるための改訂というより、話に具体性を与え、そこに読者が立ち会っているという臨場感を与えるための改訂というべきだろうと思います。第一稿では、語り手の曾祖母とか、お寺の住職夫婦という人が出て参りますけれども、このストーリィでは、方丈様も奥様も曾祖母も、あまり大きな役割はしないわけです。それよりも実際に大きな役割を占める語り手を含む子どもたち、十大地獄の掛軸、それらを早く読者に紹介することを、私は勧めたわけであります。その十大地獄の掛軸が、いつお寺の脇本堂に掛けられるか、それがどのようなものであるかの説明から本題に入っていって、園子ちゃんという幼な友だちの死を語ることになります。その部分が、第一

稿では、

翌日、その理由がわかりました。園子ちゃんが遊びに来たのです。そして、お寺へ行こうと誘いました。

というような、いかにもことありげな書き方になっている。その前の段で、おばあちゃんが、「いい子にしてないと地獄に落ちるぞえ」といったことばで、園子ちゃんが急に脅えたように逃げだす場面がありましたが、これから何かが起こりそうだという予兆としては、実はこの程度でよいのであります。いかにもことありげに次の段に移るこうした書き方は、近代の怪談ではなるたけしないほうがよい。いかにもさりげなく、どうということもないように、きわめてふつうに話を進めていって、現実と非現実との境界のような世界へ読者を導いていく——それがモダン・ハラー・ストーリイのテクニックだろうと私は思っています。

決定稿のほうでは、思わせぶりなことばの代わりに、園子ちゃんのことばとして、ある意味ではもっと思わせぶりなことをいわせておりますけれども、これは子供らしさによってそのことを重大に受け取っているという感じにも取れるし、何かに気がついているというふうにも取れる——そういういろんな解釈ができるような会話の形にするほうが、地の文で断定的に怖い話なんだというよりも効果が上がるわけで、そのためにもこの部分を、第一稿以上のことばを費して、話をしているという形に直したわけです。

しかも、ただ単に賽の河原の絵といっても、現代の読者にはいきなりイメージが湧いてこないでしょう。そこで、賽の河原とはどういうものかということを具体的に説明し、それが線香の匂いの漂う薄暗い中に掛かっているという情景を描いてもらったわけであります。その後に、「これ、あたし」という、いちばん重要なキー・ワードを女の子にいわせるようにしたわけです。というのも、いかにもことありげな、重要なことだ、絶対に秘密にしてよということにすぐ続けて、これはわたしなのよ、といわせますと、読者の中には、非常にばかばかしい話と受けとる人もいるだろうと考えたためです。それで、説明を間に挿(はさ)んでから、これがわたしだということをいわせる。それに対して、語り手は似ているとは思わなかった……。

第一稿ではもう少し後に出てくる「お彼岸の時にはきっと会いに来てね」という会話を、決定稿ではここにもってきていますが、ここは、追打ちをかけるような形ですぐにつなげたほうがよいからです。

そのときに語り手は、何だかわけがわからない、わけがわからないけれども何となくその場にいたたまれなくなって逃げだす。その後が、前半のクライマックスになるわけであります。小川さんに工夫を要求した場面でありますけれど、ただ単に、園子ちゃんが首を失って死ぬような破目になったということでなしに、振り返ったときに首から上が見えなかったという、これは光線のいたずらでありながら、一種の前兆のような不気味さを出すための、芝居でいうところの見せ場であります。こういうところは、かなりあくどく描いていいのですけれど、ただ、そのあくどさが、いかにもわざとらしくなってはいけない。そのへんが、こういう場面のむずかしいところだろうと思います。

第一稿では、高窓から入る光が絵に当たっている。その絵の子どもの顔が白く浮かび上がって見える。決定稿では逆に、絵の中の子どもは園子ちゃんに似ているようには見えなかったけれど、振り返ってみると園子ちゃんの首だけが見えなかった、首から下に光が当たっていたというふうに変えたわけであります。第一稿よりも直接的な伏線、厳密にいえば伏線ではなくて、読者に、園子ちゃんが死んだということより以上のショックを与えようというわけであります。むしろ、すぐ次の汽車に轢かれて死んだという叙述は、きわめてそっけなく、事実の通りにささっとしゃべってしまうという感じになっています。

この、汽車に轢かれて首が切れて死んでいるところも、第一稿とは大きく違っているところでありまして、題名が『首』であり、賽の河原の子どもの顔というものが問題になっているわけですから、このへんはかなりあくどい怪談らしい設定にしておいて、そこをごく自然にさりげなく話してしまうほうが、よいだろうと思ったわけです。

「頭だけがみつからなくて」――ここでとくに「頭だけが」という書き方をしたのは、またここで「首」ということばを使いますと、あくどさを通り越してグロテスクになるからです。こういう怪談は、グロテスクなことになってはいけないのです。非常にグロテスクなことが、できればさりげなく、ある場合はノスタルジックに語られたほうが、成功するようです。そこで、「頭だけが」という書き方をしたわけですが、それがどこで見つかったか——その工夫は、出席していた人たちにも考えを競ってもらったところなんですけれども、「機関車のさきのところに、ちょこんと乗っていた」というアイディアが、これでよかったかどうか、私は少し疑問に思う部分があります。もっとよいアイディアがあるかもしれません。ただ、線路の傍に首だけが、というような感じより、どうしてそうなったのかはわからないけれど、そういうことはありうるというところで、一応機関車のさきのところに乗っているということに落ち着いたわけであります。

体験と知識を生かす

この部分の工夫について、いろいろ話をした中に、私の少年時代の思い出というものがひとつ混じっております。

私の中学生のころは、ちょうど太平洋戦争の真最中でありました。私たち中学生は後半になりますと軍需工場に学徒徴用ということで駆りだされまして、私たちの学校では、三鷹にありました中島飛行機製作所へ職工として強制的に通わされたわけであります。当時、飛行機工場というのは、空襲の最初の対象でありまして、中島飛行機も爆撃機による爆撃、艦載機による銃撃の繰り返しで、とうとう大半が操業不能になってしまいました。その空襲のごく初期に、私たちの配属された工場の棟（記憶では三階建てか四階建てだったように覚えています）に爆弾がひとつ落ちたことがあります。私たちはそのとき、二階の隅にいたんですけれども、その隅のほうへ斜めに爆弾が落ちたのです。三階の側壁に大きな穴が開き、それが三階の床、二階の床を貫いて（あるいは二階にいきなり飛び込んだのだったかもしれませんが）、それが地下室にまで貫通していて、二階から覗きますと、コンクリートの大小の破片が、薄暗い中にかすかに見えたものです。

その空襲の翌日、私たちが出かけていきましたら、縄が張り渡してあって近づいてはいけないようになっておりました。皆がそのまわりで、どんな状況だったか話しているうちに、夜間の空襲で夜勤の工員（軍需工場は、そのころ二十四時間体制でした）が爆弾に直撃されたという話がでました。床に開いた穴から何人かの死体が地下室に落ち込んでいる。しかも、そのうちのひとりは、首がきれいに吹っ飛んで、コンクリートの破片が積み上がったところに、それがちょこんと乗っているんだ。だから今でも、縄をくぐって眼を凝らして見ているとその首が見えるんだ、ということをいい合っているうちに、じゃあおまえが見にいけよ、いやおれが見にいく、よしたほうがいい、なんて話になりました。皆平気のような顔をしてそういう話をしながら、顔色は青ざめておりまして、現実にきのうまで床だったところが、ギザギザののこぎりの刃のような形を残してポッカリ穴になっているわけですから、そのすさまじさからくるショックに、噂のショックが加わって、つけ元気で話しながらも、仕事もしないでそこに立ちすくんでいたわけです。

　そういう記憶がありますので——まあ、おそらく首が乗ってるというのも単なる噂に過ぎなかったのでしょう。誰も実際に見た人は現れませんでしたけれど——たぶん、機関車のさきにちょこんと乗っていたというアイディアを選んだのかもしれません。

　次に、火葬にしないというその地方の習慣も生かすことにしました。私は東京生まれの東京育ちで、あまり地方の葬式の風習などは知らないんですけれども、旅行したとき太平洋岸のほうで、ちょっと風変わりなお葬式の飾り付けを見たことがあったものですから、北陸にも珍しい風習があるのではないか、あったらそれを使ったほうがいいと勧めてみたわけです。すると、北陸のその地方に、流れ灌頂（かんちょう）というものがある——江戸時代には江戸にもあったものでありまして、たとえば『東海道四谷怪談』の「蛇山庵室（へびやまあんじつ）の場」などに出てまいります——小川さんが子どものころにも見たことがあるというので、それを採用して地方色を出したわけです。小川さんのところでは、流れ灌頂（かんじょう）と呼んでいるようであります。そこに御詠歌を挿入しましたが、これはお寺の話という感じをより強烈に出そうとしたわけです。

解釈を読者にゆだねる

　そこから先は、第一稿よりもかなり簡単になっています。簡単になっていながら、しかし決定稿のほうが四百字詰にして二枚ほど増えています。この増えた分は、具体的なお寺の描写、お葬式の説明というような、本筋とは関係のないような部分なんですけれども、そういう具体性を増やして、本筋の怪異な話の一部分だけを特に強調する、そしてあとの話はさっと済ませてしまうというのが、繰り返し申し上げてきたように、こういうタイプの怪奇小説のひとつの定石でありまして、あまりあくどくなぞってはいけないのであります。

もうひとりの女の子が死ぬところも、情景描写のほうを詳しくしました。死に方も、第一稿では自動車に轢かれて死ぬわけですが、決定稿では、ちょうど夏の終わりの花火で大やけどをする。ただ首から上だけが無傷のままで死んでしまうというぐあいに、いかにも怪談ふうでありながらあっさりと書く。この部分で、私が要求したのは、美恵子ちゃんというふたり目に死ぬ子が、園子ちゃんが死んだときのようすに対して何を考えたかというようなことを、できるだけ説明しないということです。説明はせずに、「私、見てくる」のひと言によって説明する。第一稿では、「黙って聞き終ると、『確かめて来る』と言って本堂の中へ入って行きました」といういい方になっておりますけれど、そこに、「私、見てくる」ということばを入れる。ちょっと大人びた、しっかりした性格のようにも受け取れる。あるいは、もうすでにこのとき何かに魅せられているというような感じにも受け取れる。いろんな受け取り方のできることばによってさらっと書く、という工夫をしてごらんなさいといったわけです。

結末では、第一稿では語り手の解釈といったものを出していますけれど、そうした解釈をいっさい省いて、そしてもう現在では地獄絵は焼けてしまって確かめることができない。いったいどうだったのかわからないけれども、語り手自身は何となく、ひょっとしたら自分がいるのではないかという気さえする——そういうことを、いかにも、あまり気にしていないけれども……という感じの文章でしめくくるという終わり方をしているわけで、人によっては、これはどこが怪談なんだろうという気がするかもしれません。けれども、近代の怪談のひとつのパターンにのっとった作品には、一応ちゃんとなっているだろうと思います。

「キコエマシタカ、オカアサン」

ところで、こうした細かい部分を直すことにどれだけの価値があるのか、ということについては、いろいろ議論が分かれるところだろうと思います。

近代における、ことばにたいへんうるさかった詩人に北原白秋がおります。その白秋のお弟子さんで、童謡なども書いた藪田義雄氏の話だったと思いますが、こんな逸話があります。

藪田氏が書いた詩がラジオで放送されることになって、その放送が終わった直後に、藪田氏が郷里のお母さんのところに（当時は電話が普及していませんでしたから）電報を打とうとした。で、「オカアサン、キコエマシタカ」という電文を書いて、師である白秋に、これを今から打ってきますといったところ、白秋はちょっと待てといい、それに手を加えまして、「キコエマシタカ、オカアサン」としたというのです。

「オカアサン、キコエマシタカ」と「キコエマシタカ、オカアサン」と、どれだけの違いがあるか、という人もあるかもしれませんけれども、「キコエマシタカ」ということばを先にすることによって、その電報の打ち手の喜びが、より直接に伝わるだろう——たぶん北原白秋は、そう考えたのだろうと思います。

そういう細かいところまで、受け取った側が感じるかどうか、ことばが前後しているから意味が強烈になるんだというような解釈はしないだろうにしても、そこに含まれている心の勇みというものは、自然に感じられるはずだというのが、北原白秋の思いであろうと、私は今、解釈しています。

非常に細かいところまでいくら工夫しても、読者はそこまで読んでくれるかどうかわからないという意見ももちろんあるでしょうし、もちろん細かく分析して読んではくれないでしょうけれども、読者が受けとる印象というのは、ことばをわずかに動かすことによってもおのずから違ってくるだろうと思うのです。

白秋の話とともに、私が想い出すのは、五代目尾上菊五郎の芸談でありまして、五代目菊五郎の弟子の家の近くが火事になったときの話であります。

菊五郎は刺子半纏（さしこばんてん）のような火事装束をすぐに引っかけまして、弟子の家へ飛んでいった。ところが幸いに風向きが変わりまして、弟子の家は無事に焼け残っていて、師匠がわざわざ火事見舞にきてくれたというので、弟子はたいへんに感激しまして、お酒を奨（すす）めた。そのお酒にお燗がしてあって、どんぶりに火事見舞——昔は、火事が起こりますと縁のある人が駆けつけて火事見舞ということをしたものです。そのへんのことは、故人となった桂文楽の『富久』という落語をお聞きになった方はおわかりだろうと思いますけれど、火事見舞の人たちがお酒をもってきてくれたり、握り飯などを届けてくれるわけです――の芋の煮っころがしのような肴がありましたので、それを盛って、箸を添えて出した。そうすると、五代目菊五郎は、「お前も音羽屋の弟子じゃねえか、こんなことをしちゃいけねえ。酒は冷やでいいんだ」といった。

「酒は冷やを茶碗に注いでもってこい。肴は沢庵でいい、それも直に掌に載っけるんだ」

そういって、弟子がその通りにしますと、掌に載せた沢庵をポイと口に放り込んで、冷酒をあおって、「うん、目出度え」といったという話です。

これについて、ある人が、これは単なる形式主義である。火事に焼け残った場合にだっていろいろある。冷や酒しか出せないように心が高ぶって落ち着かないくらいの近所まで焼け広がってきた場合もあるだろうし、風向きの具合でてっきり焼けると思っていたのが、かなり手前で風向きが変わって幸いに類焼をまぬがれて、お酒にお燗をつける余裕がある場合だってある。だから、何もこんなことをやる必要はないじゃないかといったそうですけれども、これは何も五代目菊五郎が相手の余裕などをまったく考えずに、火事見舞のときに出す酒はこうじゃなくちゃあいけないと教えたのではないでしょう。たとえば芝居でやる火事の場面、そういうときには、現実のエッセンスのような、現実の象徴のようなものが、いちばん観客の心を捉える。火事見舞にきてくれた人に酒をだすのに、お燗をしているような悠長なところをみせたら、観客は火事場の雰囲気というものを感じられないんだ、こういうときは冷や酒が出て、肴も沢庵を掌に載っけて、といったような細かいことがらが観客に火事場の慌ただしさを感じさせるのだぞ、ということを教えるためだったのだろうと私は思います。

つまり、これは、そういう形で芝居の演技を教えるという形の、芸談だろうと思います。

平明なことばを使う

小説というものも、ひとつひとつのことばの積み重ねによってできているわけでありますから、あっと驚く、にやっと笑うといった表現にしましても、「あっと驚く」という表現がいちばんふさわしい場面で「あっと驚く」ということばを使うべきものです。いつでも人が驚いたときに「あっと驚く」、人が笑ったときには「にやっと笑う」では、小説にならないでしょう。

生徒さんが作品を書く前にお手本として読んでもらった岡本綺堂は、とりわけむずかしいことばを使わずに、誰もが使うようなことばの組み合わせの見事さによって、静かな雰囲気、怖ろしい雰囲気、賑やかな雰囲気などを手に取るように、眼で見るように読者に伝えることの巧かった人であります。『猿の眼』という作品にも、たとえばこういう部分があります。

　旧暦では何日にあたるか知りませんが、その晩は生あたたかく陰っていて、低い空には弱い星のひかりが二つ三つ洩れていました。おまえ達はかまわず寝てしまえと父は言いましたが、仮面の一件がどうも気になるので、床へはいっても寝付かれません。そのうちに十二時の時計が鳴るのを合図に、次の間に寝ていた父はそっと起きてゆくようですから、わたくしも少し起き返って、じっと耳をすましてうかがっていますと、父は抜き足をして庭へ出て、離れの方へ忍んでゆくようです。そうして四畳半の戸をしずかに明けたかと思う途端に、次の間であっという母の声がきこえたので、思わず飛び起きて襖をあけて見ましたが、行灯（あんどん）は消えているのでよく判りません。あわてて手探りで火をとぼしますと、母は寝床から半分ほどもからだを這い出させて、畳の上に俯伏しに倒れていましたが、誰かにたぶさをつかんで引き摺り出されたように、丸髷がめちゃめちゃにこわれています。わたくしは泣き声をあげて呼びました。

　そっと起きてゆく、じっと耳をすます、あっという母の声がきこえる、丸髷がめちゃめちゃにこわれていた、というような、誰でもがふだんに使うような平凡なことばの積み重ねです。旧暦では何日にあたるか知りませんが、その晩は生あたたかく陰っていて――これもまた、ごく平凡なことばです。低い空には弱い星のひかりが二つ三つ洩れていました――これも、平凡なことばの組み合わせによって、何となく春先の生あたたかい晩の陰鬱な感じ、緊張している若い女の語り手自身のようす、そういうものを非常にはっきりと読者に伝えます。平明な、いい文章だと思います。

　この場合、作者はいちいちそれを細かく工夫して書いたかどうかはわかりません。岡本綺堂ほどのことばの天才になれば、こうしたことがすらすら書けるのだろうと思いますけれど、ひとつひとつ分析してみると実に巧いことばの使い方をしています。

読者として小説を読むときには、こういうところをすらっと読み流してしまって、もちろん結構なのですけれども、自分がそういうものを書こうとするときには、ことばのひとつひとつがどういう重みをもって、どういう順序で使われているかということを読み取るのが、先人の作品を勉強するということだろうと思うわけです。

着想から作品へ

タクシーでの奇妙な体験

今まで何度か、おもしろい話を思いつく方法は、教えることができないと申し上げてきました。そのことは、まったくの事実なんですけれども、自分の体験に着想を得て、作品に仕立てていく道筋については、いくらかでも教えられる部分があるのではないか――そう思っております。

最近、苦しまぎれに非常に変わった小説ができあがった例があるので、ここではそれをお話しして、着想を作品に仕上げるまでの参考に供したいと思います。

夏の暑い盛りのことです。推理作家協会の理事会がありまして、理事のひとりとして、私もそこに出席しました。いつもより理事会が長引き、完全に日が暮れて、夜の七時半ごろでしたか、私は青山墓地の近くの通りでタクシーを拾ったわけです。ちょうど個人タクシーが来ましたので、それを停めて乗ったんですけれども、その運転手さんが、非常に恰幅のいい、身なりにも気を配った、立派な感じのする運転手さんでありました。しかも客をそらさない、個人タクシーの運転手のお手本のような人でありました。

私がなぜタクシーに乗るかといいますと、いつも慢性の睡眠不足のような状態なんで、ある仕事から別の仕事に移る間に、タクシーの中でひと眠りしようというようなことがあるわけです。ですから、ほとんど黙っているんですけれども、運転手さんが話しかけてくれば、こちらも受け答えする。ことに、そのときには、運転手さんがたいへん気さくで、人をそらさない話し方をしますので、いろんな話をしているうちに、今年は暑いですねえ、という話になりました。

ちょうど私は、六月の半ばに、ニューヨークに一週間ばかり行っておりましたから、実質的には五日間、たいへんな猛暑の中を歩きまわっていたわけです。そこで、六月の半ばにニューヨークに行ったんだけれど、もう真夏であったという話をしました。その後、ニューヨークから帰ってきて、現地でたいへん世話になった方に電話をしたら、まだまだ暑さは厳しくなるみたいですよ、テレビで見てたらウェスト・コーストでは、もう百度を越えたそうですということをいわれ、何日かして手紙が来て、ニューヨークでもとうとう百度を越えたと書いてあった――そんな話もしたわけです。

「そういえば新聞で見たけれども、フランスも暑いそうですね」というような受け答えを運転手さんがしました。華氏の百度というと摂氏の何度になるんだろうね、というような話にもなりました。私はそういう計算が苦手でもありますんでわからないわけですが、運転手さんも、「私は年寄りだから、昔そんなことを習った記憶があるんだけれど、忘れちゃいましたねえ」などといいます。それから、その人が戦争中下士官で南方に行っていたけれど、司令官付きの運転手をしていたのでわりに楽だったというような話から、その南方の暑さという話にまでなったわけです。

そのうちに、まわりに車がたいへん増えて、つまり渋滞地域に入ってきたわけです。で、運転手さんの背中を見ながら、私は、戦争中南方で司令官付きの運転手をしていたという運転キャリアの長い方だから、見かけは五十半ばくらいに見えたんですが、この方はきっと六十を越えているんだろうというようなことを考えておりました。さすがに、そういう渋滞の中を縫って走るには、神経を集中させなければいけないんでしょう。運転手さんも黙り込んで、その間、五分か十分という感じでした。

そして、その渋滞した地域を抜けて、車がスーッと走るようになりましたら、その運転手さんが、

「ねえ、お客さん。今年は世界的に暑いようですねえ。さっき乗せたお客さんから聞いたんですけれども、先月の半ばに、ニューヨークで、もう百度近い暑さだったそうですよ」

と突然いいだしました。私、ちょっとギョッとしました。いうことも実に明晰なのに、どうしたんだろう。それをいったのはぼくだよ、といいかけたんですけれども、その運転手さんはどんどん話を続けます。

「その方が、ニューヨークでお世話になった方にあと

で電話をしたら、ウェスト・コーストで百度を突破したって話で、また一週間ぐらいしたら手紙が来て、ニューヨークもとうとう百度を越えたという話ですよ。そんなに暑くちゃあ、たまらないですねえ。だいたい、華氏の百度ってのは、日本で使っている摂氏では何度になるんでしょうねえ」

つまり、私のいったことを、そっくり完全に、正確に繰り返すんですね。それでいて、その話し相手が私であるということだけがわからなくなっている。もうそのときには、ことばを挟む余地がなくなって、「はあ」「なるほど」というような受け答えしかできなかったのですけれども、何か、非常に、ある種の怖さを感じました。

この怖さを何とか小説に書けないだろうかと私は考えました。ちょうどそのときに、「小説新潮」から、久しぶりに二十枚の怪談を書かないかという話があったのです。

着想の具体化

私は、四百字詰原稿用紙で二十枚の怪談というのがたいへん好きであります。近代的な怪談を書くのには、二十枚というのがいちばんいいのではないかと思っているほどです。随分たくさん書いておりまして、ことに「小説新潮」には、私がこれまでに書いた三百近い怪談の中でも、いちばん好きな『人形の家』とか、『かくれんぼ』とか、『古い映画館』といった、自分でいうのはおかしいんですけれども、私の傑作怪談（アルコールが入ったときなどにそういうんですけれども）を書いてきている。ただ、このところ、二十枚の怪談を書いていなかったわけです。それで、張りきって書こうと思いたちました。

この話は怪談にするには非常にからいけれども、是非書きたい。その場合のオチのつけ方をいろいろ考えました。車の中での奇妙な怖さを重点にしなければいけないんで、それから先にあまり長く話を発展させるわけにはいかない。ともかく、乗客である「私」の、あるリアクションで終わらせないとうまくいかない。その場合の、いちばん単純明快なオチというのは、「私」が怖くなって、「ちょっと急用を思いついたから、悪いけどここで停めてよ」といって途中で降りる。料金を払って、ドアが閉まって、タクシーが走り出す。「なんか変な感じだったなあ」と思いながら、「私」が煙草を咥えて、火をつける。そうしますと、そのへんはわりあい寂しいところなので、かたわらに洋服屋がありまして、ショウ・ウィンドウの灯が消えて暗くなっている。「私」がその前でライターに火をつけたために、そのショウ・ウィンドウが鏡の役目をしまして、「私」の姿が映る。しかし、そこに映ったのは、「私」がまったく見たこともない人物であった――つまり、運転手のほうがおかしいのではなくて、いつのまにか自分が変身していたというオチをつけるのが、いちばん単純明快でしょう。ところが、これは、どう考えても二十枚は書けない。せいぜい十枚です。しかしいい話だから是非書きたい。雑誌からの注文は二十枚である。ということで、では、十枚の怪談をふたつ並べてみたらどうであろうと考えたわけです。

日本における怪談のひとつのパターンとして、「タクシー怪談」というのがあります。つまり、「タクシー怪談」をふたつ並べたらどうだろう。そして、「怪談タクシー」というような題をつけたらどうであろう――そんなことを考えておりますうちに、それならば、「タクシー怪談」というものを説明する形で、ふたつの作品を載せる。近代怪談をどう書くかという話をしていくスタイルで、ふたつ並べたら、これは『怪談作法』というようなタイトルで、エッセーのように思わせながら実は小説である、という妙な作品ができるんじゃないかと考えました。で、その方針を担当の方に伝えましたら、結構ですということなんで、もうひとつ話を創らなければいけない。しかし、その話がなかなかできませんでした。

さて、「タクシー怪談」のパターンというものも紹介しなければなりません。日本における「タクシー怪談」のパターンは、実にはっきり決まっておりまして、ほとんどすべてが、夜遅く寂しい場所で、客――たいがい女性なんです――を乗せる。すると、東京でありますなら、青山墓地へ行ってくださいといわれて、運転手が、こんな夜ふけにおかしいなと思いながらも、乗せて走り出して、墓地へ来る。そして、「お客さん、着きましたよ」といっても返事がない。振り返ると、ドアも開けないのに、お客の姿が消えていて、しかもその座っていたあたりが、ぐっしょりと濡れていた――これが全国的に共通するパターンであります。

実話としていちばん多いのがこの形であると同時に、このパターンであるから信じられるというようなところまできています。しかし、現在、そういうパターンの小説を書いたところで、現実のこととして幽霊の存在を信じている読者は喜んでくれるかもしれないけれど、それは小説として、あまりにも幼稚でありましょう。

小説の一ジャンルとしての怪談は、やはり、幽霊の存在を信じる人に対してではなく、信じるか信じないか、まだ腹が決まらない人、あるいは幽霊は信じないとはっきりいう人が読んでも怖い、何となく気味が悪いなという感じを与えるものでなければならないだろうと考えるのです。そうでなければ、『怪談作法』というタイトルが生きてこない。それを書くと、片方の話が十枚、もう一つの話は十枚以下ということになるわけです。つまり、短い話を考えなければいけない。しかも、先ほどの話と取り合わせが明瞭にきわだっていなければならないということを考えまして、とりあえず、先ほどの話を先に書いてしまいました。十枚で書けると思っていたら、これが十三枚ほどになりました。残り七枚の中で、タクシー怪談の現実における定型化というものを説明しなければならないわけです。ほんの五枚くらいのショート・ショート怪談をつくらなければいけないということで、これはかなり苦しみました。

片方が個人タクシーの話、それならもう片方はどうしようか？　ということを考えまして、これも個人タクシーの話にして、まったく同じ条件で別の話を書いてみよう。片方がたいへん愛想のよい運転手であるから、もう片方は無愛想な個人タクシーの運転手の話にしようというところから考えはじめたわけです。そうすると、現実に私自身が乗った、ある個人タクシーのことを思い出しました。

私がタクシーに乗る理由は、先に申し上げた寝て行くということのほかに、起きている場合に絶えずタバコが喫いたいということがあります。ですから、乗ってみたら禁煙車だったというのは、たいへん腹がたつわけです。タクシーに禁煙車というのがあるのはたいへん結構でありますし、冷房中にタバコを喫われては困るというのもよくわかります。ですから、真夏のうんと暑い日は、涼しさを味わえるということで、タバコの喫えない苦しさを我慢しております。どうしても我慢しきれなくなると、運転手さんの人柄をうかがって、窓を開けてタバコを喫ってもいいかねと尋ねる

――かならず、「どうぞ」という返事が来るだろうという確信がある場合にそういうことをいうわけであって、そうでない場合は、涼しさの代償にタバコの喫えない苦しさを犠牲にしているわけなんです。ですから、乗ってしまって気がついたら禁煙と書いてあるというのは、私には一種の詐欺のように思われます。その最大なるものがこれからお話しすることなのです。

ちょっと急ぎの用がありまして、外側には何ひとつ書いていないのに、タクシーを拾って乗りましたら、運転席と客席を分ける透明なプラスティックの板がありますけれども、その板に、「禁煙」と書かれた横長の白いプラスティックの板が貼りつけてある。扉を見ますと、左右の窓ガラスのすぐ下のところ（ドアのビニール貼りのいちばん上のところ）に「禁煙」という小さな札が貼りつけてありまして、さらに、目の前のフロント・シートの背中には、大きなボール紙が貼りつけてあります。そこに、「この車の中では、まだ一本もタバコは喫われておりません。タバコというのは喫煙者自身に害を与えるだけでなく、そばにいるタバコを喫わない人にまで、害を及ぼすものです。きれいな環境でお客さまを目的の場所までお届けするために、禁煙に御協力ください」なんてことが、麗々しく書いてあるんです。

確かにタバコに害があることはわかっているんで、それでもこっちは決死の覚悟で喫ってるんですから、喫うなというなら、外側のドアに、この車は禁煙車です、とでも書いておけばいい。「この車の中では一本もタバコは喫われておりません」というような、お説教口調の貼り札をするならば、外側にははっきり「禁煙車」と書くべきだと思って、たいへん腹がたったことがあるんで、そういう車を作中で使ってみようと思ったわけです。

それともうひとつは、やはりこれも現実に出遭ったことですが、八月の一日でしたか、たいへんな夕立が降りまして、各所で渋滞が起こり、新宿駅そばのガードが水びたしになって、車が通れなくなったことがあります。新宿のサブナードにも水が入り、ホテル・ニューオータニの新館の、商店が並んでいるところにも水が入る。それから日比谷通りが陥没して、車が通れない――わずか小一時間の大夕立のために、たいへんなことになって、中央線や山手線も停まるということがありました。その大夕立が降りはじめた直後、私がちょうどタクシーで本郷の春日町の交差点から真砂町のほうへ上っている途中で、渋滞が起こりはじめたのです。ともかく、ワイパーを動かしていてもフロントガラスの向こうがよく見えないという状態。ものすごい降りでありまして、ふっと傍を見ると、菊坂の途中に出る石段の坂が完全な滝になって滔々と水が流れている。

私は昔から夕立が好きでありまして、雷雨を扱った短篇、雷雨のありさまを書くのが半分くらい目的になっているという小説が、何篇かあります。そのときも、ああ、この情景を書きたいなあと思っていたので、先ほどの「禁煙車」と「大夕立」を取り合わせてみようと思ったのです。

ストーリイを仕上げる

私自身、もし、あの威圧的な禁煙車に大夕立の中で乗っていたら、実に不愉快で、どうしようもなくなったろうと思います。タバコが喫いたくてしようがない。ポケットの中でタバコをまさぐりながら、この車の中で一本も喫われていなくても、こんな状態になっているのだから、「タバコを喫ってもいいですよ」といってくれないものか。あるいは、せめて、運転手の責任ではないのだけれど、「ひどい夕立でちっとも走れません。お急ぎでしょうがすみません」くらいのことをいってもいいじゃないか（ただ、念のために申し上げておきますが、私が不愉快に思った威圧的な禁煙車の運転手さんというのは、無愛想な人物ではなくて、ニコニコしながら、「私はタバコが大嫌いなもので、こんなことを書きましたが……」といわれて、私も「いいですよ」といった覚えがあります。その点は、現実と小説は違うわけです）。

ともかく、運転手は無愛想だし、タバコは喫えないし、急いでいるし——この「急いでいる」ということが、ひとつの伏線になるだろうということが、何となく一種の勘としてありました。タクシーを停めて、それが「禁煙車」だったとしても、そんなに嫌なら降りてしまえばいいわけです。そうもいかない急ぎの用があった、ということは、禁煙車の中で我慢するはっきりした理由になるわけですから、これは伏線として使えるだろうということが頭の中にありました。その場合に、ごく短い話ですから、読者の注意をある一点に集中させておいて、それ以外のところで落とすという手を使うしかない——これは、こういう話を書こうと決めた段階で決まっております。そうすると、読者の注意をどこに向けるか——それは、「禁煙」ということが、いちばんいいわけですね。禁煙車に乗ってイライラしている男、ポケットの中でタバコをまさぐっている男。その場合に、一人称で書かれている男＝「私」を、いちばんイライラさせる方法はなんだろうと考えました。タバコを喫いたくて喫いたくてしょうがない。けれども、麗々しく貼り紙がされていて、それを無視して喫うわけにもいかないというときに、もしも運転手がタバコを喫い始めたら——これは、いちばん腹が立ちます。そう考えまして、こっちがイライラしながら、ちっとも動かない車の中で、滝のようになった石段を眺めたり、ワイパーが雨を弾き飛ばしているフロントガラスを眺めたりしていると、運転手が、モゾモゾとグラヴ・コンパートメントを開けて、何か取り出して、口に咥えたような感じがする。カチッとライターの音。何だ、タバコを喫ってるじゃないかと思う。「運転手さん」と声を掛けて、「こんな貼り紙をして、あんたが喫うのはひどいよ」というと、振り返って、「何ですか、お客さん」と答える。口には何も咥えていない——こういう状況だったら面白いだろう。

これだけ考えると、まあ、後は自然にできるんですね。つまり、同じことを何度か繰り返して、その後でオチをつければいい。いちばん読者の盲点に入っているようなオチをつけるためには、禁煙問題からスパッと離れればいいんで、そのためには、男がイライラしている、短気であるということを利用すればいいだろう。そこで完全に結末までできました。

「何ですか、お客さん」と無愛想に振り向く。何も咥えていない。ちょっとひるんで、何もいえない。向こうを向くと、また、運転手の肩のあたりから、煙がふわっと立ちのぼる。何だ、やっぱり喫ってるじゃないか。中腰になって、フロント・シートに身を乗りだして、運転手の肩に手を掛ける。「やっぱり、タバコを喫ってるじゃないか」

運転手が振り向く。しかし何も咥えていない。車がノロノロと動き出す。そうすると、煙がさっきよりも濃く立ちのぼる。今度は、もう、腹が立ってしょうがないから、両手を運転手の肩に掛けて、「おい、どこに隠したんだ」といって、こっちを向かせる。何も咥えてない。「何ですよ」なんていわれる。で、また座り直すと、タバコが消えたらしくて、ライターの音がして、煙が立ちのぼる。腹が立つので、片手をハンドルに伸ばして、片手で運転手の首筋を把む。「お客さん、危ないじゃないですか」と運転手。「いったい、どこへタバコを隠したんだ」

そのとき誰かが「私」の腕をつかんだ……横を向いてみると、いつのまにか、さっき口論の末に「私」が、カッとなって殺して、その場所から急いで逃げてきたその相手の男が隣に座っていて、「きみ、いつも短気だから、こんなことになるんだよ」といった――というオチをつけたわけです。

禁煙ということが先にできたために、そこへ読者の注意を向けさせて、簡単にそらすということで、短い、割合いい話ができたのではないかと思っています。

こういう、いかにも怪談らしい怪談と、もうひとつの怪談らしくない怪談の取り合わせで、『怪談作法』という二十枚の短篇ができ上がったわけです。前半をどうするか、随分骨を折りましたけれど、ある姿勢が決まってしまうと、あとはスラッと、実際に書くのはそれほど時間がかからなかったわけです。

第4講　パロディ推理小説ができるまで

謎と論理のエンタテインメント

違和感からの出発

今まで、怪奇小説の話ばかりしてきましたので、このへんで、私の本業であるミステリイ、推理小説の書き方について、お話ししてみたいと思います。

その前に、そもそも推理小説とはどのようなものであるのかについて、私自身の考えをお話ししておかなければいけないでしょう。

推理小説でいちばん大切なものは何かといえば、それは謎ということです。

私は、推理小説というものを、人間がひき起こすあらゆることのうちの幾つかが、非常に不可解な謎という形で提出されて、それを、論理で事件を解決する本格推理小説ならば論理で、その他のサスペンス小説、ハードボイルド・ミステリイならば主人公の行動に従って解いていく、その経緯を描くものだと考えています。

よく、推理小説でいちばん大切なのはトリックであるといわれますが、トリックというものは、一九二〇年代にアメリカが第一期の推理小説の黄金時代を迎えたときには、これがすべての推理小説の中心であるように考えられていたのですけれども、現代では、トリックというものにすべての作家がこだわってはいないようです。ことに、日本の作家がいうトリックという意味で trick という英語を使っても、アメリカ、イギリスの作家には通用しない場合さえあるだろうと思います。では、われわれがトリックと呼ぶものを何というか。おそらくプロット（plot）ということばを使うだろうと思うのですけれど、つまり〝筋立て〟でありますす。われわれが使うトリックというのは、あくまでも筋立ての中心になるものに過ぎません。あるいはトリックのまわりに筋立てがあるというふうにも解釈しているのですけれども、とくにそのトリックというものを取り出さないで、プロット全体を重視する——そういう方向に推理小説は進んでいるようであります。そして、その犯人のたくらみというものについて、よくわれわれはトリックの行きづまりというようなことをいって、本格推理小説には先行きがないという人もおりますけれども、トリックのオリジナリティというものは問題ではなくて、むしろプロットのオリジナリティ、事件をどういう角度から捉えるかというようなことが、近代の推理小説では問題になっているようです。したがって私は、推理小説で大切なふたつの要素というのは、謎と、それを解く論理であろうと思っております。ある場合にはその論理が正面に出てこないで、行動によって解決されるという場合もあります。けれども、謎を謎でない状態に戻すためには、それが謎になっていった論理を逆にたどっていかなければならないわけですから、どんなタイプの推理小説にも論理というものはかならずある。それをことごとしく取り出すか、取り出さないかの違い、重点を置くか、置かないかの違いというだけで、すべての推理小説は謎と論理によって成り立っているといってもいいと思います。

それでは、謎というのは何かといえば、それはふつうでないこと、簡単に理解できないこと、というふうにごくあっさりいいきることもできますけれども、読者がどういうことに興味をもつかという見方からしますと、違和感ということが大切であろうと思います。つまり、ふつうの人がやりそうもないことをやっている。推理小説の謎というのは、そういう捉え方をして組み立てていくべきではないかと思っております。私は、そのひとつの方法として、推理小説を考えるときに冒頭のシチュエーションというのを重視しています。そのシチュエーションというのは、およそ常識的な判断ができないような状況ということです。そういうものは、注意してみておりますと現実の世界にもいろいろあります。すでに私は、近代の推理小説というのはどういうものかということを考察したエッセー――『黄色い部屋はいかに改装されたか?』――の中で、私自身の実例を幾つかあげておりますけれども、たとえば『退職刑事』というアームチェア・ディテクティヴのシリーズには、私が現実に見たり聞いたりしたことから組み立てていった作品が三つほどあります。そのひとつは、地下鉄の駅のプラットフォームでちゃんと服を着た人が、自分が着ている上着以外に二着の上着を(ビニールに包んであったり、洋服を持ち運ぶための折りたたみケースに入れた状態ではなくて)まったくのむきだしで抱えて歩いていた。まあ世の中にはいろんなことがあるのだから、そういうことがあってもおかしくはないわけですけれども、はて、これは何だろうと疑問を抱いた。まったくありえないことではないにしても、どういう状況のもとにそういうことになりうるだろうかということを考えるところから、一篇の推理小説をつくりあげました。

それから、これは人から聞いた話、つまり私の知人が新聞記事を読んでいて妙だなと思ったことですが、東海道線のある駅で、駅の構内で明け方の貨物列車に接触して轢死した女性がおりまして、不思議なことに、まったく身元を明らかにするような所持品を持っていなかった。ただその駅の改札係がその女性の顔を見覚えていて、その人は、このところ一週間ばかり、毎日終電車のひとつ前の電車で降りて、そして終電車に間に合うように戻って来て、どこかへ帰っていくということがわかった。その終電のひとつ前の電車と終電車との間の時間が、だいたい四十分。その間、その駅の周辺で一週間その女性は何をしていたのだろう――これは、現実の新聞記事にそこまでが出ていたのだそうです。その続報が出たかどうかは、その知人は気がつかなかったわけですが、私にとっては、その続報は必要がないので、この実に奇妙な感じを与える状況、シチュエーションから、ひとつの短篇を書いたわけです。

もうひとつは、これは私が北陸のほうへ旅行していたときに、やはり新聞で読んだ記事でありまして、真冬に、海水パンツひとつをはいた男の死体が日本海へ流れ出る川の河口近くで溺死体となって発見された。完全な溺死であって、その他の死因はない。しかも、これも海水パンツひとつの裸でありますから、身元がわかりません。ただそのうちに何かの理由で身元がわかって、それが一週間か十日前に自宅から蒸発してそれっきり行方の知れなかった男性であった――そういう小さな記事でしたけれども、真冬になぜ海水パンツひとつで溺死していたのか、しかもその前に一週間だか十日だか、なぜ行方をくらましていたのか。これに興味をもちました。

前の、四十分間駅の近くにいた女性というのは、そのままで作品にしたのですけれど、この、北陸での新聞記事にヒントを得た作品の場合は、死体となって発見された人物を女性にいたしまして、ビキニの水着を着て真冬の日本海へ注ぐ河口近くで発見されたというシチュエーションに変えまして、短篇に書きました。

最初の、二着の上着を持っている男の話は、『ジャケット背広スーツ』という題名で、ふたつめの、四十分間女は何をしていたかという話は、そのまま『四十分間の女』という題名で、そして最後にあげた話は、『真冬のビキニ』という題名で、『退職刑事』シリーズの二冊の中に収められておりますので、私がそれだけのヒントでどういう小説を書き上げたか、興味をおもちの方は、読んでみていただきたいと思います。

推理小説のキャラクター

これは、昔ふうの推理小説の書き方からいいますと、まったく逆立ちした状態で書いているわけでして、本来は、ある人物がどういう理由で殺意を抱いて、その相手を抹殺するためにどのような策を弄したか――その策がふつう、トリックと呼ばれているわけです――そこから考えて、話のすべてを組み立ててその結果がどういう形で表れ、それに対して、警察なり素人探偵なりがどのように逆にたどっていったか考えていくわけであります。けれども、それが本当に正しい方法であるのかということに、私は疑問をもっております。

というのは、トリックをまず考える、それから事件を織りなす人物たちのキャラクターをつけ加えていく、そして最後にシチュエーションができあがる、という書き方をいたしますと、しばしば、そのトリックというものに気をとられまして、非常によいトリックを思いついたのだから何とかしてこれをものにしようと無理をする。そのために、そこに登場するキャラクターに、人間の心理としてそんなことはしそうもないようなことをさせなければ、トリックが成立しないという場合がしばしばあります。トリックそのものは、あるいはユニークな、オリジナリティのあるものかもしれませんが、小説の中のリアリティをもった行為としては、まったくばかばかしくなるようなことがしばしばあるわけです。事実、黄金時代の推理小説が弱点をさらけ出していったのは、そのトリックにあまりにも作者が気をとられすぎているから、ということがあったのです。

それを避けるためには、むしろ、あるシチュエーションを成立させるキャラクターというもの、そのキャラクターがいちばん自然に行うであろう行動、そこからトリックを逆に導き出していく——そういうことのほうが、リアリティのある、つまり説得力のある推理小説が生まれるのではないかと私は考えているわけです。しかし、何度もこれまでに申しあげたように、小説の創作法・組み立て方には、これが絶対というものはありません。トリックを先に考えた作品でも、実に自然にできあがっている作品もありますし、シチュエーションから考えていった作品にも、もちろん失敗作はある。人それぞれで、推理小説の組み立て方にはいろいろな方法があるわけです。ここでは、私がいちばん多く使う方法というのを説明してみたにすぎません。

つまりは、自分自身の考え方、書き方にいちばん合った組み立て方をつかむ、それができたときに、ストーリイを作るコツというのが呑み込めるのだと思います。細かいテクニックは伝えられても、ストーリイの創り方は伝えることができないといっているのは、そういうところであります。

それにつけても考えるのは、キャラクターという問題でありまして、シチュエーションからキャラクターが導かれる。そうすると主人公つまり探偵役である人物のキャラクターも、そのシチュエーションに左右されるのかという問題が出てきますけれども、たとえばシリーズもののキャラクターというのはそういうものではなくて、最初にそのキャラクターができている。しかし実は、この推理小説における主人公というのは、本当は事件を解決する名探偵や、行動派の探偵ではないのです。推理小説において、本当の主人公というのは、事件の関係者であって、探偵というのは、それをつなぎ合わせる糸のような役目——私はこれを〝まき餌(え)〟にたとえております。釣りをしたり、狩りをしたりするときにまく餌のことです——つまり、推理小説における探偵役を務める主人公というのは、そこにさまざまなキャラクターを集めるための〝まき餌〟の役割、あるいは鴨猟で使う〝木彫りの鴨〟ではないかと、近ごろは考えております。ある事件の中に探偵役の人物が飛び込んでいくのですから、これはその事件の関係者たちの集まりの中へ入っていくように見えますけれども、小説の組み立ての上からいくと、中心になる探偵役の人物というのは、〝木彫りの鴨〟でありまして、そこへ本ものの鴨が集まってくる。その本ものの鴨を集めるための道具にすぎない。そして、人間関係を解明するための道具にすぎない。その人間関係を犯罪として捉えた場合が、近代の推理小説であると私は考えているわけです。

創作法の参考に

私の尊敬するジョルジュ・シムノン（George Simenon）は、小説を書くときに、まず何人かの人物につける名前を拾い出して、その人物の年齢とか性別、大雑把な境遇——独身のしがないサラリーマンであるか、あるいは、妻君と死に別れた中年の商店主であるか——そういうようなことを決めまして、その中の中心人物を、非常に極限的な状況に立たせる、つまり、苦境に立たせるとひとつの小説が動き始める、そういう書き方をしているそうです。

この場合も、このシムノンのいい方からみると、先にキャラクターがあってシチュエーションができるように思えますけれども、おそらくは、シチュエーションとキャラクターとは、シムノンの頭の中では同時にできあがるのだろうと思います。ある中心人物のある状況がキャラクターを規定し、あるいは逆にキャラクターが状況を規定し、ある状況に置かれた男または女ができあがると、あとは自然に小説が動いていくといっているわけです。

シムノンが書くような推理小説ですと、そのまま自然に人物が動いていくということは大いにありえます。もう少し事件本位の推理小説になりますと、そうもいかなくて、書きながら考えていくというより、少しずつ先を考えながら書いていく、あるいは全部考えて書くということになると思いますけれども。ともかくシチュエーションとキャラクターが決まれば、小説はできる、あとはただ、書くという問題が残っておりまして、この書くということがむずかしい。本来は、これが逆であって、書くという作業に小説の最大の意味があるのだと思いますけれども、現代の日本の小説のあり方というのは、やはりストーリィで読まれる。細かい展開、細部の技巧というもので読まれているわけではないので、シチュエーションとキャラクターができれば、小説は三分の二できあがったといえるだろうと思うのです。

ところで、今も申し上げたように、推理小説に限らず、日本においてエンタテインメントを目的とする小説が成功するかどうかは、ストーリィのおもしろさいかんにかかっております。ことに読者の皆さんの受け取り方というのは、おそらく九〇パーセント以上、その話がおもしろいかおもしろくないかということで評価が決まるのだろうと思います。ただ、書くほうにしますと、おもしろい話をおもしろくなく語ってしまっている場合もある。おもしろくなるはずの話は、やはりそのおもしろさがいちばん発揮できるような語り方をしなければいけないでしょう。そのおもしろい話を創るということは、ちょうど人間の性格と同じように、小説が書きたいと思いだす以前になかば決まってしまう才能のようでありまして、前にも申しあげたように、話を思いつくということ、どうやったらおもしろい話が考えられるかということを、人が人に教えることは、まず不可能です。それで、思いついた話をいかにおもしろく語るか、その語り方、書き方、技巧を中心に前章までお話ししてきたわけです。

瑣末な部分の動かし方、いじくりまわし方というものには、何度も申し上げたようにある法則のようなものがあります。それは、Aの場合にもあてはまるしBの場合にもあてはまる、しかしCの場合にはあてはまらない、というような性質のものでありますので、これは経験を積んだ人間であれば、未経験な人間に何とか伝えることができるだろうと私は思っています。実は、それが小説の書き方という中の、教えられる、人に伝えることのできるすべてであろうと思うのですけれども、では、まったく話の創り方というものは伝えることができないものであるのか、それでは自分に才能がはっきりあると自覚したものでなければ小説を書くことはできないではないか、という疑問も起こってくるだろうと思います。これは、ごく冷酷ないい方をすれば、その通りなんです。おもしろい話を考えることのできない人間には、小説は書けない。エンタテインメント小説は書けないということになります。

どんなふうに話を思いつくかという筋道は説明できなくもありません。ただそれがほかの人にあてはまらないのです。細かいところの技巧というものも、人によって違いはあるし、受け取り方の違いはあるし、かならずしもAという技巧がAという形のままに私からあなたに伝わるというものではないでしょう。Aという書き方もあなたのAという書き方に自然に変わってくるだろうと思います。その根本には変化がないわけです。けれども話の作り方というのは、ある人の話の創り方がわかっても、それをそのまま自分で流用することはなかなかむずかしいわけであります。

エドガー・アラン・ポオ（Edgar Allan Poe）が、『大鴉』という詩をどういうふうに作っていったかという分析を、自分でやっております。これは、ものを書こうとする人間にはたいへん参考になるものでありますけれども、それを読んでも『大鴉』のような詩を考えるということは、誰にでもできることではありません。ですから、ごく一部分の参考というつもりで、この章はお読みいただきたいと思います。

発想の原点

現在、雑誌で推理小説といいますと、だいたい五十枚から六十枚ということにほぼ決まっているようであります。ちょうどいま、私は五十枚から六十枚の推理小説を書こうとしておりますので、それを考えていきながら、短篇推理小説の書き方、発想から書き上げるまでの苦心というものを説明してみたいと思います。

ただ、おことわりしておかなければいけないのは、私がいまこれから書こうとしているのは、いわゆる捕物帳でありまして、時代設定を過去に置いた推理小説であるということです。それも、いわゆる推理小説らしい推理小説ではありません。パロディとしての一面を持っているシリーズの最後の一篇を書こうとしているわけです。ですから、先ほどの推理小説についての話が、そっくりあてはまるわけではありません。その点はご承知いただきたいと思います。

このシリーズは、日本のこれまでの諸作家が書いてきて、小説としてもてはやされただけでなく、映画やテレビジョンによっても何度も取り上げられた、非常に息の長いキャラクターとして読者に知られている主人公をパロディにしていこうというシリーズでありまず。推理小説の根本は謎解きのおもしろさだといわれていますが、その謎解きのおもしろさばかりを主眼にしたものではないのです。しかしあいにくといま、私はそれを書こうとしておりますので、それを題材にするのがいちばん都合がいい。そこで、それを説明してみることにいたします。

このシリーズは、さいぜん申しあげたように、捕物帳のパロディである捕物帳です。これを私は『もどきシリーズ』と名づけておりまして、最初に、エルキュール・ポワロとかシャーロック・ホームズとかいう、海外の名探偵をパロディにしまして、『ホームズもどき』、『ポワロもどき』、『メグレもどき』といったタイトルで現代もののシリーズを書きました。全部、海外の有名な探偵や大泥棒に憧れた推理小説マニアの若いスナックのマスターが、病膏肓(やまいこうこう)に入って、あるとき突然、たとえば自分はポワロだと思い込んで、ポワロもどきの事件を扱う。当然のことながら、世の中にはそうエルキュール・ポワロが扱いそうな事件が起こるわけではありません。ことに、日本の東京で外国の名探偵が扱うのにふさわしいような事件が起こるはずがありません。したがって、この名探偵もどき氏は、ささいなことをあたかも大怪事件のごとく扱います。首を突っこんでいるうちに、やはりそれは怪事件でなくもないということになりまして、それを、たいへん亭主思いの細君が陰にまわって助けながら、ふたりでなんとなく事件を解決する——そういうシリーズだったわけです。何篇か書きまして、これを『名探偵もどき』というタイトルで一冊の本にしました。

このシリーズが、たぶん好評だったのでしょう。続けて、その『もどきシリーズ』をこんどは捕物帳でできないかということを、雑誌の編集者からいわれました。現代の名探偵もどきをやったのですから、過去の名探偵もどきをやってもよいのではなかろうかと思って引き受けたのですけれども、はたと困ったことが出てきました。

私なんぞも、子どものころに推理小説を読みはじめたときには、大きな虫眼鏡を手に入れまして、それで畳の間の埃をながめて見たり、マッチの燃えかすを何種類もつくりまして、点けてすぐ消したもの、あるいはちょっと燃やしたものなどのサンプルを作りまして、その特徴を覚え込もうとしたり、名探偵気どりのいろいろな遊びをやったものです。そういう性癖が私なんぞの中には未だに残っていないこともない。ただそれが、名探偵のまねをするという形では出てこないだけの話で、中にはそういう性癖を大人になっても残している人物がいてもいいのではなかろうかというところから、現代ものの『名探偵もどき』の主人公は作りあげられたわけであります。

世の中には推理小説マニア、推理小説ファンが実にたくさんありまして、たとえばわれわれが推理小説の中に、推理小説の好きな刑事なんかを登場させますと、なんとなくそらぞらしい気がするのですけれども、現実に推理小説が好きな刑事さんというのもおります。私のところに訪ねてきたある推理小説ファンの青年は、推理小説の好きなお父さんの影響で推理小説を読むことを覚えて自分も好きになった。しかもその推理小説を好きなお父さんが実は刑事だったんだということを聞きまして、ああ実際に推理小説マニアの刑事さんというのもいるんだなということがわかりました。ですから、推理小説をたくさん読んでいるうちに、その主人公に憧れてしまう人間を作りだすということはそれほどむずかしくはなかったんですけれども、これが現代の名探偵もどきではなくて、『捕物帖もどき』ということになりますと、いろいろ問題が出てまいります。

苦心の作品設定

捕物帳というのは明治以降に成立した推理小説の一ジャンルであります。もともと日本に、はっきり推理小説として意識された推理小説が生まれたのは、明治になってからでありますから、これは当然のことです。したがって、『捕物帖もどき』に現れる、もどく対象、本家というものは、いちばん古いものでも明治の末、新しいのは昭和になってから生まれた主人公です。しかし、現代を舞台に、岡っ引きや同心のまねをさせても意味がありません。意味がないこともないでしょうけれども、すでに現代人が現代の探偵のまねをするシリーズを書いて、それと対応させるために『捕物帖もどき』を書くとなれば、これはどうしても江戸時代を舞台にしなければいけない。

どういう人物を主人公にするかというのは、これはわりあい簡単に思いつきました。江戸末期には、暇は充分にあるし、洒落っ気も存分にあるんだけれども、もうひと昔前の通人のように、お金がふんだんにあって、遊び歩いて、洒落たことをやってみるという人たちほどのお金はない――そういう人物が集まって茶番狂言ということをやって楽しむ、人をかついで楽しむ――今でも落語に残っております『花見の仇討』という話などがそれでありまして、この『花見の仇討』というのは江戸末期にできた『花暦八笑人（はなごよみはっしょうじん）』（滝亭鯉丈作）という滑稽小説のエピソードから落語化されたものであります。そういう、暇があって食うには困らない、そして何か変わったことをやって世の中を茶化して遊ぼうじゃないかというような人物を主人公にすればいいわけです。そういう、現代でいえば名探偵ごっこをして楽しむ人物は、むしろ現代よりも江戸末期のほうが現実にいくらもいたろうと思われます。

　ただ、そこで問題となるのは、捕物帳の主人公たちが、すべて現代の産物であるということでした。しかしまあ、その問題はしばらくおいて、現代ものの『名探偵もどき』にも、私はひとつの趣向を用意して書きはじめたものですから、今度も趣向を凝らすつもりでおりました。『名探偵もどき』における趣向というのは、厳密にいいますとふたつありまして、場所をはっきりさせてはおりませんけれども、私鉄の駅に近いスナック、繁華街を出はずれたあたりにあるスナックが舞台になっておりまして、だいたいその周辺ですべての事件が起こるのです。最近はたいへん気宇壮大な、日本中を駆けまわって、それでもたりなくて外国まで飛び出していくというような小説がはやっておりますんで、私はアマノジャクでありますから、まったくそれと逆に、「ご町内小説」というような感じでこのシリーズを書こう、つまりご町内に世界の名探偵を集めてしまおうと考えたわけです。そして、いささかピントのはずれた子どもっぽい主人公に配して、陰にまわって助けようとする奥さんを、一種のスーパーウーマンに仕立てまして、そういう取り合わせを書く。そういう趣向を、ただの『名探偵もどき』ということ以外に用意したものですから、今度も現実の「ご町内小説」にしたい――そう考えたときに、すぐ私の頭に浮かんできたのは、吉原という場所です。

　吉原というのは、塀に囲まれ、その区画がはっきり決まっていて、しかも江戸時代の通人をもって自認する人物たちが集まり、洒落た遊びをしようということが、そこでの男たちの最大の目的であった場所であります。そして、未だにあの場所だけは、昔も今も広さが変わっていない。そういう場所で、しかも洒落やうがち、もどきをおもしろがる人物が集まる。これこそ、現実の「ご町内小説」として、『捕物帖もどき』を展開するのに絶好ではないか、いちばん自然な場所ではないか。むしろ『名探偵もどき』における架空の「ご町内」よりは、もっと、そういう遊びが行われるのにふさわしい場所ではないかということを考えました。しかし、そこに集まってくる若旦那ということにすると、あんまりお金を費いすぎて勘当になったとかいうような事情も説明しなければならなくなりますので、やはりこれは、茶番狂言にうつつを抜かす暇人のようにあまりお金はないほうがよい。

　それともうひとつ、吉原という場所は、色恋の場所であります。色恋というのは、エンタテインメントとしては大歓迎なんですけれども、これが推理小説としての色彩を帯びるとなると、主人公があまり色恋にかかずらわっていては、お話が進行しない。そこで、かなり羽振りのいい、吉原の一軒の遊女屋の若旦那を主人公にしたら、これはすべての問題が解決するのではないかということを思いついたわけです。そういう裕福な遊女屋で育って、里（さと）の色の諸訳（しょわけ）というものを、子どものころから目にし、耳に入れて、あまり色事に興味がなくなってしまった人物、そして何か変わったことをしておもしろがろうとする人物であります。

　どうしてもこういうシリーズというのは、主人公がドン・キホーテ的な行動をするわけですから、サンチョ・パンサが必要になってくる——そのサンチョ・パンサをスーパーウーマンにしたのが、『名探偵もどき』でありましたけれども、今度はスーパーマンにしなくてもいいけれども、やはり気が利いた人物が、はらはらしながら見守っていかなければ話が成り立たない。それで、主人公が裕福な遊女屋の若旦那となれば、これはもう考えるまでもなく、そのサンチョ・パンサは、太鼓持でなければならない。

　こんなふうに、舞台設定は実に簡単にできたんです。ただそこに問題が残っているのは、明治末期から昭和にかけて生まれた捕物名人たちをどうするかということで、これは随分考えました。

　最初は、こういう一篇一篇独立した短篇で、全体がひとりの主人公で貫かれ、さまざまなパロディが展開されるというタイプのものですと――これを私は勝手に「オムニバス・ノヴェル」と呼んでいるのですけれど――それにもうひとつ枠をつけることは望ましくないのですけれども、思いきってプロローグ、エピローグを作って何とかすればいいのではないかと考えました。たとえばごく平凡な発想ではありますけれども、タイム・マシンを発明した学者の息子に捕物帳マニアがおりまして、自分の好きな主人公たちの本を読みふけっていたくてしょうがないのだけれども、父親がそれに反対する。それで、お父さんが作りかけている変な機械の中に隠れてそれを読んでいたら、突然それが作動してしまって、過去へ飛んでいってしまう。どうやら戻ってくるのだけれども、そこに積み込んでいた本を全部落としてきてしまう。それをたまたま吉原の遊女屋の若旦那が、吉原田圃(たんぼ)かどこかで拾いまして、これはおもしろいというので、そのまねをしてみたくなる――ということにでもしようかなと考えたのですけれども、タイム・マシンというのは、いかにもありふれた発想です。で、ほかに何か、現代の作家が作った捕物名人たちを過去へもって行く手はないかしらんと考えているうちに、いちばん自然で（理屈をこねられると問題が起こってくるわけですけれども）単純に解決する方法を発見したわけです。それは発見なんていうことばが大げさ過ぎる解決でした。三河町の半七親分でも、明神下の銭形平次親分でも、みんな架空の人物ではありますけれども、実在の人物であるがごとく書かれている。ですからそれを、全部実在の人物だったということにしてしまえばいいのではないか。幸いなことに、それぞれの捕物名人が活躍した時代というものが、少しずつズレております。それを利用いたしまして、みんな江戸に生きて活躍していた実在の名探偵扱いをすることにしますと、これはもうすぐ簡単にスタートできるわけです。

こうして、捕物名人をどう扱うかということをいろいろ考えたことが、まったく無駄なような気さえするほど、私の内部では簡単に解決ができたのですけれども、しかしこれをまったく考えなくてもいいかというと、そうでもありません。実在の人物扱いすればいいじゃないかということが一方法論として出てくるだけの、土台を固める作業が小説には必要なのだろうと私は思っています。あっさり実在の人物として扱ったとしても、大勢の読者の中には、なぜ現代の作家が書いた人物が江戸時代に模倣されるのかということを疑問に感ずる読者もいるはずです。そして、このシリーズの中では、そういう疑問を感ずる読者を説得することはまず不可能です。作者がどこかに登場して、なにかをいうよりしかたがない。まあそれは、本にするときに後書きにでも書こうというようなことではじめたわけであります。

そのシリーズを発表する雑誌は、「オール讀物」でありましたから、第一回目は、「オール讀物」に実に長い間読み切り連載されまして、捕物帳の主人公としてはいちばんたくさんの事件を手がけ、そしていまでもテレビジョンの画面に生きている銭形平次を選びまして、『平次もどき』というタイトルの短篇からはじめたわけです。そして、『右門もどき』、『佐七もどき』、『若様もどき』、『顎十郎もどき』と書いてきまして、最後に私がもっとも尊敬する捕物名人である三河町の半七親分に登場を願うことにして、『半七もどき』というこのシリーズ最後の作品をいま、私は書こうとしているわけであります。

パロディへの挑戦

原典『春の雪解』

もともと私は、もの書きとしては時代小説でスタートした人間ですので、推理小説専業ということになってからも、ときどき時代小説が懐しく、書きたくなりまして、かれこれ十年くらい前から、『なめくじ長屋捕物さわぎ』という捕物帳のシリーズを、未だに書き続けているのですけれども、やはり現代物を三つ四つ続けて書いて、さて時代物を書こうというときに、それがまったくジャンルを異にした、あるいは広い意味での推理小説の中には入るにしても、推理小説味の薄い時代もののサスペンス小説、あるいは伝奇小説と呼ばれるたぐいのものですと、それほどの抵抗なくスラッと江戸時代へ戻って行けるのですけれども、同じ推理小説の中で江戸へ戻ろうというときにはいつもかなり骨が折れます。そういうときには、私はいつも岡本綺堂の『半七捕物帳』を取り出して、そのうちの何篇かを読んで、江戸末期の雰囲気というものを身につける、思い出すことにしているわけです。もともと私が推理小説で時代小説を書きたいということで捕物帳を書きはじめたときにも、最初にお手本として頭にあったのは『半七捕物帳』でありました。捕物帳というジャンルは、『半七捕物帳』によって完成され、いくたりものヒーローが出ていくうちにだんだん、舞台を過去においた推理小説というものから、推理小説ふうの時代小説というほうに、つまりまったく逆立ちした形になってきたわけです。それを元へ戻そう、つまりきわめて推理小説らしい推理小説で、ただそれが過去の江戸末期という時代に事件が起きるというだけで、推理小説としての根本は現代ものと少しも変わりがないというものが書きたかったわけで、そういう意味でも、江戸末期を舞台にした『半七捕物帳』を手本にしよう——もちろん私には岡本綺堂の才能はありませんから、そして知識もありませんので、あれほどに幕末の世態風俗を生き生きと描くことはできませんけれども、できないにしても少なくともその姿勢だけは保とうというのが、私の捕物帳に対する考え方の根本です。ですから、最後は、すべての捕物帳の原点である半七に敬意を表して終わろうと考えているわけなのです。

　この場合、事件のすべてを廓内で起こすという枠組みも最初から決めてあったのは、前にも述べた通りです。ただひとつだけ例外があって、「若様侍」は、両国の元柳橋の舟宿の二階でいつもお酒を飲んでいる、したがって廓内で話を展開するのがちょっと不自然に思われましたので、山谷堀の舟宿というのが幸いにしてこの里の遊びと切っても切れないものになっておりますので、『若様もどき』だけは山谷堀の舟宿へ出かけて行って、主人公が若様侍になったつもりになる。そして山谷堀の口から隅田川にかけてが事件の舞台になるという例外を設けました。それ以外はすべて、お歯黒どぶという溝（どぶ）に囲まれ、塀に囲まれた吉原五丁町、その中が事件の本舞台になっています。外側の田圃、俗に吉原田圃と呼ばれていた浅草の観音様裏に抜ける田圃道とか、あるいは入谷のほうにあった吉原の遊女屋の寮というようなものも、付随した舞台となることもあるわけですけれども、すべてを廓内に限ってきたわけですから、最後の作品も吉原の中で起こし解決させようというのが、まず考えの基本にあるわけです。

　ところで幸いなことに、『半七捕物帳』の中には、廓の内部ではありませんけれど、入谷の寮を舞台にした名作があります。『春の雪解』という作品であります。これはもちろん『天保六花撰』の入谷の寮の場、その前の入谷田圃の場——その入谷田圃の場で使われる清元の『忍逢春雪解（しのびあうはるのゆきどけ）』という外題（げだい）から取ったものでありまして、ちょうど三千歳（みちとせ）が病を癒すために出養生している入谷の寮へ直侍（なおざむらい）が通っていくような形で、春の雪の降る田圃道を半七が横切っている。そこへ、直侍には、按摩の丈賀という人物が絡んでくるのですけれど、丈賀を思わせるような徳寿という盲目の按摩さんが出てきまして、その徳寿という按摩さんと、入谷の寮番の女性とのごくささいな口喧嘩を、ふっと通りがかりに立ち聞きする。その内容に興味をもったために半七が廓内で起こった事件を解決するという話です。春先の牡丹雪の降る宵、それからもう昼間は春の景色の見える入谷あたりの裏街、そういうところがまるで目に見えるように描き出されている上、推理小説としても非常によくできた作品だと私は思っています。そこに、岡本綺堂のひとつの特色である怪談趣味もからまっておりまして、そこに登場する人物が、実に簡潔でいながら、生き生きと描かれております。ことに私が感心するのは、陰の主人公であるその入谷の寮で出養生してる誰袖（たがそで）という花魁が、小説の正面には全然姿を現さないのに、何かその姿が目に見えるような気がするくらい他人の話の中からきれいに浮かび上がってくるところです。ああこんな手の込んだ小説がこんなに巧く書けたら実に幸せだなあと思うくらい、私の好きな『半七捕物帳』の中でもおそらくベスト・ファイヴに入る作品です。

パロディの妙味

『春の雪解』という名作がある。これを踏まえないという手はありません。パロディであるならば、ただ単に半七らしい行動を主人公がするということだけでなくて、『春の雪解』という作品のパロディにしたらどうだろうというのが、いま、私が考えていることであります。嘘も隠しもなく、いま、私は、それだけのことしか考えておりません。

　ところで、いま、私は『半七捕物帳』に載っている『春の雪解』を読み返したところです。『半七捕物帳』は、いまでは光文社文庫にも入っておりまして、この『春の雪解』はその第一巻に載っております。ですから、興味をお感じになった皆さんは、読んでみていただきたいと思います。読んでみてから、これからの部分を読んでいただきたいと思います。

もちろん、このシリーズのように「誰々もどき」ということになっておりますと、いかに主人公が名探偵なり捕物名人なりらしい発想でその事件にアプローチし、らしい解決の仕方をするか。それでいながら、どこかはずれていておかしいというのが狙いでありますから、『ホームズもどき』という作品では、シャーロック・ホームズがどんなタイプの名探偵であるかということを知らない人には、あるいはおもしろくないかもしれないわけです。そういう人にはまったくおもしろくなくても、ホームズを詳しく知っている人がおもしろく感じれば、それでパロディというものは充分成り立つわけです。それでいいのです。しかし、できることならば、エンタテインメントの作者としては、それほどホームズを知らない人でも、ただ単にホームズがイギリスを代表する世の人々に実在しているように扱われるほど世に知られた人物である——ただそれだけを知っている人にもおもしろい、そういう小説を書きたい。したがって、この『半七もどき』の場合も、半七の作者が岡本綺堂であることを知っており、その作品をすべて読んだことがある人には、なおいっそうおもしろく、作者の名前も知らないけれども、長谷川一夫や平幹二郎がテレビで扮した半七という捕物の名人が架空のヒーローのひとりであるということを知っているだけの人にもおもしろい——ということはつまり、『春の雪解』という小説を読んだことのない人にもおもしろいものを書きたいということです。これはかなりむずかしいことなんですけれども、どうも私は、単純に洒落のめして、おかしくなっていればいいというパロディは、あまり書く気がありません。というのは、そういうパロディはどうしても早く古くなる。俗にこれを「腐る」といいますけれども、社会風刺の作品には、しばしばそれがあります。あっという間に腐ってしまって、その対象となった現象がごく身近にあったときには、あれほどおかしかった作品が、何年か経ってみると、ちっともおかしくない。それどころか、いったいこれは何のシャレなんだろう、ということがしばしばあります。私は、ただそれだけのパロディ（時間とともに発生し、時間とともに消えていくパロディ）の価値ももちろん認めるわけですけれども、作者としては、あまりそういうものに興味がありません。ですから、日本語のパロディではなく、本来の意味のパロディ（parody）、あるいはパスティッシュ（pastiche）――パスティッシュを日本語に直せば「もじり」ということになりますから、いよいよ『もどきシリーズ』にふさわしいわけで、そういうものを書きたいのです。

　私はできるだけいろんな条件のついた小説を書くのが好きです。これはあるいは日本人の持つ性格ではないかと思いますけれど、たとえば俳句、短歌などは字数が決まっており、俳句の場合は、季節感を表す季語というものがあって、それをかならず取り入れなければいけない。これが連句、俳諧というものになりますと、何句目にはかならず月を出さなければいけない、恋を出さなければいけないという、月の座、恋の座なんてのがあります。つまり、最初の何句かでは恋や無常を扱ってはいけないというような、何でこんなに規則ずくめにしなくちゃいけないんだろうというような規則のある形式の中で、実にのびのびとすばらしい俳諧の巻を作っている人たちがかつていたわけです。そういう、不自由さの中にある自由といいますか、実はその不自由さというのも、すぐれた心の動きのできる人物にとっては、ちっとも不自由でないのだという、そういう感じ方というのが、日本人の中にあるような気がします。私はどちらかといえば、小説のほとんどの面では西欧的なものに心酔し、それによって育ってきたもの書きですけれども、そういうところがたいへん好きであります。歌舞伎の所作事（しょさごと）に棒しばりというのがあります。太郎冠者（かじゃ）が肩のところに長い棒をあてがわれて、それに両手を縛られたまま、闊達自在に踊り抜くという所作事ですけれども、そういう棒しばりのような状態で自由自在に踊ってみせるようなところが、日本人の好みに合っているんだろうと思います。そういうところが私にもありまして、できるだけ自分で条件をつけて、その中で書いてみるということをやって、ときにはそれが本当の悪条件になって、書くのを断念してしまうようなことも稀にはありますけれど、何にもないよりは、何かそういう枠組みがあったほうがものごとが考えやすいのです。

　この『捕物帖もどき』は、スタイルとしては、これも『半七捕物帳』への義理立てといいますか、半七を見習っています。つまり、明治になってから、その若旦那のお守り役をおおせつかっていた太鼓持が話をする。速記術を習った学生がその男のところへやってきて話を速記した――そういう話し言葉のスタイルで書かれております。なぜこういうことをしたかといいますと、『半七捕物帳』のスタイルを尊重したかったのと、もうひとつ、速記を習ってそれを実用化することに熱心な学生、これはまあかならずしも東京生まれとは限らない、そして旧幕時代のことは碌に知らない。そういう人間であることは当然考えられますので、そういう人間を相手にしゃべるということは、つまり幕末の吉原というような特殊な世界を知らない読者に、ちょっと風変わりな言葉が出てきたときに、「あれ、そんなこともご存知ないんですか。あんた真面目なんだねえ」というような感じで、それとなく説明できるという利点があるのです。細かいことの説明がきわめて自然にできるということからも、このスタイルを選んだわけであります。

ただ、いま、本にするときにどうしようかと迷っているのは、この語り手である太鼓持（幇間）に、速記者のことを「学生さん」と呼ばせている。これは明治の世の中としては、むしろ書生さんというほうが自然なんですけれども、書生ということばが現代の読者にすんなり入っていくかどうかがちょっと心もとなかったので雑誌連載中はすべて「学生さん」ということばに統一してきました。本にするときには、「書生さん」と呼びかけ、「ああ、書生さんということばはもう古くなりつつあるんだな」ということを語り手が感じて「学生さん」といい換えるとかいうような感じで時代色を出そうかとも考えております。

原典自体が一種のパロディ

さて、『春の雪解』のパロディを私は書かなければいけません。『春の雪解』は、先ほど申しあげたように、半七が下谷の竜泉寺前に用があって、午後五時ごろに家へ帰ろうとして入谷の田圃道を歩いて来る。春の雪が降り出しまして、傘を借りてくればよかったと思いながら手拭で頬かむりをして、ちらつきはじめた雪の中を寒い風に吹かれながら歩いていくところからはじまります。そうすると一軒の寮がありまして、その門前で仲働きらしい二十五、六の小粋な女が、ひとりの按摩の袂（たもと）をつかんで、「ちょいと、徳寿さん。おまえさんも強情だね。まあ、ちょいと来ておくれ……」というようなくどき方をしている。それに対して、「お時さん。いけませんよ。きょうはこれから廓（なか）にお約束があるんですから、まあ堪忍しておくんなさいよ」と、按摩は逃げるように振り切っていく。「それじゃあわたしが困るんだからさ。按摩さんは他にも大勢あるけれども、花魁はお前さんが御贔屓で、ほかの人じゃあいけないと云うんだから、素直に来てくれないと、わたしが全く困るんだよ」

お時と呼ばれた女が、なんとか引き止めようとする。それに対して按摩の徳寿は、何のかんのといって逃げてしまう。どうもその二人のそれぞれの強情さが気になって、けれどもそれが別にどうということもないので、半七は聞き過ごして神田三河町の家へ帰るわけです。

それから三日目くらい後に、また竜泉寺前へ行かなければならない用件ができまして、きょうこそは降りそうだというので雨傘を用意して出かけていくと、帰り道で、はたして大きな雪が降ってきた。やはり時間は午後五時ごろ。そして先日の寮の前を通りかかると、ちょうど下駄の鼻緒が切れまして、それをかがんで繕っていると、この間の女が寮の中から出てきて、そこへ按摩もやってきます。それを呼び止めて、この間と同じような悶着がある。で、同じようなことが二度続いたので、半七は興味をもって、その按摩をいったんやり過ごしてから追いかけていって、近くのそば屋に連れ込む。

この、そば屋に連れ込むというのは、もちろん『天保六花撰』の入谷田圃の場の舞台を意識しての構成なわけです。

つまり、もともと、この『春の雪解』という作品は、直侍と三千歳のくだりの一種のパロディといっていい作品です。そのパロディをまたパロディにするということにも、私の興味はあるわけです。ですから、主人公の捕物名人気どりの若旦那にほとんど同じような行動をさせるという手がまず考えられるわけです。

春の雪の降る夕方に、ちょうど主人公の若旦那も、どうも家にいてもおもしろくない。捕物名人気どりで何かをすることができないんで入谷の寮に出かけてきている——こういう設定にしますと、直侍のパロディである半七のパロディとして、同じことを繰り返させるというおもしろさはあるわけなんですけれども、そのおもしろさというのは、『半七捕物帳』の『春の雪解』を知っている人で、しかもそれが直侍と三千歳の入谷田圃の場のパロディであるということがすぐわかる人でなければわからない。こういう二重、三重の構造になっているパロディというのは、おもしろがってくれる人は限られてくるわけです。

パスティッシュを試みる

何度もいうように、私は、二重構造とまではいかないけれども、そういうパロディ的な小説を書くのが好きであります。たとえば、アームチェア・ディテクティヴもののシリーズで『退職刑事』というものを書いておりますけれども、そのシリーズの最近のものにも、そういう狙いで書いたものがあります。

アームチェア・ディテクティヴ、つまり探偵役の人物が事件の現場へ出かけないで、誰かから話を聞いただけで解決するという形式の推理小説の、最近での名作といいますと、これは、アメリカのハリイ・ケメルマン（Harry Kemelman）という人の、ニッキイ・ウェルトという大学教授を主人公にしたシリーズでありますす。それを思い浮かべるのが、大方の推理小説ファンだろうと思います。その前に、ジェームズ・ヤッフェ（James Yaffe）というユダヤ系の作家に——どういうわけか、ケメルマンもユダヤ人社会を舞台にして、ラビ・スモールというユダヤ教の牧師を名探偵にしたシリーズを一方で書いておりまして、推理小説としては珍しく常にベスト・セラーズになる作家なのですけれども——『ブロンクスのママ』というシリーズがあります。これは、ブロンクスに住むお母さんのところへ、刑事の息子が、毎週金曜日に妻を連れて晩ごはんを食べに行く習慣がありまして、その食事の席で、息子が最近手がけている、まだ未解決の事件の話をする。それを聞いただけで、そのママが解決するというシリーズです。このふたつが、ここ二、三十年間の傑作ということになっております。

ところで、そのうち、ニッキイ・ウェルトのシリーズの最初の作品が、『九マイルは遠すぎる（The Nine Mile Walk）』という作品でありまして、これは、ふと耳にした短いことばから大きな事件を推理していくという作品でありますけれども、私はこの傑作に敬意を表しまして、ハリイ・ケメルマンが扱ったことばの数より少ないことばで、何か事件を解決できないかと考えたわけです。

『九マイルは遠すぎる』という作品は、レストランで、ニッキイ・ウェルトと、シリーズの語り手である地方検事が食事をしておりまして、ニッキイ・ウェルトが、

「どんな小さなことがらからでも、論理的にいろんなことがひき出せるものだ」ということを自信たっぷりにいうものですから、検事は、「九マイルは遠すぎる、まして雨の中では」ということばから何が考えられるか、という挑戦をする。そのことばをどこで聞いたかというと、そのレストランを出がけに、地方検事がふと小耳にはさんで、何となく記憶していたことばであったわけですけれども、私はそれよりも短いことばでやってみようと考えたわけです。

元がケメルマンの『九マイルは遠すぎる』であることをはっきり示すために、やはり雨に縁があることばでやってみようとしましたら、ある読者の方とお話しをしているときに、「この前の作品は、『九マイルは遠すぎる』にそっくりじゃないですか」と、まるで私がズルをしたようないわれ方をしまして、唖然としたものです。

『九マイルは遠すぎる』に対する私なりのひとつの敬意の表れであり、同時に挑戦でもあったわけで、それを、『九マイルは遠すぎる』を読んでいる人なら誰にでもわかるように、はっきりした形で書いたつもりなんですけれども、それを「やっぱりケメルマンのほうがよくできてますよ」といわれるのなら、もちろんそうだろう、それほどうぬぼれちゃあいないよ、という返事ができるわけですけれども、ケメルマンの真似をしているといわれると、これはもうぐうの音も出ません。むしろ唖然として、なるほどこういう読者もいるのか、うかつにパスティッシュはやれないなという気がしたことが、つい最近にありました。

それで、『半七捕物帳』の『春の雪解』とはまったく逆のいき方をすることにしました。『春の雪解』をうしろに置いて書いてみようということを、今は考えています。

主人公の若旦那の生まれた家は、唐琴屋（からことや）という、大籬（おおまがき）の、つまり一流の女郎屋でありまして、若旦那の名まえは丹次郎。これはもちろん、為永春水の『春色梅児誉美（しゅんしょくうめごよみ）』の主人公の名まえを、そのまま借りたものであります。『春色梅児誉美』の主人公は、吉原の唐琴屋という遊女屋の若旦那で丹次郎。この唐琴屋丹次郎という名まえが、たいへんうまくできているものですから、これを借りるにあたっては、語り手の太鼓持に、「この若旦那は、今じゃあすっかりまじめになって、商売は継がないで別の仕事で成功している」

といわせ、「だから、本当の名まえでお話しするわけにはいかないので、『梅児誉美』の主人公の名を借りてお話ししましょう」ということにしたわけです。

脇役、サンチョ・パンサである太鼓持には、梅廼家卒八という名をつけました。この卒八というのは、これまた、こういう茶番的なお話の江戸時代の代表作である滝亭鯉丈の『花暦八笑人』だったか『滑稽和合人』に出てくる人物のひとりであります。丹次郎という、いかにも色男らしい名まえに対して、卒八という、たいへん軽薄な、滑稽な感じの音で成立している名まえを取り合わせたわけでありまして、つまりはみんな借り物なんですけれども、そういう借り物を集めてきて自分の作品を作る——それがもともと、パスティッシュというものの精神でありますので、そういうところは躊躇なくやったわけであります。そして、この唐琴屋の若旦那丹次郎に密着し卒八の視点で、このシリーズは物語られていくわけです。

プロットの組み立て

風俗資料のないつらさ

さて、前に述べた事情から、『春の雪解』を裏返しにして、別の形の事件を作りあげる必要があります。その事件というのは、若旦那がわずかなことから勝手に作り上げて大げさにしてしまう事件であるわけです。

ところで、オリジナルである『春の雪解』には、吉原に夜やってくる辻占売りの少女おきんというのが絡んでまいります。これが陰の重要人物になっているわけですけれども、同じ陰の重要人物である入谷の寮にいる誰袖花魁と違いまして、この辻占売りは、むしろはっきり出てこなくてもいい、キャラクターとして書き込むというのでもない、という扱いをされているので、それをもっと前に出してきて、そこをとっかかりにしたらどうだろうと考えました。これをとっかかりに、『春の雪解』における誰袖花魁のような形——正面に出てこないけれども、キャラクターまで書き込むという形——にまでできれば、なおさら成功といえるのではないかという気がしたわけです。ところが、辻占売りというものについての私の知識があまりない。少し調べてみましたけれども、辻占売りの呼び声などは以前から知っているわけですけれども、実態がわからない。資料がないんです。

　辻占売り提灯をもって、鳴子をもっていることがある。辻占そのものがどういうものであったか、ということはわかったわけです。私の子どものころには、炒豆とかフライド・ビーンズの袋に辻占の入っているものがよくありました。非常に小さな紙で、それが油を吸って蠟紙のようになっていて、そこに、都都逸のような文句が印刷してあって、天紅(てんべに)か何かになっているわけです。本当の辻占とはどういうものか。もうちょっと大きくて、粗悪な紙に素人が彫ったような版木を使って刷ったものであって、その文句がどんなものであるか、といったことまではわかったわけです。けれども、辻占売りの実態がわからない。

　しかし、一応版木を使って刷った辻占というのは、どこからか仕入れてくるに違いない。こういう色街の行商人というのは、どんなものでもかならず、それを束ねる人間がいるものです。元締めというような呼び方でいいのだと思うのですけれども。だから当然、廓に入っている辻占売りたちも、かつての銀座の花売り娘のように、それを束ねる元締めがいて、そこから仕入れて、廓を売り歩くということになるはずなんですけれども、その実態を記したものが見あたらない。短時間で無理して捜そうとしたせいもあるのですけれども、風俗資料というものは、本筋をはずれたようなものについては、残ってないんですね。

　しかしまあ、原稿の締め切りが迫ってくるから仕方がない。当然、元締めというものがありうるはずだ。その元締めというのはそれほど遠くに住んでいるはずがない。辻占売りたちも、それほど遠くに住んでいるはずはない。現に、おきんという少女は、下谷の金杉に住んでいる。金杉から吉原までというのは、現在の感じでは、ごく近い、女子どもでも歩ける距離ではありますけれども、江戸時代の町家の少ないこと、入谷田圃が大きく広がっていて、廓の中に裏から入れないということを考えますと、金杉でもちょっと遠すぎるんじゃないかとも考えるんですけれども、これは江戸の風物に詳しい綺堂先生が書かれたものですから、金杉でもいいはずなんだろうと思います。そうしますと、その辻占の元締めというのは、当然竜泉寺町あたり、廊のすぐ外側に住んでいるに違いない。そこへ売り子の少女たちが日の暮れ方に集まって来て、辻占を入れる箱、鳴子、提灯、もちろん売り物である辻占などを受け取って、廓へ入っていく。ごく近いところに住んでいる少女は、大びけまで売り歩く。大びけというのは午前二時であります。ちょっと遠い子は中びけ（午前零時）まで売り歩いて、売り上げと残った辻占を持って親方のところへ寄る。そして口銭（こうせん）を貰って、自分のうちへ帰る。そういうことに違いない。原点である『春の雪解』が書いていない部分、その辻占売りを中心に書こうということに決めました。では、どこから若旦那の唐琴屋の丹次郎が興味をもつのがいちばんいいだろうかと考えることになるわけです。その前にもう少し、辻占売りについてお話ししておきましょう。

時代推理小説というようなジャンルですと、小道具を中心に話をすすめていくというのが、筋立てを考えるときに比較的楽なものです。ところで辻占売りを代表する小道具といいますと、辻占の箱か、提灯か、鳴子ということになります。その中でいちばん珍しいと思われるのは鳴子で、だいたい鳴子というものが若い読者のヴォキャブラリイの中からは消えているものであろうし、それから田圃の鳴子というものも見ることが少なくなってきているわけで、そういう珍しい小道具を出して読者の注意を集め、そこから話を作っていくのがいいんじゃないかと思ったわけです。それも、ふつうの状態で鳴子がでてくるというよりも、妙な状態ででてきて、それを若旦那が、これは行方不明になったおきんという辻占売りのものだ、と推理するところから、今回のテーマである「半七もどき」になっていく。そういう入り方がいちばんいいだろうと考えて、まずその鳴子をもちだすことに決めました。

鳴子のいちばん不思議な状態というのは、鳴子が鳴らない状態ですから、鳴らない状態で発見されるというのがいいと考えました。

幸いに原典の『春の雪解』では辰伊勢という中店（ちゅうみせ）のある場所が、江戸町ということになっております。この江戸町というのは、大門（おおもん）から入ってきて、左右が突き抜けている最初の賑やかな通りでありまして、大門から入って右側が江戸町一丁目、左側が江戸町二丁目ということになっています。シリーズを書き始めるときには、最後に『春の雪解』を扱ってパロディを書くということを考えていたので、その重要なファクターである辰伊勢という店が江戸町にあるということは頭にありましたので、後で困らないように、唐琴屋という店も江戸町にしておいたわけです。その場合、一丁目にするか二丁目にするか、という問題があるんですけれども、これは何となく江戸町二丁目——俗に江戸二と呼ばれる場所に決めてしまったわけで、これにははっきりした理由はありません。唐琴屋の隣に辰伊勢という店があることにしまして、その唐琴屋と辰伊勢の間の路地に鳴子が落ちていたのを唐琴屋の若い者が見つけて、「こんなものが落ちていたぜ」と話していたのに若旦那が目をつけて取りあげる。そして、ナレーターである梅廼家卒八という太鼓持を呼んで、がぜん半七気取りになる——そういうところから始めるのがいちばんいいだろうと考えたのです。

さて、非常に奇妙な状況をつくりだすのに、鳴子の板が取れている鳴子を考えたのですが、各部分の名称というのがわからないんですね。こういう細かいところが、いくら調べてもわからない。

本書の中では別項を設けて時代小説に触れる余地はないだろうと思いますけれど、時代小説を書いていて、いちばん苦労するのはこういうところなんです。非常に細かいところ、時代考証の本を書いておられる方も何人もいらっしゃいますし、非常にすぐれた著述もあるのですけれど、どうしても非常に細かいところまでは筆が行き届かない。というのは、そういう方々も、学者の方々も、小説家のために時代考証をしているわけではありませんから、小説家が実際に江戸時代を小説に書くときにどういうところでひっかかるかなんてことはお考えにならないわけで、これはないものねだりというよりしようがないのですけれども、どうももういわけですね。ことに、鳴子なんてものになると、各部分の名称なんてのが、これがまったくわからない。

鳴子というのは、一枚の板の上に、小さな薄っぺらな拍子木のようなものを何枚か取りつけて、それを紐に遊びをつくった状態で底板に結びつけておく。その板全体が振れると、小さな板が踊り上がって、底板にぶつかって音をたてるというものなんですけれども、この小さな板のことを何というか。それから全体を何というか。そんなことがわからないわけですね。名称はなかったかもしれない。あるいは何か名称があったのかもしれない。そんなところが、書いていて、いちばん苦労する部分です。しょうがないから私は、その形状を「小さな拍子木」あるいは、「易者が使う算木のような」という形容をしたんですけれども、さて、「易者が使う算木」ということばが現在の読者にわかるかどうかというようなところも不安になるわけです。といって、あまりくどくど説明していると、ちっともまえに進まない。しょうがないんで、「算木」なんてことばをかまわずに使いましたけれど、さて、これを小板――鳴子の板に較べて小さいわけですから小板というか、振るわけですから振り板といったらいいのかわからないので、これは勝手に「振り板」と「小板」ということばを両方使うことにしました。

もちろん、畑や田圃に吊してある鳴子と、辻占売りの鳴子とは随分違うわけでして、その辻占売りの鳴子にも、おそらくいろんな形態があったのではないかと思われます。けれども、実際にそういう民具の収集家がもっている辻占売りの鳴子がありまして、それに準拠したほうがよい。で、この場合もそれを使いました。それは、五角形の板の一端に手で握る部分がついておりまして、その底板の上に、振り板が三枚ついている。いろんな色に塗り分けてあったんだろうと思います。

場面の転換

鳴子が路地に落ちていて、その振り板がみんな落ちている。これはなぜだろう、ということをまず丹次郎が推理する。これが発端になります。そして、これはその去年の暮から行方不明になっている、おきんという辻占売りの十六、七の娘のものに違いないということになる。なぜそういうふうに推理をするかというと、辻占売りの鳴子、提灯、辻占箱というのは大事な商売道具でありますから、これをなくして平気でいられるものではない。もしなくしたら、かならず親方に叱られるに違いない。それが落ちていたということは、当人自身もいなくなっている状態、つまり駆け落ちをしたんじゃなかろうかと噂されているおきんというかわいらしい辻占売りのものに違いない、という推理になるわけです。

このへんの推理というのは、なにしろ江戸時代のことですから、あまり理屈っぽくしないほうがいいということが第一前提としてあって、もっともらしい、何かの先入観から発した推理ということでいいのです。そして当然、おきんのもっていた鳴子がなくなっているのかどうかということを調べにいく。そこで辻占売りの元締めのところへ行ってみるというような場面転換になるわけです。

だいたいこの『もどき』シリーズは五十枚から六十枚の間で書いてきて、一場面をほぼ十枚で書くという感じでやっているわけであります。ひとつの場面を十枚というのは、もちろん法則があるわけではありませんけれど、ひとつの場面があまり長くないほうがいいという考えが私にはあります。たとえば四百枚、五百枚の長篇であれば、ひとつの場面が三十枚くらいあってもいいんですけれども、五、六十枚くらいの短篇ですと、ひとつの場面が十枚くらいで、どんどん情景が変わったほうが、スピード感も出ますし、読者もあまり退屈しないですむ。そういうことを考えておりまして、場合によってはひとつの章がもっと短くてもいいだろうと思います。

SFから出て、今は若い人たちに非常に支持されているアメリカの作家、カート・ヴォネガット・ジュニア（Kurt Vonnegut Jr.）という人は、ひとつの章が非常に短い。ときには一ページ一章というような長さになっておりまして、これは小さな場面を積み重ねていくことによって、切れ切れのものの積み重ねから大きなものをつくっていくという行き方であると同時に、ヴォネガット自身、「読者というのは飽きっぽいものだから、ひとつの場面は短いほうがよい」というようなことを、どこかに書いておりました。

私の場合は、それほどまで短くという趣味はありませんけれども、あまり長くてはいけないということで、十枚ぐらいにしているわけです。そうすると、この鳴子についての講釈、鳴子についての推理というのは、だいたい十枚以内で書ける分量で、それからすぐ次の場面に移ることになります。もちろん、次の場面というのは、竜泉寺町に住んでいる辻占売りの元締めを、若旦那と太鼓持が訪ねる場面になるわけです。

場面を移すときには、どこかでかならず、その日の天候とか、その場所の感じ、雰囲気というものを、できるだけ早く読者に呑み込んでもらわなければいけないわけですけれども、その一方で、ストーリイがあまりいつまでも発展しないでいたのでは、短篇の場合、読者の興味をそぐ恐れがあるので、最初の謎をまず第一章で提出して、その謎の合い間合い間に、それを扱おうとする人物がどういう人物であるか、どういう場所でその話がなされているかというような描写をしていくという方針を、私はとっております。そして第二章に移るときに、その場所全体の印象、季節感なんてものを出そうとしているわけです。ですから、だいたいにおいて、最初の場面が屋外であれば、次の場所は屋内というような変化をもたせることを心がけております。しかしこの場合には、最初は鳴らない鳴子を拾って、それに興味をもつという書き出しができている以上、当然屋内ということになるわけです。現代のように喫茶店なんてものがあるわけじゃあありませんから、神社の掛茶屋の床几(しょうぎ)でそんな話をするとか、飲み屋でそんな話をするというのもテレビ映画ではよく出てきますけれども、ちょっとおかしいわけでありまして、当人の部屋があれば、それがいちばんましな場所でありますから、第一章は当然屋内。話の発展としては、次の場面は辻占売りの元締めの家ということになるわけで、そういう職業の人間は、当然半分は小博奕打ちでありますから、それほど立派な家に住んでいるはずがない。廓の大店(おおだな)の若旦那の部屋から移す場面としての対照はできているわけです。ですけれども、屋内から屋内という移し方をするのも曲(きょく)がないので、たぶんここで、大門を出て竜泉寺町へ行くまでの風景描写という形で、場所の雰囲気を強調することになるだろうという設計図が、私の頭の中にひかれていくわけです。

伏線を敷く

出かけていくと、この辻占売りの元締めは、若旦那の推理を裏づけるような話をする。その話の中で、当時の辻占売りの営業形式というようなものを説明していくことができます。若旦那は自分の推理が当たったものですから有頂天になって、その線で推理をどんどん進めていく。で、辻占売りの親方のところを出ると、金杉のおきんの家へ訪ねていく。なぜ金杉のおきんの家へ訪ねていくということを入れたかといいますと、このおきんの家というのは、原典の『春の雪解』のほうでは、寅松というヤクザが行方不明になっていて、もう誰も住んでいない。行ったところで何の役にも立たないわけです。けれども、どこかで、『春の雪解』のパロディであることをはっきり見せたい。それも、なるべく早いうちに見せたい。そこで、金杉のおきんの家に行かせて、その途中で本ものの半七親分の姿をちらっと出しておこうと考えたのです。原典には、半七が按摩の徳寿という男と金杉の町家を外れた田圃のほとりで話をしている場面があります。それをこのパロディと原典との接点にしようと考えました。もちろん半七親分とははっきり書かないで、したがって読者のほとんどの人が、あるいはわからないかもしれないけれども、原典を知っている人はにやりとするだろうという場面を入れたわけであります。

ただ、これは若旦那と太鼓持がふたりで行くまでもないので、ナレーターである太鼓持ひとりがそこへ見に行くというだけでいいだろうと考えています。一方若旦那のほうは部屋へ戻って、まず最初の段階の推理が適中したものですから、それをますます発展させていく。この推理を発展させていくということが、実はもちろん全部まちがっているわけですけれども、このシリーズは、まちがいながら当たっていくというおもしろさを狙っているものですから、ここではできるだけ大げさに推理していくという方針をとっているわけで、なぜ鳴子の振り板がとられたか、なぜ路地にほうられたか、というようなことを、一所懸命推理していくわけです。その中に、本当の謎が解けたときに、ああ、ここでもうひとつ裏返してみると真相だったんだなというような、まちがい推理で伏線を張っていこうということが、ミソになっているわけです。

つまり、鳴子が鳴らなくなっているのは、おきんという娘がどこかに閉じ込められているのではないかというところへもっていきたいという狙いです。原典では、このおきんという少女は、もうとっくの昔に殺されているのです。『半七捕物帳』のほうでは、それを実にうまく隠してある。こちらも隠さなければ原典に申しわけないわけですから、それをまちがい推理を誇張させていって、鳴子が鳴らないわけというのをつくっていこうと思っているわけです。

結末のつけ方

さて、若旦那の推理というのは、初めから的を射ていないわけですから、ある程度の推理ができても、そこから先がいっこうに進まない。手がかりが何もないから、これはいぶり出すよりしようがないと考えまして、若旦那の発案で、おきんの幽霊が廓に出るという噂話をばらまくということにしたらどうだろう。その噂話がばらまかれたために、事の真相を知っている隣の辰伊勢の若旦那が唐琴屋の若旦那を訪ねて来る。そのために、事件が、半七親分が事件を解決したのと同じようなところへ行きついていく。そういうふうにもっていくのがいちばんよいだろうと考えているわけです。

次に考えなければいけないことは、この結末をどうするかということです。結末はもちろん、『半七捕物帳』の『春の雪解』と同じにならなければいけないわけですけれども、そのクライマックスの場面をどういう形にするか、人伝ての話として出すか、それともそこに若旦那が行くことにするか。これはどちらがいいかといえば、片方で『半七捕物帳』の『春の雪解』が進行している、それを廓の内部から書いていって、最後のクライマックスで結びつける。若旦那がその場面に出てくる——という形にするのが、つまり、事件を聞いて集まって来た連中の中に若旦那がまじっていたんだという結末にするのが、こういうタイプの小説としては、いちばんよいのではないか。したがって、その若旦那を外へ出さなければいけない。そして、この鳴らなくなった鳴子の謎も、原典と関係ない形で、私の小説として解かなければいけないという問題がありますんで、結局これは、原典の『春の雪解』で半七親分が気がつかなかった、もうひとつのファクターがあることにしました。それは、迂闊なために気がつかなかったのではなくて、そういうことを考えている小悪党がもうひとりいたことが、半七親分の調査の中には入ってこなかった。つまり、その前に片がついてしまったという状況にするのがいいだろうと考えました。

となると、当然それは、辻占売りの親方が、おきんが行方不明になった理由を察して、辰伊勢の若旦那をゆする、しかし若旦那のほうにはもっと大きな問題があって、それどころではない。辰伊勢の若旦那の永太郎という人は、横合いからゆすられても、それどころではない事情があるわけですから、無視してしまった。そのゆすりの方法というのが、鳴らなくなった鳴子はもち歩いても音がしませんから、ちょっと懐へでも入れて歩ける。それをネタにして、鳴子を辰伊勢の若旦那に届けたというところが、親方のゆすりの第一歩だったわけです。ところが、若旦那のほうはそれどころではないんで、おっ母さんに見つかりそうになったから塀の外に捨ててしまった、というような形で、それが隣の唐琴屋の若旦那の手に入った。こういう、いちばん単純な形にしておいたほうが、いいだろうと思っております。

　こういう、ごく単純なことからとんでもない推理を組み立てて名探偵気取りの人物が動き回るというタイプのユーモア推理小説というものは、真相が複雑すぎてはいけないのです。というのは、わざわざ複雑怪奇に考えたために物事がおかしくなるというのが大前提になっているわけですから、その物事というのは、できるだけ単純なほうがいい。その方針に従って、最後の結末というのは、永太郎がゆすりの第二段階として受け取った手紙が、何らかの方法で唐琴屋の若旦那の手に入る。手に入って、自分の推理が適中したと思って、その手紙に指定してある場所に出かけて行って、親方がゆすりの犯人であるということに気がつき、そして真相に達する。これが自分の考えていた状況とまったく違うわけなんだけれども、ともかく、若旦那としては一応事件が解決されたわけで、やはりいい気持になる。その結果として、『春の雪解』のクライマックスに立ち会うことになって、そこで、やはり素人は素人だ、もう捕物ごっこはやめようということで、このシリーズは終わる。そういう形にしようと思って、書きはじめたわけであります。

シリーズ作品と私

　これは、「オール讀物」の昭和五十六年十月号に載ったわけで、この作品で、名探偵もののパロディである『もどきシリーズ』は、現代篇、時代篇ともに、終わったことになります。

　どうも私は、シリーズ・キャラクターをつくるのが好きでありまして、少し創り過ぎるといわれるくらいなんですけれども、シリーズ・キャラクターというのは、そこにさまざまな人物を集めるための「木彫りの鴨」でありまして、一見、本もののように見えるけれども、しょせん人形である——たいがいの場合は、それでもいいだろうと思っております。ただ、それが、擬似餌でない、本ものの人間にだんだんなっていくだろうとは思いますけれども、やはり人物と人物をつなぎ合わせるための、ひとつのファクターであるという形で、探偵役の人物は、事件に集まってくる人間を観察するということになるわけです。

　この『もどきシリーズ』のような場合ですと、最初からこれは、本二冊ということは頭にありまして、こういうものをそうそう書き続けるわけにはいかない。書こうと思えばまだ幾つか書けるわけですけれども、こういうものは、読者が、そのもとになるシリーズを知っていないと困るという面がありまして、読者に馴染みのない人物をもってくるわけにもいかない。で、最初から単行本で二冊、ということを考えていたわけです。

ただ、私はシリーズ・キャラクターというものを、二冊分くらい書くと飽きてしまう傾向がありまして、これはあまりよくないことなんですけれども、今までいちばん長続きしているのが、『なめくじ長屋捕物さわぎ』というシリーズでありまして、これは六冊出ています。しかし、だいたいにおいて二冊書くと飽きてしまう。中には一冊で飽きてしまうものもありまして、かならずしも作者自身が飽きるということだけではなくて、かなり念入りに設定したつもりでも、それが書けなくなる——つまり、その人物では扱えない事件が、どうしても出てくるわけです。それなら、シリーズ・キャラクターを創らなければ、どんな作品でも書けるということになるのでしょうけれども、シリーズ・キャラクターというものは、非常にプラクティカルにいって、本にしやすいということがあるわけです。それから作者も、シリーズ・キャラクターを発展させていくことによって、書き続けられるという利点がありますす。そのかわりタイプは決まってしまうわけなんですけれども。

ただ私の考えでは、推理小説とマンネリズムというものは、これはどうしようもなく密接な関係にあるものであって、むしろ、マンネリズムであることのおもしろさ、というところへ行かなければいけないのではないかと思っています。

この問題はたいへんむずかしい問題なので、いまはお預かりしておきますけれども、私は推理小説にはシリーズ・キャラクターが必要であろうと考えておりまます。

第5講　SFとファンタジイ

SFで直面した、ことばの問題

　ここでは、SFのことを少し、お話ししたいと思います。

　私は、編集者としては、現在のSFのめざましい発展にいくらか力を貸した人間なんです。というのは、敗戦後の日本で最初に成功した、翻訳SFのシリーズを創り出したということなんですけれども、それは現在も形を変えながら延々と続いている、「ハヤカワSFシリーズ」です。このシリーズは、私が企画を立てまして発足したのですけれども、それはまもなく、故福島正実君に委ねて、私はもとのミステリィに戻ったわけであります。まあ、道路の基礎工事を終えた段階で手を引いてしまったようなものです。「SFマガジン」が創刊された当初、いくつかSFを書きましたけれども、それきり、SFの創作という面からは、手を引いてしまったといってもいい状態です。ですから、現在の、新しいSFの姿というものには、あまり詳しくないことは、お断わりしておかなければいけません。

　私のSFの短篇というのは、非常に数が限られております。ただ、ショート・ショートの分野では、SF的素材を扱った作品をかなりたくさん書いていることは事実ですから、SFというのはどういうものか、ということぐらいのお話はできるはずなんですけれども、私がSFの創作から離れてしまった最大の理由は、「日本語」というものについて考えざるをえなかったためなのですね。

どんな未来のことを扱っても、読むのは現代の日本の読者であり、書くのは現代の日本の作家なのですから、日本語を使うのは当然でありますけれども、千年、二千年も未来の話を書いているときに、いくつかの矛盾を感じだしたのが、SFの創作から離れてしまった原因なんです。

純文学の故福永武彦さんが、船田学という筆名で、一作だけSFを書いております。福永さんは、ミステリイにたいへん興味を持っていて、加田伶太郎という筆名で、非常に優れたミステリイの短篇を書いておられます。そして、船田学という名前で一作だけSFを書こうとして、それを中絶してしまったわけなんですけれども、福永さんも、「日本語」ということに、たいへん気を遣っておられまして、未来の学者のひとりが、道楽として古い形の日本語を学んでいる。そして、他人に読まれたくない日記をその日本語で書いた、という設定で、そのSFを書いています。

私が途中でSFの創作から離れてしまったのは、福永さんが感じたのと同じ疑問にぶつかったためというか、福永さんの影響だったのだろうと思います。

まず最初に、日本の作家が書くのに、外国人ばかり出てくるということは書きにくい。近未来――そのころは、まだ近未来小説ということばはありませんでしたけれども――現在、あるいはごく近い未来を舞台にして、そこにファンタスティックな何かが起きるということですと、それほど問題はないのですけれども、たとえば銀河連邦というようなものができて、人類が壮大な宇宙に進出していってからの物語などということきに、日本の作家が書き、日本の読者に読ませるのですから、どうしても日本人を登場させたい。そのときに、まず、その日本人の名前をどう書き表すかということに随分悩みました。はたして、そんな時代まで漢字というものが残るだろうか、ことば、言語というものはどうなっているだろうか、というようなことが非常にひっかかる点になってきたわけです。その場合に、私にはそれほどの科学知識もなく、まして人類学的な素養もありませんので、的確なヴィジョンを未来についてもつということは、できないわけですけれども、ただ漢字が残るかどうかという点については、非常に疑問をもっております。そこで、これも、考えてみればごく単純な解決なんですけれども、日本人の名前を片仮名で書くということをまず最初にやりはじめたわけです。私がやりはじめてから、みなさんがそれをおやりになるようになって、やたらに片仮名の日本人の名前が氾濫してきた。そうしますと、本家である私は、それにもまた疑問をもつようになりました。

もうひとつは、日本語というのは、非常に健啖な国語でありまして、外来語をどんどん摂り入れていく。窓ガラス、ウィスキーグラス、ラジオ、エレベーター、エスカレーター――そういう日本語を、そのまま書き表していいのか、ということが非常に疑問になってきました。たとえば、遥かな未来の、銀河連邦のひとつの星の都市を描写するのに、「窓ガラス」ということばを使ってよいのだろうか。あるいは、「フォークとナイフを使って食事をする」、という書き方をしてよいのだろうか。エレベーターということばを使ってよいのだろうか。といって、他の呼び方はできないわけです。

そこでたいへんな壁にぶち当たりまして、結局ＳＦというのは、非常に楽天的な民族でなければ書けないのではなかろうかということを考えるようになりました。というのは、私がそういう悩みを抱いていた時期に、イギリスでニュー・ウェーヴという運動が起こりまして、アウター・スペース（宇宙）ではなく、インナー・スペース（人間の内面、心のこと）に目を向けるべきだということを主張しましたが、これはイギリスだから起こったのではないかという気がするんです。というのは、ＳＦのいちばん盛んな国はアメリカとソビエトといってもよいと思うのですけれども、この両国は、大国の楽天主義というものを、多かれ少なかれもっているからです。たとえば、千年先、二千年先でも、英語は万国共通語として残るのではなかろうか、ソビエトという国は残っていて、ロシア語も何らかの形で残るのではなかろうか――そういった、非常に素朴な楽天主義がないと、つまり、一万年先にはもう日本という国はないのではないかなどと考えたりしたら、ＳＦの未来小説を書くということができなくなってしまうのではないかという疑問がでてきたわけです。

さらにいいますと、私はヴィジュアルな作家で、ものを具体的に描写して小説を書いているわけです。そういうときに、ＳＦは根本的にイマジネーションの文学でありますから、読者の誰もが知らない世界、見たこともない世界を、読者の前に展開してみせることになる。それが、ＳＦがもっとも自由な文学形式として、これからも生き延びていく最大の理由ではないかと思うんですけれども、まだ読者の誰もが見たこともない、想像もできないような都市の形式、人間の生活習慣、そういうものを描写していくときに、その形態などを喩えるのに、現在の日本にあるものをもってくる、あるいは、「ハンカチくらいの大きさで」とか、「ポスト・カードくらいの空間があって」とかいう書き方がよいのだろうか。これはもう悩みだしたらきりがないことで、そういうところを合理的に解決しようとしたら、ＳＦというものはおそらく書けなくなると思いますけれども、私自身は、幸いにして、ミステリイという性に合っている形式があったので、何もそういう悩みを真剣に解決してＳＦを書き続けていく必要が、その当時はあまりなかったものですから、ＳＦから遠ざかってしまったのです。

　早川書房が企画した、書き下ろしのＳＦ小説のシリーズに私はスペース・オペラを書くという約束をしまして、『地球強奪計画』という題名まで発表して、結局実行しなかったことがあるのですが、その時期が私のいちばん悩んでいた時期でありました。私のように科学知識の乏しい人間がＳＦを書けるとすれば、スペース・オペラか、あるいはファンタスティックなヒロイック・ファンタジイかであろう——そこまでは、はっきり考えがまとまっていたわけです。で、そのスペース・オペラをたくさん読みまして、そのときに感じたのが、先ほどいった大国の楽天主義というものであったわけです。

　エドガー・ライス・バロウズ（Edgar Rice Burroughs）の『火星シリーズ』などは、現在の人間が火星へ、一種の夢の中のテレポーテーション（一瞬のうちに物体が遠方に移動すること）のような形で運ばれていって大冒険をするというもので、技法的にそれほど問題はないのですけれども、それをそのまま踏襲するという気も起こりません。やはり華麗な未来像を創り上げて、それが科学的にはでたらめでも、できるだけありそうに、目に見えるように書いていって、大冒険を繰り広げたいと思っていたものですから、まず人名のつけ方などからたちまち書けなくなってしまって、壁にぶち当たって、それきり私はＳＦの前から敗退してしまったわけです。

　その後、十年くらいの間をおきまして、私は、そういう問題を一応頭の中で棚上げして、純粋のファンタスティックなヒロイック・ファンタジイ『翔び去りしものの伝説』（一九七九）を書いてみました。それはもう、まったくのお伽話の世界を、心の中にまだ子どもっぽい心を残している大人たちのために、楽しくおもしろい小説を読んでもらおうということで書いていったわけであります。そのときにも、いちばん悩んだのは、私の頭の中で見えている世界を、いかに読者に伝えるかということでありました。ファンタジイの根本というのは、空想力のおもしろさですけれども、それは決して非現実のものであってはいけない。そういう空想力によって生み出された世界がきわめて現実的に描写されていなければ、それはもう他愛のないお伽話にすぎないということを考えまして、できるだけリアリスティックに書こうとしたわけです。

よく、日本の小説の批評などでは、リアリティ〔reality〕とアクチュアリティ〔actuality〕というものが混同されております。アクチュアリティとリアリティとは根本的に違うんですね。ＳＦに必要なのはリアリティであって、現実味ということ、そのへんのところで割り切ってよいと思います。視覚型の作家なら、その作家が頭に思い描いた未知の世界を、読者の目の前に、ことばによって描写してみせるということだろうと思います。

私は、ごく不器用な視覚型の作家で、何から何までことばによって絵に描いてみせなければ気がすまないところがあるので、このファンタジイを書くのは、ストーリイを考える以上に、描写の点で苦労いたしまして、こんな苦労をするくらいなら現代を描いていたほうがましだ、というようなことを、しばしば考えました。ところが、現代の読者は、コミュニケーション・システムの非常な発達によって、どんな地方に住んでいる方でも、たとえば「銀座」ということばから、あるイマジネーションをもつことができる。現実に銀座の街頭に立ったことはなくても、テレビの画面、映画のスクリーンを通じて、あるイメージをもっている。そのイメージを利用して、銀座とか新宿、六本木や原宿といった街を、現代の小説では気軽に書くことができるわけです。

私はしばしば、本格推理小説や冒険小説の中に、架空の都市をつくりますけれども、それも、隣接した現実の都市のイメージを援用することによって、それほど苦労なく、ヴィジュアルに描くことができます。ところが、ファンタスティックな冒険小説になりますと、これは、まったくそういうことができない。そういう場合に、「銀座のような繁華街であった」というのは、これはもう、自分が作家であることを放棄したとしても書けることばではありません。同時に、先ほどいったように、エレベーターとかエスカレーターということばを気軽に使ってよいのか、ということも書いているうちに問題になってきまして、SF的なものは、現在、読み切り連載のシリーズを一本しか書いていない現状です。

さらにいうなら、日本語というのは、合成語を作ったりするのに、実に不便な——というか、イマジネーションのおもしろさが発揮できない——国語であろうと思います。ロシア語はわかりませんけれども、英語などは、少しひねっただけで読者にあるイメージを喚起できるような、しかも耳にも快い、目にもきれいに映ることばを創ることができます。けれども日本語では、たとえばごく初期のSFの翻訳で、タイム・マシンを「時間旅行機」としていたことがありますが、このことばなどは、実に古めかしく聞こえるわけですね。現在は、タイム・マシンということばが、SFの読者の間に定着しておりますから、平気で片仮名で書いてしまいますけれども。それを、自分が考えだした、読者にとってまったく未知な機械に日本語で名前を与えるということになりますと、これはもう、みんな野暮ったくなってしまうのです。

これは、日本語というより、漢字というものの宿命だろうと思います。それをどう解決していくかということは、おそらく読者はそれほど気にしていないだろうと思いますけれども、本来、作家が、そういうところに疑問を感じるのでなければ、日本におけるSFというものが、より進歩するということにはならないだろうと思います。ことに、ファンタスティックなストーリィが、もっと進歩して、大人の鑑賞に耐えるものにはならないだろうと思います。

小説というのは、ことばによって書かれるもので、ことばというものを、もっと真剣に考えなければならない。ただ、それについての答えは、現在の私にはまだありません。いい加減なところで妥協して書いているわけです。しかし、まあ何といっても、そういうことはごく単純に反駁できるので、SFというものは現代の読者に読ませるのだから、何もそんなに未来に日本語がどうなるか、漢字がどうなるかなんてことを考えなくてもいいではないか、という反論は当然出てくるわけです。それで書ける方は、それで書けばよいのです。

ＳＦというのは、ファンタジイであれ、ハードＳＦであれ、結局は、小説としてのストーリイのおもしろさということに尽きるわけですから、それはそれでもよいのですけれども、しかし、どうも、ことばの問題というものを、一応じっくりと考えてみないと、ＳＦの世界で、ものごとを画然と描写することはできないのではないか、そういう気がいたします。

また、ファンタスティックなストーリイというものをヴィジュアルに描こうとするときに、私なんかがいつも思うのは、これはもうどうやったって映画には敵わないということであります。

私は今、映画というのは、「絵が動く」といういちばん最初の驚きから、それが「声をもった」という第二段階の驚き、そして、それに「色彩が着いた」という第三段階の驚きについで、第四段階の大きな発展の時期にあるのではないかと考えております。つまり「どんなものでも動く絵にしてしまえる」ということです。いかにリアリスティックに描写しようと苦労してみても、現実に、つくりものの人形が生きているかのように動くという映画の力には、どうやったって敵わないわけです。

それを最初に感じたのは、ジョージ・ルーカス（George Lucus）の『スター・ウォーズ（Star Wars）』を観たときですけれども、その後、『スーパーマン（Superman）』、『スター・ウォーズ／帝国の逆襲』、それから『スーパーマンⅡ』を観て、視覚型の作家がファンタスティック・ノヴェルを書くのが、いよいよむずかしい時代になったのではないかなという気がいたしました。

いまや、映画のスペシャル・イフェクト（ＳＦＸとも呼ばれています）というものは、たいへんな進歩を遂げました——ただ幸いというか不幸というか、特殊撮影には莫大なお金がかかるようですから、そういうものがあとからあとから出てくるということにはなっていませんけれども、それでも、ひと昔前の映画に比べたら、どんな映画にも、特殊撮影のすばらしさが入り込んできているわけです。そういうものに立ち向かえるだけのことばを、われわれは持っているだろうか、ということを私はいつも疑問に感じているのです。だからこそ、いっそう、ことばの問題というのを真剣に解決してSFを書かなければいけないというふうに私自身は考えております。

　これは、私が小説において、常に技巧ということを第一に考えているせいでありまして、ただおもしろいストーリィが展開すればよいというので、半分以上読者のイマジネーションにおぶさって小説を書いていこうというのならば、これはもう、何も問題にならなくなるだろうと思います。しかし、小説というのは、一人の作家が隅から隅まで支配しなければいけないものだろうと、私は考えているものですから、なおさら問題はむずかしくなってくるわけです。

　たとえば、映画を例にしてお話ししますと、ジョージ・ルーカスは「スター・ウォーズ」の中で、レーザー・ソード（ライト・サーベル）という武器を、主人公たちに使わせています。そこで行われることは、古風な、昔からのフェンシングのような活劇なのですけれども、ただ、その剣戟場面の型をつける人——日本では殺陣師（たてし）、向こうでは振り付け師——が、『スター・ウォーズ』の場合には、西洋流の剣の扱い方の中に、少し日本風の動きを採り入れてやっておりました。その剣というのは、剣の柄から、レーザー光線がある長さに煌いて、それが振り回すたびに光を変え、音響を発して交差するわけです。

　かりに、小説家が、そういうレーザー・ソードというものを考えたとしますと、あれだけのイメージを、はっきり読者に伝えることができるだろうか——これはもう、はなはだ疑問であります。ことに、日本の作家がそれを考え出したとすると、これをいったいどう書くでしょう。レーザー・ソードというのは英語であります。『スター・ウォーズ』は、遠い遠い昔、はるか彼方の銀河を舞台にして、いろんな星に人間がいた時代——“A long time ago, in a galaxy far far away”——ということになっておりますから、未来とはいえないと思いますけれども、とにかく現実にないものであります。現実にないものを、日本の作家が、レーザー・ソードということばを作って、書いてよいのだろうか。

　では、日本語にしたら何となるか——光線剣とか何か、一所懸命考えても、実に野暮ったくて古めかしい感じしか、与えることができません。もちろん、何もレーザー・ソードというものを発明しなくたって、ヒロイック・ファンタジイは書けるわけですけれども、かりに、そういうものを考えたときに、疑問を感じないかということです。

ともかく、『スター・ウォーズ』では、このレーザー・ソードというものが、すばらしい効果を上げているわけで、小説のほうでも、SFないしファンタジイの、冒険小説的な部分では、そういう小道具、大道具や、非常に特殊な人間、宇宙人などが効果を上げるわけでありまして、それをどう描写するか、どう名前をつけるか——これは真剣に考えだすと、たいへんな問題になるわけです。そして、真剣に考えれば考えるほど、そこから一歩も出られなくなってしまう。ですから、それをどこで打ち切るか、自分の中でどう納得するかということを、それぞれの作家がしているのだろうと、私は思っています。

書きにくくなる時代伝奇小説

おそらく、日本においては、日本の作家がスペース・オペラを書くということは、日本の大衆小説の一ジャンルである時代伝奇小説を書くのと、ほぼ同じ書き方がなされているのだろうと思います。

時代伝奇小説というのは、日本に大衆文学ということばがはじまった、ごく最初のころから、ひとつのジャンルとしてありまして、白井喬二などが盛んに書いて、それを、国枝史郎、角田喜久雄といった先輩たちが引き継いでいるわけです。また、現在では、半村良や私などが、そういうジャンルを引き継いでいるわけでありますけれども、その時代伝奇小説というものも、次第に書きにくくなっています。

これは、ちょうど、私なぞがスペース・オペラを書くときに感じるのと同じむずかしさが出てきているわけですね。時代伝奇小説がなぜ書かれるかというと、過去の世界のアクチュアリティを一応無視して、一応のリアリティを備えていればそれでいいということで、奔放な想像力を駆使して、さまざまな不思議な世界を描いていく。たとえ舞台が江戸末期であっても、現実の江戸人の生活からは考えられないような壮大な話を描いていく。これは、もちろん現代の冒険小説でも、一般の人が体験しえないような冒険を主人公にさせるわけですから、根本的には同じなんでありますけれども、それが過去の世界であるということで、より作者が自由に書けるという、利点があるわけです。ところが、一方において、だんだん過去に対する知識というものが読者から失われていって、非常に細かいことをどこまで説明しなければいけないのか、あるいは説明しなくてもいいのか、というような問題がでてくるわけであります。

ごく卑近な例でいえば、寝るときに使う枕にも、江戸時代でいえば坊主枕、箱枕という区別があって、それを区別して描写するわけです。そのときに、そのひと言にひっかかる読者があるのではないか。坊主枕、箱枕というものを知っていればいいわけです。しかし、どこまで知っているか。知らない読者が、知らないなりに読み飛ばしてくれれば、それはそれでいいわけですけれども、その坊主枕ということばにひっかかったために、そこから先へ進めなくなってしまう、あるいはわからないことばばかり出てくるから、読むのはやめようということになってしまう——これも問題で、これはあまりにも神経質にすぎるいい方かもしれませんけれども、それでも、自分の書くものを具体的に読者に知ってもらいたいということになると、わからないものをわからないままで提出していいかということになってきます。もちろん、わからなくてよい場合には読者のほとんどがわからなくても平気で書いてしまえるわけですが、それが重要な役目をする小道具であったりする場合には、問題があるわけです。

たとえば、怪奇的な時代小説を書いていて、夜、寝ている人間が掛けている小掻巻（こかいまき）が、その人間の首を絞めようとする、というような場面を描くとします。すると、掻巻ということばを読者は知っているだろうかという心配がでてくる。私、少し調べたのですけれども、まず東京では、掻巻というものをふとん屋さんでも売っていないんじゃないかと思います。地方へ行くと、まだ売っております。要するに、どてらの厚いようなものでありまして、掛ぶとんに使う袖のついた形のものです。その小振りのものを小掻巻と呼んだわけですけれども、袖がついているわけですから、その袖の部分が動いて、寝ている人間の首を絞めようとするということは、掻巻というものを知っている人にとっては、ある怖ろしさを感じることができるわけです。しかし、掻巻というものに袖がついているということを知らない読者には、ふつうの四角い掛ぶとんが、寝ている人間の首をどんな格好で絞めるのかわからないでしょう。おそらく真剣に考えた読者は、そこで気になって先へ読み進むことができなくなるのではないかと思います。

掻巻ということばは、字引をひけば簡単にわかるわけですから字引をひいてくれればいい。けれども、いまの読者のほとんどが、ごく気軽に時間つぶしに、三時間くらいで小説を読もうという態度でいるわけですから、わからないことばがでてきたら、字引をひくなんてことは、まずないに違いない。そうすると、その掻巻ということばをどこで説明するか——怪奇現象が起こる直前で説明したのでは、これは凄味を失ってしまう。袖がついているなどということを書けば、当然その形が重大な意味をもっているに違いないと、読者が予想をもつわけですから、あまり直前に形態を描写するわけにはいかない。といって、あまり前のほうで描写したのでは、何のためにそんな描写があるのか、わけがわからないだろうし、やはり明敏な読者は、これが伏線だと気がつくだろう。で、そういうことを気づかせないように、離れたところで描写したのでは、読者が忘れてしまうおそれがある。

そういうようなことがあって、時代伝奇小説というのも、だんだん書きにくくなりつつあると、私は思っております。

これはまあ、日本語からヴォキャブラリイがだんだん減っていくという、日本語の混乱期にあるために起こる現象であろうと思います。しかし、いかに勇敢に、スペース・オペラの中に現代の事物を盛り込んで、平気で書いている人も、もしその人が時代物を書いていて、あるものを説明するのに英語を使う勇気はなかろうと思います。たとえば、忍者の行動などを説明していて、自動的に動いていく梯子を作者が発明したとします。それを、「エスカレーターのような動き方をする梯子を忍者がのぼっていく」というような説明は、どんなに無神経な作家でもできないだろうと思います。

私には、ひとつの便法として、時代物の中のわかりにくいところには、平気で外来語を持ち込むという手法を試みた例がありますけれども、そのときには、外来語を片仮名で書くのではなくて、それに音が完全に似通っていて、かつ字面にもある意味があるというような当て字を使って、それを一種のギャグとしての効果も考えながら用いたわけです。その手法は、『なめくじ長屋捕物さわぎ』という、非常に古典的な本格推理小説の捕物帳を書くときに用いましたので、その後いろんな方が、いろんな場合に真似をされているようですけれども、当人のほうは、だんだんその方法に飽きてきてというか、あまり効果が上がらなくなってしまったので、使うことがたいへん少なくなってきています。

空想の楽しみと苦しみ

しかし、SF、ヒロイック・ファンタジイ、イマジナティヴ・フィクションの分野というのは、作者にとって実に楽しいものです。完全な自由が作者に与えられている。しかし、この、完全な自由が与えられているということが、逆に、非常な苦しみになる場合があって、自分がひとつの完全な小説世界を、責任をもって創り上げなければいけないわけです。空想力の上に、さらに傑出した空想力を積み重ねていかなければいけないわけですから、ヒロイック・ファンタジイをほぼ一年あまり雑誌に連載したときも、次から次へと、摩訶不思議な事件を展開させていくのに、しまいにはくたびれ果ててしまった経験があります。

人間の空想力は無限ではないわけですね。自分が子どものときに観た映画とか、読んだ物語などに支配されていて、そこからあまりに大きく脱け出すことはできない。それの繰り返しになってしまいかねない。それまでに自分はもちろん、他の作家も書いていないのではないかというような、非常に奇抜な現象、奇抜な世界を、あとからあとから考え出さなければいけないわけですから……。

これは時代伝奇小説も同じでありまして、まだ誰も読んだこともない物語を創り上げなければというのが、作者の心構えの第一になるわけです。しかし、誰も書いたことがないような、つまりサンプルのないようなものを創るということぐらい、むずかしいことはないわけです。

ただ、その一方で、人間の考えることというのは、限度がありまして、「日の下に新しきものなし」ということばがあるくらいですから、絶対に誰も書いたことがないという確認をとってから書く、というほどの大げさな心構えでなくてもよいわけですけれども、陳腐な空想の羅列になってはいけないということを、まず第一に自分の心に課しますと、それはやがて、たいへんな苦しみになってくるわけです。しかし、その苦しみを通過してしまえば、楽しみになってくるわけですね。ただ、やはり、時代伝奇小説とか、ヒロイック・ファンタジイというものは、非常に心が昂揚している時期でないと、私の場合は書けません。心が沈潜して、人間の生き方などを真剣に考えているときなどには、そういう摩訶不思議な世界というのは、なかなか書けないわけです。この前、そういう摩訶不思議な出来事が次から次へと起こるというようなヒロイック・ファンタジイと時代伝奇小説を書いたのは、今から五、六年前でありまして、そのふたつを書いた後は、自分の想像力に自分が振り回されて、疲れ果てたような感じがありまして、最近までしばらくそういうものを書かないでおりました。最近、また、心が昂ってきている状態なので、書きはじめました。やはり、こういうものを、あとからあとから書くということは、長い間小説を書き続けてきた人間にとっても、かなりむずかしいことなのだろうと思います。

それと、そういう形式のものは、短篇に書くのがむずかしいわけです。時代伝奇小説の成功したものは、ほとんどが長篇、しかも、かなりの大長篇であります。短篇で書きますと、結局は、気のきいた怪奇小説にならざるを得ない。あるいは、一種の時代ミステリイにならざるを得ない。やはり長篇の世界だろうと思うのですけれども、これをどういう形式で書くかということにも問題がありまして、おそらく理想的な形式は書き下ろし長篇——一気に長篇に書くのがいちばんよいだろうと思います。というのは、雑誌に分載するような場合には、一回五十枚なら五十枚の中に、小さな山がふたつくらいあって、大きな山にのぼりかけたところで、以下次号。そういう技巧を使いたくなるわけですけれども、それを後に一冊の単行本にしてみますと、もうあとからあとから、めまぐるしく事件が起こるわけです。そういうめまぐるしさ、アレヨアレヨという趣は、それなりに読者を魅きつけるわけですけれども、本来ならば、じわじわと奇妙な世界が描写されて、サスペンスが盛り上がっていくというのが、いちばんよいだろうと思います。

それに、長篇小説というものは、一種の力仕事でありまして、私は、これから小説を書きだそうという人には、あるいは無駄になるかもしれないけれども、できるだけ早い時期に長篇小説を書いてみることを、常に勧めております。長篇小説というのは、現在は長篇小説を対象とした幾つかのミステリイの賞がありますので、そういうものに応募すればいいわけですけれども、そうでない場合、長篇小説は短篇にくらべて、読んでもらうのがなかなか骨が折れるので、つい短篇だけで修業するということになってしまうのでしょうけれど、短篇の書き方と長篇の書き方には、はっきりした違いがありまして、短篇の場合は事件が主になって、人間が従になっても構わないのですけれども、長篇小説の場合は、事件と同時に、そのキャラクターも書き込んでいかなければならない。何人かの人物と、作者は、ある一定期間生活するわけです。そして、長篇小説をひとつ書くと、大きな事件を押し動かした——そういう充実感というものが味わえまして、これは、小説を書く者にとって、何にも代えがたい大きな喜びなのです。はっきり大きな仕事をしたという喜び。非常に綺麗な、珠玉の短篇といわれるようなものを書くのと、長篇一本を書くのと、それはどちらも同じ作家の仕事としては立派なものですけれども、自分のイマジネーションを存分に働かしたという満足感と同時に、非常に大きな力仕事をしたという充実感が残りますので、長篇を書くということは、若い作者にとっても、大きな自信になるだろうと思います。

第6講　作家への条件

必要な、デッサンの練習

ここでは、実際に小説を書く場合の勉強方法として、私が実行してみたことのある方法を、少しお話ししてみたいと思います。私の場合は、小説を物語として書いていくのではなくて、描写しながら書いていくという方法を常に採っております。つまり、ストーリィを説明するのではなく描写する、ということなんですけれども、では、描写と説明とはどう違うかということを抽象的にいおうとしますと、これは至難のわざでありまして、具体例がなければ、あるいは具体例があっても、説明しにくいものです。そこで、この問題はお預けにしまして、私がどうやって描写の方法を学んだかというようなことを、お話ししてみようと思うわけです。

ストーリィを描写していくというのは、つまり、絵描きが具象画を描いていくようなものだといっていいと思います。そこで、私は、目の前にある灰皿、グラスを、それを見たことのない人に、ことばで伝えるという練習――これは、絵の勉強におけるデッサンにあたると思うのですけれども――を、一時期盛んにやってみたことがあります。けれども、実際に物の形を線や陰影で捉えるのと違って、ことばで捉えるということは、たいへんむずかしいことであります。小さな灰皿を描写したつもりなのに、それをほかの人に読ませてみると、しばしば、私がことばで描写したものより大きく受け取られたり、小さく受け取られたりで、思った通りの形を伝えるということは、ほぼ不可能に近いような気がします。けれども、それをできるだけやってみるということは、勉強になるのではないかと思っております。

目の前にひとつのグラスがある。そのガラスの厚さがどのくらいで、どの程度の透明さがあるか、それからどんな形であるかをはっきり読者に伝えなければいけない。しかも、それを小説の中で描写する場合に、無制限の長さというものはありえません。ごく簡単なことばで、いちばんことば数少なく、そのものの形状・特質を具体的に読者に伝える。そういう訓練をしてみるわけです。

この訓練の結果たるや、実に惨憺たる時期がありました。私が非常に美しいと思って書いたものが、読者には醜く受け取られる。それから、これはいまでも絶えず感じることなんですけれども、私はいま、婦人雑誌に、男が身につける物を取り上げて、エッセーを書いておりまして、たとえば非常に風変わりなベルトがある――それをことばで何とか伝えようと思う。うまくいくことが、まずめったにないんです。ベルトには、バックルに針状のものがついていてベルトの皮に穴があいているものと、ベルトには穴がなくて、バックルの裏に歯のごときものがあって、それが皮を締めるものと、二種あります。これを説明するのに、適当なことばがないわけです。専門用語があるかもしれませんが、それは用語を知らない者にはわからない。

たとえば、部屋の中の棚のことを書いたときに、床の間の違い棚なんてものは、まずたいがいの人がイメージを持っていますけれども、現代の日本の大都会の家屋のように、だんだん床の間なんてなくなって、違い棚なんて見たことがない若い人が増えてくると、「違い棚」ということばから、いったい何を連想するか――これは、作者にとっては、きわめて不安であります。

壁の隅、ふたつの壁がぶつかるところが角になりますが、そこに三角形の棚がついていることがあります。この三角形の棚を、専門用語で鮟棚というんだそうですけれども、このことばが非常におもしろいんで、鮟棚ということばを使って、その棚がどういう棚かを説明すると、ふたつの壁の合致する点が三角になる、といういい方で、ほぼわかるんですけれども、その鮟棚が、下に脚があって壁にとめられているか、ただ板だけが壁の一部分の突起を利用して載せられているだけか、そういうところまで説明するとなると、これはもう、だんだんわかりにくくなるばかりであります。物の形状を、決定的にかつ具体的に描写するということは、日本語ではほぼ不可能と考えたほうがいい。すると、それを感覚的に捉えて描写するということになるわけでありますけれども、その具体性と、感覚で捉えた部分のバランスがうまく取れないと、正確なイメージというものを読者に伝えることができないものです。たいがいの場合、その部屋にどんな棚があるかなんてことは、めったに重要な役目はしないんですけれども、推理小説においては、そういうことが、ときおり非常に重要な役目をすることがあります。つまり、その棚に置かれたものが、のちに重要な役目をするというようなときに、その棚の形状がどうであるかというようなことによって、それが置かれた状況が決まってくるわけですから、それが事件とかかわりがあったりすると、読者の頭の中に、ハッキリしたイメージを創っておかなければいけない。といって、そこを全体とはアンバランスに長々と説明すると、推理小説に慣れた読者は、ああここが伏線で、事件の解決にかかわってくるな、ということがすぐわかる。映画でいえば、突然ある部分が大写しになる——それがかならず意味をもってくるに違いないということは、すぐわかるわけです。何の意味もないところを大写しにして、後で何の説明もなしにほったらかしておけば、それは画面の扱い方がへただ、ということになってくるわけです。事実、推理小説を読んでおりまして、バランスを破って精細な描写がしてあるために、その小説のトリックがすべて見当がついてしまって、索漠とした思いをするということが、しばしばあります。したがって、そういうところでも的確に描写しておかなければいけない。これは、不断の訓練ということに頼るしかないわけです。

第一条件は記憶力と自信

その訓練のひとつとして、きのう友人と会った——そのようすを読者を意識した日記を書くように書いてみるという方法をとってみたこともあります。現実通りに、また、現実を少し変えて、もし私がこういっていたら、というヴァリエーションを作って、いくつか書いてみる。そして、それを第三者に読ませて、どれがいちばん現実味をもっているかということを、実験してみたこともあります。ところが、いざそれを書こうとすると、そういうものを実にうかつに見、うかつに聞いているかということがわかる。たとえば、女房と昨夜口喧嘩をした。そのきっかけもささいなことのことば咎めからだったとします。そうすると、そのときの、どのことばの、どういう抑揚が相手を刺激したのかということが、しばしば思い出せない。そういうことを、よく見、よく聞くということ、それを覚えるということが、小説家の最大の武器といわれるヴォキャブラリィを増やすということより、小説家になるための第一条件ではないかと思います。

かりに、夫婦喧嘩の話を続けるとするならば、そのときの気候、部屋の明るさなどがどちらかに影響したのではないか、ということもありうるわけなので、そのときの明るさ、外でしていた物音などというものを、一所懸命思い出そうとする。そうすると、まず思い出せないですね。幸いなことに、作者は、小説を書く場合に、それらを創っていくことができるわけです。けれども、まったく何の基礎もないところへ、想像だけで表すことはできないわけでありまして、たとえば、曇っていた日に不愉快な思いをしたのは、こういうことをいわれたからである。もしこれが明るい日だったら、どうだろうか。そういうことがあったとします。明るい日に明るい口調でいわれたときには、ちっとも腹が立たなかったのに、昨夜は腹が立った――そういう経験が、小説の上で具体的に描写を決定していく助けになるわけです。ですから、たとえば昨夜のことを思い出して、それを読者を意識した日記として小説風に書いてみるというとき、どんどん創作を交えていいのだけれど、そこに説得力がなければならない。つまるところは、ことばのもつ説得力ということになるわけですけれども、その説得力を裏づけるのは経験からくる自信ということになるだろうと思います。そうなりますと、小説家の第一条件というのは、物事をよく知っているということ、つまり記憶力と自信ということになってしまうかもしれません。けれども私は、近ごろでは、そのふたつこそもっとも必要なのではないかという気がしています。ただ、この自信をもつということがたいへんなことでありまして、完全に自分が天才だなどと思ってしまったら行き止まりだといわれます。けれども、自分が鈍才だと思ってしまっても、小説は書けません。適度の自信をもつというのが、いちばんいいわけです。これが非常にむずかしいことでありまして、やはり、たくさん読み、たくさん書いているうちに、これだけのものは自分に書けるというような作者の守備範囲というものが自然に決まってくる。しかし、その守備範囲の中だけでやっているのでは、やがてはマンネリズムが訪れる。だから、絶えず守備範囲を広げていく努力が必要になってくるわけです。

読書と体験

　さて、昨日、友だちと喫茶店で会って、何かの話をした。そのときに、その友人がなかなか現れないので、私はイライラしていた。そのイライラしていた理由というのが、ただ単に友人が現れないということだけだったのか。その喫茶店の場所、造り、天候、内部から見える外の風景、それから、そばにどういう客がいたか、そのとき私自身が忙しい仕事を控えていたのか、あるいは、その晩何の予定もなかったのか——そういうことによって、人間の気持というのは、すべて変わってくるわけです。そういう条件を具体的に捉えて書いていくということが、人物の心の動きを描写していくことにつながるのだろうと思います。

　小説を書くということは、つきつめていけば、生きるということになります。もちろん、何の職業でも、精いっぱいに生きてみるということが必要なのですけれども、小説家の場合は、ただ単に、ひとつの職業だけを描くわけにはいかない。男の作家がホステスの生活を描くこともある。街角の煙草屋さんの生活を描くこともある。幸いにして、短篇の推理小説の場合は、登場人物の生活というものが、あまり密に事件そのものにかかわってこない場合もありますので、それほど多くの人生を生きる必要がないわけですけれども、長篇を主にして書くということになると、さまざまな人生を体験しなければならない。けれども、ひとりの人間が、それほどさまざまな人生を体験できるわけがないので、これは、たくさんの小説を読み、たくさんの人間に会って、それからの類推で書くわけです。ことに、体験がなければ書けないということであれば、人を殺してみなければ殺人の出てくる小説は書けないわけで、そういうところを補うためには、殺人犯に会って、その気持を聞いた人の話を聞くということにもなります。

　たとえば、殺意なんてものは、類推によってアプローチできることがあります。たとえば、相手を殺したいくらい憎むということは、誰の人生にも一度や二度は起こりうるといってもいいでしょう。けれども、そこでわからないのは、殺してしまったあとの気持というものです。こういうものを体験するには、実際の殺人犯の話を読むとか、聞くとかする。あるいは、それに類推しうる体験、たとえばたいへんな失敗をやってしまったときの心の動きというようなものを克明に感じ、そういう心の動きを覚えておくということなので、たくさんの本を読むか、たくさんの体験をするということがやはり必要になります。どちらもいやだということになれば、これはもう、小説を書くのは諦めたほうがいい。ですから、ただ単におもしろい話を書くというエンタテインメントの作家でも、なかなか複雑な内面生活を送っているのでありまして、これには、周りの人間の理解というものも必要になってくるわけです。

長篇小説への取り組み

小説というのは、ただ机の前に座っていればできてくるというものではありません。実際に職業作家になってしまうと、一日のうちの大半を机の前に座るということになりますので、それ以前にできるだけ多くのことを体験し、たくさんのものを読んでおく、ということが必要になるでしょう。そういうたくさんのことを経験することによって、想像力というものが発達していきます。その想像力だけを頼りに、自分の中にあるいろんな性格の断片をつなぎ合わせ、まったく自分の知らない人間を創造していく。そのためには、できるだけ早い時機に長篇小説を書いてみるということが、必要であろうと思います。私は、最初の長篇小説を、小説を書きはじめて六年目に書きました。これは、かなり遅いほうだといえるでしょう。それまでに書いた、いちばん長いものが、せいぜい百枚でした。私が書きはじめたころは、だんだん雑誌が厚くなりつつある時期でありましたけれども、いちばん最初は、ふつうに作者が依頼されて書く短篇小説の枚数というのは、二十五枚といったものでした。その時期から、私が書きはじめたわけです。戦争前から小説を書いていた作家が、雑誌の小説というのは五十枚であった、それを二十五枚で書かなければいけないんで、勉強し直さなけりゃならない、心構えを立て直さなければいけない、ということをいっていたのを聞いたことがあります。

私の場合、紙もなく、印刷機構もまだフル回転していなかった時期に小説を書きはじめたのは、あるいは幸せだったのかもしれないと、いまは思っております。

二十五枚からはじめて、三十枚、四十枚、五十枚の小説、そして百枚の作品を書くということになってきましたので、いまでも、ショート・ショートというごく短い形式を、自分の得意なジャンルのひとつに数えることができるわけです。しかし、六年目に書いた長篇小説——これは、ストーリィ本位の、読みはじめたらやめられないような小説を書いてくれといわれて書いたものでありますから、人間の心の動きというものを、小説を書くことによって体験できたわけではありませんけれども、六百枚近い時代小説の中を、動いていく人物と同化して、その中に自分を投入して、五、六十人の登場人物をとにかく自分が動かしたという経験は、でき不できはともかくとして、何か本当の仕事をしたという気がしたのを覚えています。ですから、できるだけ早い時機に長篇小説を書くということは、小説を勉強する上で必要だと思います。

役立った体験

私の最初の長篇小説の中で、思わぬことが役立ったのは、野武士の城が落城する場面がありまして、城が火をかけられて炎上するわけです。そのときに、昭和二十年の大空襲の記憶というものが非常に役に立ちまして、それ以来、今でも、私は火事場を書くのが、わりに巧い。ですから、小説家というものは、恐怖の経験、失敗の経験、不幸の経験さえ、すべてをお金に換えることができるという、たいへん恵まれた職業ではないかと思うのですけれども、そのためには自分自身の中で、それを整理して克明に記憶していく——そういう不断の心構えというものも、必要になってくるだろうと思います。

あとがき

単行本版(『都筑道夫の小説指南』)あとがき

満十六歳で、もの書きになろうとしたとき、私は師匠についた。正岡容(いるる)という、寄席芸に関する著作で、知られていた人だった。一幕ものの戯曲や掌篇小説、長篇小説の断片といった習作に、私は朱筆を入れてもらった。どうやら原稿が売れるようになってから、ふたり目の師匠を持った。推理作家の大坪砂男である。大坪さんには、生原稿は見てもらわなかった。けれども、しょっちゅうそばにいて、さまざまな話を聞いたことが、ずいぶん役に立っている。

ひとに教えられたからといって、小説が書けるものではない。だが、娯楽のための小説には、定石といえるようなものがあって、これは先輩に教わったほうが、手っとり早い。棄てぜりふの有効なつかいかたとか、風景描写のはさみかたとか、自然に会得するには、時間のかかることがあるのだ。そうしたことを、私はふたりの師匠から教わった。その後、海外推理小説の出版社で、仕事をすることになったとき、アメリカの大学に、小説の書きかたのゼミナールがあって、現役の作家が教えていることを知った。調べてみると、小人数の生徒に実際に小説を書かせて、教師がそれを一行、一行、アドヴァイスして直させる、という方法をとっているらしい。私が師匠にやってもらったことと、おなじなのだな、と思って、興味を持った。

それが頭にあったもので、数年前、日本ジャーナリスト専門学校というところから、文芸創作科で話をしてくれないか、と依頼されたときに、引きうける気になった。毎週一回、ふたクラスというスケジュールが、やがて時間的に無理になって、そこは辞退することにしたが、いまも月に二回、西武百貨店の池袋コミュニティ・カレッジで、「エンタテインメント作法入門」というお喋りを、つづけている。

この本は、そこで作家志望のひとたちに話したことを、一冊にまとめよう、という考えからスタートした。しかし、方針を立てて、話をしているわけではないから、教室で喋ったことを録音したところで、まとまりはつかないだろう。といって、新しく書いたのでは、私のくせで、斜にかまえてしまって、いつ出来あがるか、知れたものではない。生れてはじめての経験だが、口述で一冊の本をつくってみよう、ということになった。講談社ゼミナール選書編集室の藤田克彦さんが、そこでテープ・レコーダーをさげて、私のところに通ってくることになった。そうして出来あがった本だから、これは藤田さんの努力の結晶といっていい。私のいつもの字つかいと違うところも、直してはもらわないことにした。

最初にことわってあるように、娯楽のための小説の生命は、おもしろいストーリィだが、それを考えだす方法を、他人につたえることは出来ない。思いついたストーリィを、効果的に読者につたえる技術のはしばしを、私はこうやっているのだけれど、あなたがたの役には立たないかしら、とお話ししたのが、この本なのである。私が若いころ、正岡容や大坪砂男のそばにすわって、聞いたことが、のちに原稿を書いているときに思い出されて、聞いておいてよかった、と感じたように、みなさんの役に立ってくれればと願う。ただ正岡さんも、大坪さんも、座談の名手だった。私のお喋りが、楽しいものになっているかどうか……。

千九百八十二年八月、十三日の金曜日。

文庫版あとがき〔『都筑道夫のミステリイ指南』〕

この著作は最初、『都筑道夫の小説指南』という書名で、刊行された。そのときの後記が、収録されるはずだから、本書の成立ちについて、ここではくりかえさない。

かわりに、私の経験を書く。十代のすえに、ある小説家について、私は作家になる勉強をはじめた。住みこみで掃除、洗濯をしたわけではないが、師匠のおともをして歩いたり、使いはしりに出たりはした。敗戦直後で、電話はすくなく、郵便事情も悪かったから、都内の急ぎの用事は、手紙を持っていくのが、いちばんだったのだ。

週に一、二度、師匠のうちにいって、半日以上まつわりついていた。弟子は私ひとりではないのだから、いまでは許されないことだ。習作を持っていくと、やがて朱を入れて返してくれて、批評もくわしく聞かしてくれた。正直なところ、それは現在の私に、あまり役に立ってはいない。もともと師匠をまねた文章が、朱が入っていっそう、師匠の文体になってしまうからだった。

けれど、聞いた話は、役に立っている。大家に聞いた芸談や同輩作家の逸話、明治大正の風俗と言葉、むかし読んだ小説、読んだばかりの小説の感想、親しい俳優や芸人のこと——話好きで、座談のじょうずな師匠だった。むろん、それを全部おぼえているわけではないが、私の人間の見かた、考えかたに影響をおよぼしたし、読書範囲もひろがった。

生意気ざかりの私は、二年たらずで、師匠を怒らして、破門されてしまった。そのころには、つとめていた小出版社がつぶれて、その編集長が移った読物雑誌を、手つだいはじめていた。それまでのように、編集員として、給料をもらうのではなく、毎月なにか書かしてもらう、そのかわり、ときには原稿とりを手つだったりする、という形式だった。小説だけでなく、雑文から講談のリライトまで、なんでも書いた。

間もなく、ほかの読物雑誌からも、小説をたのまれるようになって、原稿とりの手つだいはできなくなった。週刊誌の半分の大きさで、小判雑誌と呼ばれていた読物誌は、たくさんあった。いまの「小説現代」や「オール読物」の大きさの娯楽雑誌よりは、もちろん一段も二段も、低く見られていたが、そのころ全盛期をむかえていたのだ。

やがて、私はふたり目の師匠についた。そのひとのところには、週に一度ぐらい、同年輩の推理作家や翻訳家があつまった。サロンのごとき雰囲気だが、住宅事情の悪いころだから、午後早くから終電車まぎわまで、おもに喫茶店を梯子しての、移動談話会だった。

それに加われたことは、たいへんなプラスだった。

エンタテインメント・ストーリイについての私の考えかたは、この時期にかたまった、といっていい。それは、娯楽のための小説でも、なにを書くか、ということと同様に、あるいはそれ以上に、どう書くかが大事だ、という考えかただった。私はこれをのちに、ストーリイよりもスタイル、トリックよりもレトリック、それが現代の推理小説だ、といいあらわした。

この師匠とその友人たちのおかげで、それまで知らなかった作家や詩人の作品を読むことができたのも、ありがたかった。けれども、最初でこりたので、師匠の小説のまねはしなかった。というよりも、原稿を売りはじめたときに、ある方法をえらんでいて、それを変える必要のないことが、師匠の言葉でわかった、というべきだろうか。

当時の私は、戦前から愛読していた大佛次郎の文体を、さかんに模写していた。しかし、大佛次郎が書くような時代小説を、大佛次郎の文体模写で書いたところで、売れるはずがない。角田喜久雄の伝奇小説も、人気のあったころなので、私は角田喜久雄が書くような小説を、大佛次郎の文体模写で書いたのだった。私の文章には、いまでも大佛次郎の影響が残っている。

ふたり目の師匠は、文章を書くのに、ひどく神経質なひとだった。その影響をうけた上に、久生十蘭と岡本綺堂の文体も入ったから、現在の私の書きかたは、窮屈なものになっている。もっとのびのびしたい、と思わないではないが、方法を間違った、とは考えていない。

ずっとあとに、ラジオでだったか、テレビでだったか、新劇の滝沢修の話を聞いた。ある役を演ずるときに、まず考えるのは、どんな声をだすか、ということだ。どんな動きかたをするかを、次に考える。その場合、過去現在に知りあった人びとに、モデルをもとめることもある。いわば物真似だが、演技の基本は模写なのだ。だが、物真似にとどまっていては、演技にはならない、と滝沢修はいっていた。以上は正確な記録ではなく、私が要約したものだが、大意は違っていないはずである。大切なのが、最後の言葉であることは、いうまでもないだろう。

これを聞いて、私の方法も間違いではなかった、と改めて安心したものだった。私が四十代のころで、それは私がふたり目の師匠についたときの、師匠やその友人たちの年齢だった。気がつくと、世のなかは悪くなっていて、かつての師匠の年齢になった私には、週に一度、若いひとと話をしてすごす余裕は、時間的にも、経済的にもなかった。むろん世なみが悪くなっただけでなく、私の時間と金のつかいかたが拙いのだが、たまに若いひとから、生原稿が送られてきても、じゅうぶんな感想をそえて、送りかえす暇もない。

そうした時期に、エンタテインメント作法の講師をしてくれないか、という話があったので、私はひきうけることにした。師匠たちが無報酬でしてくれたことに、報酬をもらうのはうしろめたいが、時間をつくる自他への口実にはなる。昨今の日本のエンタテインメント・ストーリイは、とかく技術の軽視される傾きがあって、気がかりでもあった。

もちろん、技術だけで傑作は書けない。けれど、ある水準を保持して、次つぎに作品を書くことはできる。小説の書きかたは、それぞれが発見しなければ、身につかないものだけれど、横あいから声をかけて、刺激をあたえることはできるだろう。そういう考えで、いまも講師をつづけているのである。

話はもどるが、昭和二十年代のすえに、新聞社の週刊誌にくわえて、雑誌出版社も週刊誌をだしはじめた。ニュース性に娯楽性を加味したそれらが、駅の売店を占拠するにつれて、駅売りを主にしていた小判雑誌は、にわかに衰退した。私は翻訳出版社に一時避難をして、外国雑誌の日本語版の編集者になった。同時に翻訳シリーズのセレクターもひきうけて、おびただしい数の海外作品を読んだ。

新しい傾向の作家、作品を日本に紹介する仕事には、すばらしい興奮があった。おい、こんな作家が出てきたぞ、こんな作品があるぞ、と叫んでいるようなもので、自分の大声に酔えるところがあったのだ。推理小説がベストセラーのリストにのぼることなど、アガサ・クリスティー以外なかったころだ。いちいち読んで、選ばなければならない。それだけに、責任も興奮もあった。

これから小説を書こうとするひとたちに、こんな作品があるよ、こういう書きかたもあるんだ、この作品のうまいところはここだろうね、と話しかけることには、おなじような興奮がある。私の話から、なにかをつかんで、ジャーナリズムに出ていくひとがあれば、なおさらだ。私はけっきょく、自分のために、小説作法の講座をつづけているらしい。
　里見弴（とん）の『文章の話』、谷崎潤一郎の『文章読本』にはじまって、これまでにずいぶん私も文章作法、小説作法の本を読んだが、もちろん絶対のものはあるはずがない。本書も同様ではあるけれど、露店の口上めかしていえば、これまでのものとはアプローチを違えて、いわば近道案内、実用むきでお徳用になっております。

平成二年六月

都筑道夫

わが小説術

第1回　クリスティーの助言

敗戦直後に、「雄鶏通信」という雑誌があった。雑誌といっても、最初のうちは、全判の紙を折っただけで、切ってもないし、綴じてもないものだった。文芸、美術、演劇、映画、音楽の海外ニュースを紹介する雑誌で、詩人の春山行夫の編集だった。

情報源は占領軍のライブラリらしく、英米のものが主になっていた。その小図書館は、日本人啓蒙のために、アメリカが開設したもので、最初は日比谷の放送会館の一階、のちに有楽座のとなりに移ったが、新聞や雑誌もおいてあった。洋書の輸入のままならない当時にあって、そこは英米文化の唯一の公式窓口だった。公式ではない窓口は、神田の古書店や露店の古本屋で、アメリカ兵が読みすてていった雑誌、ペイパー・バックスを売っていた。

そういう時代だったから、英語に未熟な私には、「雄鶏通信」はありがたい雑誌だった。そのある号に、イギリスの推理作家、アガサ・クリスティーの談話記事がでていた。内容は、作家志望者へのアドヴァイスで、クリスティーはおよそ、次のようにいっている。

まずあなたの好きなジャンルの小説を、できるだけたくさんお読みなさい。そうするうちには、好きな作家ができるはずです。こんどは、その作家の作品を、できるだけたくさんお読みなさい。

次にはその作家のまねをして、なにか書いてごらんなさい。文体から、ストーリイの組立て、会話の調子まで、そっくりに書くのです。一作だけでなく、二作、三作、まねをして書いてみるのです。

作家になる才能が、あなたにあれば、そうやっているうちに、独自のものが出てくるはずです。模倣をしている、という意識がなくなったら、編集者のところに持ちこんで、読んでもらいなさい。

この文章を読んで、そんなものかな、と思った。私はその当時、大衆小説を書こうとしていた。しかし、なにを書いたらいいのか、どう書いたらいいのか、わからない。原稿用紙に書くものだ、ということぐらいは、知っていた。けれど、敗戦直後のことで、文房具屋へいっても、原稿用紙を売っていない。

売っているところもあったのだろうが、わが家の近くの店にはなかった。藁半紙は売っていたので、それに手紙を書いたり、むだ書きをしていた。熱心な人間なら、四百字の罫を、藁半紙に書きこむところだろう。そうしなかった私は、小説を書くつもりが、ほんとうはなかったのかも知れない。

小説の書きだしのようなものを、罫のない藁半紙に一、二枚、書いてみては棄て、書いてみては棄て、いっこうに進展しない状況のときに、「雄鶏通信」で、クリスティーの記事を読んだのだった。こんなことで、小説が書けるとしたら、楽でいい。

考えてみると、私は漠然と小説を書きたがっていただけで、その先を考えていなかったのである。どんな小説が書きたいのか、という点では、しぼれなかった。いわゆる純文学も、書きたかった。推理小説も、書きたかった。ただし、当時はまだ、探偵小説と呼ばれていた。古風なトリック中心の時代だったから、私にはとても工夫できそうもない。純文学は自分のなかに、どうしても他人に知ってもらいたいもの、世に訴えたいものがなければ、書いてはいけない、と思っていた。

いっぽうで、たくさん読んでいる作家はいた。大佛次郎である。鞍馬天狗はぜんぶ読んでいたし、『赤穂浪士』『照る日くもる日』『からす組』『逢魔の辻』などの時代小説も、読んでいた。『霧笛』『花火の街』『薔薇の騎士』などの明治ものも、『白い姉』『白い闇』『雪崩』などの現代小説も、『ドレフュス事件』『ブゥランジェ将軍の悲劇』などの実録小説も読んでいた。『日本の星之助』『海の男』『日本人オイン』などの児童小説も読んでいた。

近年、大佛次郎記念館の編んだ著作目録を見たら、読んでいない作品が、まだたくさんあるのにおどろいたけれど、当時は大佛次郎通をもって任じていた。はたち前後の私は、じつに貪欲に本を読み、芝居を見、映画を見ていた。まわりに読んでいるひとの多かったモーパッサンやジイド、ドストエフスキイやトルストイは読まなかったが、フローベールは『ブヴァールとペキュシェ』まで読んだし、アンリ・ド・レニエ、アルフォンス・ドーデ、日本作家では永井荷風、谷崎潤一郎、岡本綺堂、まったくの濫読だった。

作家志望の若いひとと話していて、いちばん感じるのは、読んだ小説の数がさほど多くないらしいことだ。毎日一冊、かならず小説を読む、といったことは、はたち代でなければできない。濫読のなかから、好きな作家ができる。私の場合は大佛次郎で、その真似なら、ば、できそうだった。

空に月がのぼったらしく、障子が明るい。窓の下に、打ちよせる波の音が、耳についた。梯子段をあがってくる足音を聞くと、肘まくらの頭をあげて、男は起きあがった。襖があくと、そちらを見もしないで――

そんな文体模写の断片を、私は書きちらしはじめた。

ゆうべの雪の残った道を、女は歩きにくそうに、足駄で急いできた。石段をのぼると、稲荷の社がある。鳥居の上にまでのびた松の枝には、もう雪は残っていない。

時代小説を、とくに書きたい、というわけではなかった。だが、大佛次郎の文体模写では、時代小説が書きやすかった。とはいっても、なかなかストーリイがまとまらず、二十枚、三十枚の小説にはまとまらなかった。当時の娯楽小説雑誌は、薄かったから、新人が採用してもらえそうな枚数は、二十枚か三十枚だった。印刷用紙が潤沢ではなかったから、厚い雑誌をだしたくても、出せなかったのである。

定職を持たずにはいられなくて、いわゆるカストリ雑誌の会社に、私はつとめた。ひとは読物に飢えていたから、どんな雑誌でも売れた。しかし、長つづきはしなかった。ぱっと酔って、ぱっと醒める安いカストリ焼酎のような雑誌が、やたらに創刊されて、やたらにつぶれた。私がつとめた雑誌社も、一年かそこらで傾いて、編集長はべつの読物雑誌に移った。

請負編集といって、一冊いくらで引きうけて、そのなかから稿料、画料をはらう。残った金が、編集者の収入になる、というシステムだったらしい。そのひとから、ある日、一冊の講談雑誌をわたされて、なかの一篇を三十枚に書きなおしてくれないか、とたのまれた。私のつとめさきは、来月つぶれるか、再来月つぶれるか、というときだったから、気軽にリライトして、三十枚の読みきり講談をでっちあげた。

原稿料はたしか、一枚百円だったと思う。ちゃんと雑誌にのって、次の仕事もたのまれた。それが二本になり、三本になって、やがて古い講談速記を一冊わたされた。それを百枚に、ダイジェストできないか、うまくいったら、毎月たのむ、というのである。むかしの速記本は、改行なしで組んであるから、千枚はある。講談の知識なしでは、ダイジェストはできない。さいわい私は戦争中、寄席に夢中になっていて、講談もたくさん聞いていたから、困らなかった。

毎月百枚、きまった仕事ができて、なまけものの私は、小説の修業をわすれた。活字にしても、さほどおかしくないものが出来たのだから、私に才能がなかったわけでもないだろうが、これはおもに、請負編集のせいだったらしい。毎月百枚、安い稿料で埋められれば、それだけ編集者の利益はふえる。敗戦直後という時代のせいだから、若いひとの参考にはならないが、私はとにかく、習作の時期なしで、原稿生活に入れた。

やがて、毎月、長篇講談を書いているひとに、小説をたのみたい、という話が、ほかの娯楽雑誌から、編集長のところにあった。枚数は五十枚、私はまた「雄鶏通信」の記事を思い出した。大佛次郎の文体模写をやるときがきた、と思った。しかし、大佛次郎の書くような小説を、私が文体模写で書いたところで、うけるはずはない。戦争中から、時代伝奇小説で人気を持ちつづけていたのが、角田喜久雄だった。私も小学生のころ、映画の『髑髏銭』や『風雲将棋谷』に、夢中になったものだった。

角田喜久雄ふうの時代伝奇小説を、大佛次郎の文体模写で書いて、私は注文をうけた雑誌に持っていった。採用されて、次の注文ももらった。こんどは、百枚だった。アガサ・クリスティーのアドヴァイスが、そのまま役に立ったのである。

つぶれかけていた会社をやめて、私は作家生活に入った。石原慎太郎が『太陽の季節』で登場するまで、私は最年少のフルタイム・ライターだった。毎月百枚、講談のリライトはつづけていた。もうひとつの雑誌からは、百枚、五十枚、三十枚、二十五枚、ほとんど毎月、注文があった。新しい雑誌を、自分から開拓しようという気は、起きなかった。私はあいかわらず、なまけものだった。しかし、勤勉なるなまけものだった。

第2回　習作の途中で

私は十八、九で文章を書いて、原稿料をもらうようになり、満二十歳になる直前に、都筑道夫という筆名をつけた。それまでは、おなじ雑誌のおなじ号に、二本も三本も書くことがあって、行きあたりばったりに名をつけていた。なかには、アメリカでいうハウス・ネーム――編集長がつけた名を二、三人のライターが、つかうものもあった。都筑道夫になってからも、別名をつかうことはあって、二十年ばかり前に数えてみたら、ぜんぶで十八、九あった。

前回に書いたように、請負編集をするひとは、すぐに間にあって、安くつかえる人間を、身近においておくのが、便利だったらしい。もうひとつには、戦争末期、疎開した著名な作家たちが、なかなか帰京できない。東京に残っていたある作家は、注文が殺到して一、二年は上潮のいきおいだったが、やがて潮がひくように、注文がへると間もなく、過労が一度に発して、若死にしてしまった。

そんな噂もあった時代だから、私が若く専業作家になれた経験は、若いひとの参考にはならないだろう。けれど、アガサ・クリスティーの助言は、いまでも通用するはずだ。小説を書くには、小説をたくさん、読まなければいけない。ひと真似でいいから、たくさん書いてみなければ、いけない。画家をこころざすひとが、デッサンにはげみ、名画の模写をするように。

読むときには、出版されたばかりの小説より、すでに古典あつかいされている作品のほうがいい。いま人気のある小説は、現在の読者の嗜好は反映しているだろうが、それはけっきょく流行ということで、来月あるいは来年には、あきられるかも知れない。評価のすでに、さだまった小説――流行を超越した作品を、読むべきだろう。

時代小説を書こう、と思っているひとなら、森鷗外や芥川龍之介も、読んだほうがいい。あとは白井喬二、岡本綺堂に吉川英治、直木三十五に大佛次郎、長谷川伸に子母沢寛、なんでも読んでみることだ。こうした作家の作品は、近ごろ手に入りにくくなっているが、古書店を丹念にさがせば、まだ見つかる。それに最近、講談社文庫に「大衆文学館」というセクションができて、有名な作品を復刻しはじめたから、それを利用するといい。

ただ老婆心までにいうと、そのなかの国枝史郎『神州纐纈城』だけは、用心して読んだほうがいいだろう。これは奇想天外、あっとおどろく通俗小説だが、尻きれとんぼに中絶している。この作品だけなら、それもいいのだが、国枝の長篇小説は、あらかた未完なのである。あまり長くなったので、編集部からひと休みして、また書きつづけてはといわれた、といった口実があるが、再開されたことはない。つまり、この作家は見通しなく書きはじめ、ストーリイの枝葉をやたらにひろげて、収拾がつかなくなってしまうのだ。

一時期、流行作家だった国枝史郎が、わりあい早くわすれられ、死後二十年ほどたって復活しながら、またすぐわすれられたのは、そうした欠点によるのだろう。そこを心得て読まないと、よくない影響をうける恐れがある。なにを読んでも、影響をうけない、というのも困るので、ひとことつけくわえた。

たくさん読んで、だれかの影響を強烈にうけて、あるていど習作をつんだら、本腰を入れる前に、きめなければならないことがある。どんな小説を、どういう態度で書くか、ということだ。時代小説を書くか、推理小説を書くか、恋愛小説を書くかをきめるのだが、これは永久的なものではない。注文によって、変ってくることもあるから、さしあたり気軽にきめておけばよい。大事なのは、それをどういう態度で書くか、ということだ。

これは、むつかしい。一篇の小説のことにしても、どんなストーリイを書くか、というのは、馴れれば簡単に思いつく場合もある。態度のほうは一生、縛りつけられかねない。売れればいい、とわりきって、わかりやすく、たくさん書くか、一行一行ねりにねって、神経のいきとどいた作品を書くか、といった態度をきめるわけだ。読者大勢のために書くか、作者自身のために書くか、といったほうが、わかりやすいかも知れない。

エンタテインメントとしての小説は、読者のために書かれる。作者はそれによって、生活するために、金のために書く、と考えるのが、常識とされている。現在の生活のために、紙くずを生産しているのだ、と極言するひともいる。しかし、今世紀のはじめに二千部か三千部、多くても五千部くらい、出版された小説が、大正の大震災、昭和の大空襲をへて、いまだに古書店のカタログに、顔をだすことも珍しくない。それを考えると、いいかげんには書きとばせない、というひともいる。

私もそのひとりだが、作品の生命は、作者の生命より長い。それはたしかだが、自分は死んでしまって、なにもわからないのだから、考えてもはじまらない。そういうひともいるけれど、いったん気にしはじめると、これは大問題なのだ。前にいったように、うっかりすると、自分のきめた態度に縛られて、不自由な思いをしかねない。

これは紙くずになってもいい小説、これは後世にのこす小説、と書きわけられれば、いいのだけれども、そうもいかない。作家として成長すればするほど、作品は作者の自由にならなくなる。作者のいうことを、聞かなくなるのだ。グレアム・グリーンは当初、文学作品のあいだに、エンタテインメントと称して、スパイ小説を書いた。技術的に程度を落して、書きとばしたわけではない。いくらか気楽に、ストーリイ本位に書いただけだが、当時を回想したエッセーで、以下のような意味のことを、書いている。

なんの気もなく書いた数行が、のちになって、ストーリイの展開に、きわめて役立つことがある。そういうときには、私ではなく、神様が書いたような気がする。

佐藤春夫も、編集者としてたずねた私に、おなじようなことをいった。

「思いがけず、いい作品が書けることが、ときどきある。頭の上に、神様がおとどまりになったんだ、と考えることにしている」

東西の大家ふたりが、そっくりな発言をしているのは、作品は作者の思いどおりになるものではない、という証拠だろう。自分に興味のないことは、書けるものではない。こういう書きかたをすれば、売れるとわかっていても、書けない場合も多い。けっきょく、自分の好きな題材を、好きなようにしか書けないわけだが、みずからそれを確認するために、どんな小説をどんな態度で書くか、考えてみる必要があるのだ。

メイスン弁護士シリーズを書いたE・S・ガードナーのように、あまり推理小説も読まずに、自己流で書きはじめ、のちには口述筆記で、長篇小説をつくって、長く流行作家だったひとも、いることはいる。しかし、それはガードナーが一万人にひとり、いや、百万人にひとりの天才ストーリイ・テラーだったからだろう。

したがって、自分は天才だ、という自信があれば、なにも考えずに、がむしゃらに書きはじめてもいい。

小説を書きはじめたころ、初老の作家にいわれた言葉を、私は思い出す。戦前、「サンデー毎日大衆文芸」の賞をとった時代小説家で、せっせと作品を書いては、売りこみに雑誌社を歩いていたひとだ。

「物もらいを三日するとやめられない、と俗にいうだろう。物書きも三日すると、やめられないよ。それだけに、よく考えたほうがいい。つぶしがきかなくなってからじゃ、遅いからね」

たしかに、いつ寝てもいいし、いつ起きてもいい。仕事をやすむのも、気分しだいだ。なまけものの私には、それも魅力のうちだった。正直に、大きな魅力だった、というべきかも知れない。まさに、三日すると、やめられないのである。

しかも、物書きはものを書いて、それを売らなければならない。売れなければ、いくら書いても、金はもらえない。金がもらえなければ、生活はできないから、物もらいよりも、とちゅうの過程が多いだけに、楽ではない。四十六年間、私がやってこられたのは、なまけものであっても、いわれたことはなんとか、やってきたからだ。勤勉なるなまけもの、と自称する所以である。

書きはじめた当時、私はさいわい、売りこみに歩かずにすんだけれど、苦労して歩いているひとも、多かった。いまは売りこみがまず不可能で、コンテストに応募するのが、エンタテインメント作家になる常道だろう。

選考委員をあちこちで、やってきた経験から見ると、目下、評判になっている作品を見ならったもの、前回の当選作とおなじ傾向のものが、やたらに目につく。しかし、書いてから審査されるまでに、半年から一年、運よく当選したとして、本になるまで半年ちかく、合計一年から一年半のあいだに、エンタテインメントの傾向は、変るかも知れない。

私はしばしば、こころざしが低い、と選後評で苦言を呈してきた。選考委員や出版社が期待するのは、ユニークな作品なのだ。物真似からはじめても、長篇をコンテストに投ずるまでには、傾向と態度を、はっきりさせておくべきだろう。他人のためにではなく、自分のためにだ。つまり、自分を見きわめておけ、ということである。見きわめる眼力は、たくさんの本を読むことで、やしなわれる。

第3回　題は顔なり

小説の題名は、最初につけたほうがいいか、最後につけたほうがいいか、と聞かれることがある。題がつけば、小説はできあがったようなものだ、という作家もいるから、若いひとは気になるのだろう。

だが、これはどちらともいえない。だいたいの構想がまとまって、気に入った題がつけば、書くのがいくらか、楽になることは事実である。小説が書けたも同様というのは、そのへんの気分を、軽くいいあらわしたものかも知れない。

雑誌の場合、本文の校了日よりも、目次校了日のほうが早いから、タイトルを先にくれ、といわれることがある。ろくに話ができないうちに、頭に浮かんだ題をわたしたりすると、言葉としては含蓄があっても、それに縛られて、うまく書けないこともある。しかし、私は無題で書きはじめると、とちゅうで題がつくことは、めったにない。書きおわってからでも、題を思いつかないことさえ、しばしばある。

したがって、最初にむりなく題がついたら、それがいちばんいい。書きすすめるうちに、ストーリイと題名に隙間ができても、なんとかなるものだ。隙間というのは、内容がタイトルとそぐわなくなったりすることだが、そこで私は思い出す。翻訳出版の編集者になったばかりのころ、『アイ・アム・ジョナサン・スクリブナー』という長篇を読んだ。ちょっと変った作品だ、と植草甚一さんにすすめられたのだが、ミステリイではなかった。

内容はろくにおぼえていないが、いちおう結末まで読んだのだから、つまらなくはなかったのだろう。ある家庭の物語だが、スクリブナーという人物は出てこない。ジョナサンとだけ、紹介される人物もいないから、題の意味がわからない。しまいに、一家はなにかの理由で、客を待つことになる。最後のページで、ドアにノックがあって、家族のものがあけると、男がひとり立っていて、

「わたくし、ジョナサン・スクリブナーです」

こういう題のつけかたも、あるのだ。たぶん、書きおわってからつけたのだろうが、最初につけて、最後のせりふに生かしたのかも知れない。たとえば奇をてらって、『首をのせた銀の盆』という題をつけたものの、生首も銀盆も、話の中にだすことが、できなかったとしよう。それでも、クライマックスを暗い夜にして、最後の文章を、

　白くまるい月が雲から出て、あたりが薄あかるくなった。月を吐きだした雲のはしが、銀いろに光っている。雲を離れようとしている月は、銀の盆にのせた首みたいに見えた。

とでもすれば、なんとかなるだろう。象徴的につけた題と、読者は思ってくれるかも知れない。森鷗外の『雁』のようなものだ。

あの小説の題名は、どうしても『雁』でなければいけない、というものではない。『蛇』でもいいし、『無縁坂』でもいい。無造作に、『大学生』とつけたってかまわない。昭和の敗戦直後の作家なら、『妾の家』とでもしただろう。もしかすると、鷗外は最初、あまり深く考えずに、『雁』とつけたのかも知れない。雁のいる不忍池へ、お玉が身を投ずる結末でも、漠然と考えていたのではなかろうか。いまでこそ、『雁』はしっくり作品に添っているけれど、発表当時の読者のなかには、もっといい題がありそうなものだ、と思ったひともいるにちがいない。

だから、題は大事だが、あまり神経質になることはない。力強く、あるいは美しく、正しい日本語であれば、それでいい。いや、正しくなくても、作者の造語でもいい場合もある。一見、わけがわからなくてもいい。芥川龍之介の私の好きな短篇に、『あばばばば』というのがある。最初はこの題にひかれて、読んだのだけれど、なんのことだか、わかりますか。

高見順は戦前、『故旧忘れ得べき』とか、『如何なる

星の下に』とか、『まだ沈まずや定遠は』とか、長い題名をつけて、それがトレード・マークのようになっていた。こういう規則的な題のつけかたは、アメリカのミステリイ作家に多い。

古いところでは、S・S・ヴァン・ダインが、ザとマーダーケースのあいだに、ベンスン、カナリイ、ビショップといった六文字を入れて、題名にした。例外はただひとつ、映画会社の依頼で、主演女優にあてはめて書いた『グレイシイ・アレン殺人事件』だけである。色彩名をかならず入れて、題をつけるひとが旧人にも、新人にもいる。『殺人のサ』『誘拐のユ』『放火のホ』といった題をつける作家も、旧新ともにいる。

こうした規則があると、かなり楽だけれども、落し穴もある。私は捕物帳の場合、下に砂絵という言葉をすえ、上に平がな四文字をのせて、すでに十冊だしている。ただし、一冊目には、『血みどろ砂絵』と上にも一字、漢字が入っていて、つまり二冊目から、規則をつくったわけだが、だんだん苦しくなってきている。ミステリアスな雰囲気をもつ平がな四文字が、なくなってきたからだ。

けっきょく題名、書名は作品の顔のようなものだから、大切にはちがいないが、ときには、どうでもいい、と考えたほうが楽なようだ。長篇小説には、あるていど重みのある題がいい、といわれるが、『春』『爪』『おとうと』といった短篇みたいな題名もある。その短篇にも、ロシアのゴーゴリの――いま手もとに本がないから、正確には書けないけれど、『イワン・ナントカカントカビッチとイワン・ナントカカントカスキイが喧嘩をした話』といった大盛そばのようなのもある。

よくいわれる助言で、かなり信用できるのは、日本では人名だけの題はだめだ、ということだろう。西欧の小説には『マノン・レスコオ』、『ジャン・クリストフ』のように、架空の主人公の名前を題名にして、有名な作品がいくつもあるけれども、日本で成功したのは、夏目漱石の『三四郎』と、おなじ三四郎で、富田常雄の『姿三四郎』ぐらいのものである。

そんなことはない。人名だけの小説は、日本にいくらもあるではないか、というかも知れないが、それは『徳川家康』とか、『伊達政宗』とか、『水戸黄門』とか、『鼠小僧次郎吉』とか、実在の人物にかぎられている。丹下左膳という架空の人名も、よく知られているが、隻眼隻手のこの怪剣士は、『新編大岡政談』という林不忘の小説の悪役で、まず人気者になってから、『丹下左膳』という題の小説に、世をすねたヒーローとして、再登場したのだ。それも、姓名だけでなく、『濡燕（ぬれつばめ）の巻』という副題があったと思う。

日本でぜったい無理なのは、アメリカTVシリーズのタイトル、『コロンボ』『アイアンサイド』『バナチェック』『コジャック』のたぐいだろう。映画にも『ブリット』『ブラニガン』があるが、つまり姓名の姓だけだ。日本で『明智』とか、『金田一』とか『十津川』、『浅見』といった題が、映画や小説につけられるだろうか。

もっとも、読者の意識や感覚は近年、どんどん変化しているし、小説は内容しだいだから、『佐藤』や『木村』といった題名の長篇小説が、あんがいベストセラーになるかも知れない。いまは編集者に、猛反対されるだろうが、それを押しきる勇気があったら、やってごらんになるといい。

変った題名で、いちばん私の印象に残っているのは、少年のころに見かけた『ダンナハイケナイワタシハテキズ』というものだ。小説の題ではない。明治二十五年の五月に、東京の市村座で、川上音次郎一座が上演した壮士芝居の外題である。

私はもちろん、その芝居を見たわけではない。演劇史の本で見かけただけなのだが、一読して、意味のわかる読者がいたら、よほど維新史にくわしいか、明治の新聞をしらべたことのある人だろう。当時、神風連（じんぷうれん）騒動という、不平士族の反乱が熊本であって、陸軍の高級将校のひとりが、妾宅で殺された。東京の本宅へ、妾の打った電報が、新聞に紹介されて、話題になったのを、そのまま題名にして、事件を脚色した芝居だという。

ダンナハイケナイワタシハテキズ。わたしは手傷を負っただけで、助かりましたが、旦那さまはいけませんでした、お亡くなりになりました、という意味なのである。奇をてらったタイトルで、趣味がいいとはいえないけれど、読みやすくて、調子がよくて、一見、わけがわからない。少年の頭にしみこんだのも、不思議ではあるまい。いまでも、小説の題を考えていると、これが舌の上にころがりだしてくる。

ついでに、芥川龍之介の『あばばばば』の種あかしもしておこう。これは芥川が、横須賀の海軍機関学校の語学教官をしていたころの、私小説といったものだ。学校の往復に通る道に、雑貨屋があって、芥川はタバコや缶詰をそこで買う。若い店主が、子どもっぽい細君をもらって、それが店番をするようになる。おどおどして、すぐ赤くなるのを、芥川はほほえましく思っているうち、店頭からすがたが消える。

数か月たって、細君は赤ん坊を抱いて、店さきに立っていた。往ったり来たりしながら、赤ん坊をあやす手つきも自信たっぷりで、おどおどしたところはない。ときどき立ちどまると、赤ん坊の顔をのぞいて、あばばばば。

第4回　筋を立てる

心がまえもできた。題名もきまった。あとは、小説を書くだけだ。それには、ストーリイがなければ、どうしようもない。

　エンタテインメント・ストーリイの場合、おもしろい話が必要なわけだ。けれど、どうすれば、おもしろい話を考えつけるか、説明するのは、むずかしい。ストーリイをつくる才能、というものは、六〇パーセントくらい——いや、八〇パーセントかも知れないが、天性のものだと思う。残りはやはり、どれだけおもしろい話を、それまでに読んだり、聞いたりしてきたかに、よるだろう。つまり、後天的な経験を、持って生まれた才能が分析して、おもしろい話のつくりかたを会得するのである。

　その才能がないひとは、エンタテインメントは書けない、ということになる。だが、才能があるかないかは、すぐにわかることではない。やってみるより、方法はない。そういって、つっぱなしてしまっては、身も蓋もないから、なんとか考えてみよう。

　有名な小説、劇、映画、なんでもいい。ひとつ選んで、そのストーリイを、つくり変えてみるのだ。実例をしめせるといいのだが、現代は世代のギャップが、はなはだしい。以前ならたとえば、なんだ、小説のひとつも書こうというのに、芥川龍之介の『羅生門』も読んでいないのか、と笑うことができた。いまは作家になっているひとの中にも、戦前の作品を知らないものがいるだろう。若いひとたちが多く読んでいる作品は、私が知らない。

　しかたがないから、おとぎ話を例にとろうか。三十余年も前に、私は「カチカチ山」を小説化した。おなじことを、くりかえすのでは、私自身がおもしろくない。「浦島太郎」は、どうだろう。これなら、現代の小説に変化させられそうな、勘が働く。「浦島太郎」というおとぎ話は、どこに重要なポイントがあるかを、まず考えるべきだろう。

太郎が龍宮城から帰ってくると、村には住んでいた家がなく、知った人間もいなかった、というところがいちばん重要な点にちがいない。次に大事なのは、玉手箱をあけてみたら、太郎は老人になった、という点だろう。ただし、現代小説につくりかえる場合、幻想小説にしたくなければ、老人になる、というところは、問題にしなくてもいい。家もなく、知人もいないという理由がわかればいい、と考えるわけだ。

三番目のポイントは、亀を助けて、お礼に龍宮城にまねかれる、というところだろう。もちろん、龍宮城といった幻想でなくても、かまわない。なにかの理由で、どこか遠くへいかなければならなくなった、ということでいい。単身赴任で、海外へいくことにしようか。

いや、海外赴任では半年、一年、帰ってこられない。家族のことが気になって、電話もするだろうから、もっと短い期間のほうが、「浦島太郎」にふさわしい。なにかの懸賞にでもあたって、香港かハワイにでも四、五日でかけることにするか。うちが心配でも、自前となると、電話もがまんすることになる。はじめての海外旅行だから、あっという間に四、五日がたって、日本へ帰ってくる。

さて、どこに住んでいることにしたら、いいだろう。それをきめるには、どういうタイプの現代小説にするか、見当をつけておかないと、あとで困る。推理小説にするか、恐怖小説にするか、恋愛小説にはなりそうもない。もっとも、そんな枠にはめて、小説を考えるのは、もう古い、という意見もある。

しかし、だいたいの傾向は、きめておいたほうがいい、と私は思う。たとえば、恐怖小説にするなら、すまいはどこでもいい。浦島太郎に見えないだけで、そこには妻がいる。隣人もいて、太郎を太郎とみとめているのだが、当人にだけはわからない、という結末にできるからだ。推理小説となると、家のなくなったこと、家族や知りびとのいないことに、合理的な説明をつけなければならない。

ほんとうは、そういう難しいことに、挑戦するほうがいいのだけれど、いまはスペースに限りがあるから、易きにつこう。話をつくるこつを説明するのが、今回の目的だ。そこで、恐怖小説ように話をつくるとして、現代の浦島太郎のすまいは、大都会のまんなかのほうがいい。大きなマンションとか、団地とか、顔見知りの人間が、たくさんいるはずの場所だ。

成田から、そこへ直行して、自分の部屋のブザーを押したが、返事はない。いくら待っても、ドアはあかない。ブザーを押し、ドアをたたいても、依然として、応答はない。隣りのドアがあいて、女が顔をだした。知らない顔だが、四、五日、留守にしたあいだに、住人が変ったということもある、と思って、妻はどこにいったか、知らないかと聞く。

お隣り、奥さんはいませんよ、という返事に、めんくらって、

「失礼だけど、あなたは最近、越してこられた方ですか」

「いいえ、もう六年、ここに住んでますよ」

「ぼくは三年前から、隣りにいる浦島ですがね。家内を御存じないんですか」

「お隣りは、浦島さんじゃありませんよ。あなた、マンションを間違っているんじゃありません？」

うさんくさげにいわれて、浦島太郎は外にでる。通りの様子も、見おぼえがあるようなないような奇妙な感じだ。歩きまわっても、その感じは消えない。

これで、自分の意思ではなく、旅をするという条件。帰ってみたら、知っている家も、ひともいないという条件は、クリアーした。残るは、玉手箱である。つまり、意外な結末だ。こんなふうに、前半の筋立てをきめていくうちに、結末のアイディアが、不意にでてくることがある。

飛びだす絵本をひろげると、複雑な中世建築が、紙細工ながら壮麗に立ちあがるように、ストーリイが立体的に、見えてくるのだ。だから、話づくりの才能は、先天的な部分が多い、と思うのだが、ここまで書くうちに、浦島現代版の後半は自然に浮かんだ。妻や近隣のひとの行方も心配だが、もっと重大なことがあるような気がして、都心のホテルに部屋をとる。鏡を見ると、顔がすこし違っている。翌日になると、もっと顔が変っている。

ボストンバッグからパスポートをだしてみると、名

前は浦島太郎、写真の顔もなんとなく、見おぼえがあるが、鏡にうつる顔とはちがっている。前夜、宿泊カードに書いたものとは、名前もちがう。気分が悪いが、しなければならないことがある。

ドアにノックがあって、男が細長いつつみを、とどけにくる。男が帰ってから、あけてみると、狙撃銃だった。窓のむこうに見える玄関に、車がとまって、有名な政治家がおりる。太郎はもう、太郎ではない。銃をかまえて、引金をひくと、政治家は倒れる。太郎は銃を投げだすと、バッグを手に、非常階段から逃げる。とちゅうで意識が混濁したが、もと通りになったときには、顔もパスポートにある太郎にもどっていた。

そして、思い出す。旅さきで、死にかけた男にあったことを――その男は暗殺者で、日本へ帰るために、仕事をひきうけたが、偽造旅券をうけとるときに、トラブルがあって、傷を負ったのだ。最後の精神力で、太郎にのりうつる。日本にはなりきれない。太郎として、までは、完全に暗殺者にはなりきれない。太郎として、成田から東京へ入ると、まず妻の様子を見にいく。

すでに太郎は三分、七分が暗殺者という状態なので、隣家の主婦にはだれだか、わからなかった。最後をハッピイ・エンドにするか、アンハッピイ・エンドにするかはとにかく、このストーリイなら、「浦島太郎」のつくりかえ、ということは、たぶん見やぶられないだろう。こういう小説のつくり方は、昔からあるのだから、わかったとしても、不名誉なことではない。

戦前の話で、吉川英治の『牢獄の花嫁』は、黒岩涙香の『死美人』そのままのストーリイだし、『燃える富士』はおなじく『武士道』を裏返したストーリイだ。『恋山彦』ときては、映画『キング・コング』の翻案だ、といわれている。近年の『ジュラシック・パーク』が、『キング・コング』のスピルバーグ版だというこことよりも、『恋山彦』の場合はわかりにくい。それだけに、気づいたひとは、にやにやしただろうが、焼きなおし、と悪口はいわれまい。

いまでも、ときおり舞台にかかる川口松太郎の『鶴八鶴次郎』は、男女のコンビ・ダンサーをあつかったアメリカ映画『ボレロ』のたくみな翻案だった。当時の逸話に、次のようなものがある。ナチス・ドイツのオリンピック映画『民族の祭典』を、川口松太郎と見にいった友人が、その帰り、

「いくらきみでも、いまの映画は、小説にできないだ

ろう」

　というと、川口はにやりとして、

「なあに、簡単だよ。『寛永御前試合』にすれば、いいんだ」

　有名なゴシップだそうで、私は中学生のころ、ある作家に聞いたが、いまでは知るひともいないだろう。物語のパターンは、集約すると、五通りくらいしかない、というひともいる。似かよったストーリィができても、気にすることはない。書きかたに、自分らしさが、出ればいいのである。

第5回　虚構の接着剤

ストーリイのアウトラインができても、すぐ書きはじめられるとは限らない。背景になる場所、主要登場人物の職業によっては、取材が必要になってくる。

場所の場合は、さほどむずかしくはない。背景にするつもりの場所にいって、作中につかえそうなところを、見てくればいいのだ。もっとも、近ごろの地方都市の駅前などは、どこも東京とほとんど変らない。だから、違うところを、見つけださなければならない。そこを知っているひとが読めば、なるほどと思うような、知らないひとには、そこを想像するヒントになるようなところだ。

風景の中心、あるいは象徴するところだから、私はそれを臍（へそ）といっている。大都会、地方都市町村のどこへいっても、臍はある。それを見きわめれば、取材は成功ということになる。それには、観察力がものをいうから、経験をつむ必要があるだろう。旅行ガイドブックに、カラー写真でのっているような場所は、その地の象徴にはちがいないが、二時間のＴＶサスペンス・ドラマではあるまいし、それらを羅列しただけでは意味がない。

以前、東北の小さな町へいったら、駅前の商店街はモダンな色彩があふれていた。おもしろみがないので、露地へ曲ったら、裏通りの角は雑貨屋で、黒ずんだ板壁に、週刊誌みひらき大の琺瑯（ほうろう）仕上のブリキ看板が、釘で打ちつけてあった。中将湯の看板で、疵だらけだから、琺瑯がところまだらに剝げおちて、釘のあたまは赤黒く錆びついていた。雑貨屋はタバコも売っていて、マイルド・セブンやケントのならんだガラス・ケースには、ゴールデン・バットもあった。

東京の私鉄沿線のような町なみの裏に、タバコ屋をかねた雑貨店があって、このあたりでは、まだバットの需要が絶えないことがわかる。そのへんがおもしろくて、描写するときには、臍になるな、と思った。十数年前の見聞だが、いまでも地方都市の大きなスーパー・マーケットへいくと、タバコの自動販売機に、ゴールデン・バットが入っていることがある。そういうのを見かけると、私はいつも六箱くらい、買ってかえる。

芥川龍之介は、バットの愛用者だった。私の父も、バットを吸っていた。昭和に育った人間には、バットはなつかしいタバコである。初老の男が旅さきで、バットを見かけて、買うといった場面を書けば、町の雰囲気をえがくと同時に、人物の年齢、育ちも表現できるだろう。

そういった次第で、場所の取材は苦にならないのだが、職業についての取材は、私の苦手とするところだ。うまく行ったためしがない。紹介者がいれば、まだしもいい。でも、私は世間がせまいから、紹介者を見つけられないことが多い。そのいっぽう、東京で育ったので、知らないひとに、いきなり声をかけるのは、失礼だと教えられてきた。だから、あらかじめ電話をして、こういったことを教えていただきたいので、お目にかかれまいか、とおうかがいを立てる。そうすると、九九パーセントは、ことわられる。

ことに警察その他のお役所では、成功したことがない。名を名のって、小説を書くために調べたいのだ、といっても、そういうことは部外者には教えられないとか、いま忙しいからと、ことわられる。ことわられても、腹は立たない。私だって、見ず知らずのひとに、小説家の執筆状態について、教えてくれといわれたら、おことわりする。

それは、あまりに辞を低くして、お願いするから、いけないのだ、と知人にいわれたことがある。こちらは有名な作家なのだから、取材する権利がある、という態度でのぞめば、うまく行くものだ、というのである。私の著書は、とうに二百冊を越えているが、だからといって、有名とはいえないだろう。出版関係ではないひとに、筆名を名のって、ああ、推理作家の都筑さん、といわれたことは、ここ数年に、たった一度しかない。

しかし、取材の上手へたというのは、たしかにあって、その大半は性格による。人見知りをしない気さくな人間が、うまくいくらしい。へたでも慰めになるのは、イギリスの作家、ジョン・クリーシイの言葉である。クリーシイが世界旅行の途次、日本に立ちよったときに、直接、聞いたことだ。クリーシイは格別、取材をしないで書きはじめるが、とちゅうでわからないことが出てきても、中断して調べたりはしない。執筆のリズムが、狂うからだ。想像で、書きすすめてしまう。

小説を完成してから、必要な箇所だけ、取材をするのだけれど、想像で書いた部分が、大きく間違っていたことは、めったにないという。それを聞いて、だいぶ安心したが、以後二十年たっても、私には自信がない。だから、主人公の職業には作家、翻訳家、画家、よく知っているものを選ぶことになる。

それに、くどく説明しなければ、具体性のだせないような職業は、推理小説の登場人物には適さない。端役の人物には、なおさらだ。主要人物よりも、説明が多くては、ぜんたいのバランスがくずれてしまう。というのは、私のいいわけであって、取材のかかせないジャンルもある。背後に大きい組織があると、取材は楽らしいから、若いうちに新聞社、出版社につとめて、馴れておくのもいいだろう。私も出版社にいたけれど、翻訳ミステリイ専門だったから、取材とは縁がなかった。

取材がうまくいったとしても、もちろん、それだけでいい小説が書けるわけではない。まことしやかな嘘を、具体化してみせるのが、小説だからである。嘘をつくには、ほんとうを知らなければならない。嘘の土台をつくるために、取材をするのだ、というべきかも知れない。

背景にする場所にしても、現実の地名をそのままには、つかえない場合もある。翻訳小説のファンは、架空の地名がよくつかわれるのを、気づいているだろう。なに市といった大まかな地名でも、実在のものを、危険な秘密結社の本拠地にしたりすると、訴訟を起されることがある。現実の生活者に迷惑をかける権利は、小説にはない。だから、架空の都市や町をつくるのである。

日本でも、江戸時代の作家は、気をつかった。羽織芸者がでてくるのだから、江戸の深川の話だとわかりきっているのに、鎌倉の婦多川と書く。読者から、文句をいわれる恐れはないが、奉行所のお叱りをうけるのである。五十日間、手錠をかけて、家から一歩もてはならぬ、といったことになる。

ことに武家のことは、名前もうかつには書けない。曲亭馬琴の大まじめな小説に、山坂ころん太などという、ふざけた名の武士が登場するのを、御存じの方もいるだろう。落語のお大名といえば、赤井御門守だ。現実の大名、武家に似かよった名前というだけで、罰せられるから、ぜったいにありそうもない名をつけるのである。

明治になってからは、その反動で、作家が無神経になったのかも知れない。迷惑とまでいかなくても、自分の住んでいる町の名を、連続殺人鬼が、隠れている場所にされたりすると、私は不愉快になる。だから、自分の書く小説にも、殺人の起る場所、犯人の住む場所には、私は気をつかう。東京都内なら、現実の町名に上、下、東西南北をつけたり、五丁目までしかないところに、六丁目をつくったりする。

つまりは嘘をつくわけだが、そう簡単なことではない。六丁目を隣りの町にくいこませるか、一丁目から五丁目まで、すこしずつ狭くするか、考えておかないと、あとで困ることもある。地名だけでなく、過去の有名画家の知られざる名画とか、有名学者の著書などを、創作することもあるけれど、これもなかなか神経をつかう。

芥川龍之介に、切支丹ものといわれる作品がいくつかあって、『れげんだ・おうれあ』という文献がでてくる。八幡製鉄所を創設した鉱物学者で、切支丹文献の蒐集家としても、知られていた和田維四郎が、それを譲ってもらえまいか、と芥川に申しいれた。ところが、『れげんだ・おうれあ』は、架空の古文献だったので、芥川は返事に困った、という逸話がある。

小説における事実とは、嘘と嘘とをつなぐ接着剤、といっていいだろう。プラスティック・モデルをつくるのでも、接着剤のつかいかたが少いと、すぐにばらばらになってしまう。つかいすぎると、仕上りがきたなくなる。そのへんの呼吸が、むずかしい。

大坪砂男の『私刑』という中篇小説に、やくざが拳銃で狙われる場面がある。座蒲団一枚で、六連発の銃弾を、ことごとく受けとめて、逃げのびる。発表当時、こんなことがあるわけはない、という非難があった。

だが、大坪砂男は若いころ、警視庁の鑑識課につとめていて、銃器担当の同僚から聞いたことを、作中に流用したのだった。長谷川伸も、鎖かたびらの代りに、濡れた和紙をからだに巻いて、喧嘩にでていくやくざを書いている。

事実にも、嘘のように見える場合が、あるということだ。逆に嘘なのに、事実のように見えることがある。そのへんの兼ねあいを、うまくつかうことが、なによりも大切なのである。いくらストーリイがうまく出来ても、取材が完璧におこなわれても、虚構と現実の組みあわせに失敗すれば、小説はなり立たない。

第6回　架空映画試写会

こんどは、一般的な話でなく、私自身の小説の書きかたを、実例に則して、説明してみよう。徳間文庫の『袋小路』という私の短篇集に、『悪役俳優』という作品が入っている。角川書店の雑誌「野性時代」の、一九八九年十二月号に発表したもので、原稿用紙で三十枚と記憶している。

主人公は、雨宮という六十代の映画エッセイストで、犯罪映画の試写を見にいくが、ラストで激しいショックをうける。犯罪組織の老ボスが、射殺される場面で、ボスに扮した老優は、若いころから達者な性格俳優だった。それはいいのだが、主人公の知識では、五年ほど前に死んでいるのだ。それなのに、映画は去年、ハリウッドで、撮影された新しいものだった。

プレスシートを丹念に見ても、その俳優の名はでていない。明るくなった試写室を見まわしても、同年輩の知りあいはいない。階段で少し年下の小説家、紬(つむぎ)志津夫(しづお)を見かけて、声をかける。映画の好きな作家は、その俳優、シェリダン・クラヴの昔の映画はよくおぼえていたが、いまの映画にでていたかどうか、気づいていなかった。死亡記事を見たかどうか、聞いてみる時間はなかった。

帰宅してから、資料をしらべて、きょうの映画が、三十年ほど前のギャング映画のリメイクであることに、雨宮は気づく。その映画では、老ボスの出番がもっと多くて、やはりクラヴが演じていた。あくる日、映画配給会社に電話して、プレスシートの原稿を書いた女性に聞いてみるが、本社からの資料には、リメイクとは書いてないという。

しばらくすると、作家の紬から電話があって、シェリダン・クラヴは五年前に死んだのではないか、という。中国妖術をつかう悪の老人に、クラヴが扮して、リー・ヴァン・クリーフの正義のニンジャに倒される映画を、五年前、ロスアンゼルスで見た。その直後、クラヴの死亡記事が、新聞にのった記憶がある、というのだ。なにかわかったら、また知らせる、といって、作家は電話を切った。

ところが、次の電話がかからぬうちに、紬志津夫が急死した、という記事を、新聞で読むことになる。話はだんだん、怪談がかってきて、いちど悪役俳優の死の真相がわかりながら、最後にまた怪談になる、という構成の短篇小説だ。一見、怪談のスタイルで、映画の昔ばなしをしているように、見えるかも知れない。

しかし、映画にかぎらず、芝居、小説の愛好家の知識が、横にしかつながらず、縦の知識がないことは、いい傾向ではない、という事実を書きたかったのである。

いや、それでは正直ではない。若い映画ファンと、話のあわなくなった淋しさが、作者の心の底にはあった。公開されたばかりの映画の中のテクニックを、若いひとがほめているので、いや、新しくはない、二十数年前のこういう映画で、こういう監督がもうやっている、などというと、いやな顔をされることが多い。どうやら、自分の知らない事実を持ちだして、反論されるのを嫌うひとが、ふえているようなのだ。

だから、主人公の雨宮は、知識の基盤の似かよった作家との会話に、生きかえったような思いをするのである。シェリダン・クラヴは、私が創作した映画俳優だが、モデルがある。マイケル・ゴフという、イギリス怪奇映画の脇役だ。一九七三年に、『ヘルハウス』という怪奇映画がつくられた。試写室で、それを見ていた私は、クライマックスにいたって、愕然とした。

住むひとはみな変死するので、ヘルハウスと呼ばれる館の秘密は、地下室にあった。鉛でかこった室内には、館を建てた狂気の金持が、死体となって、椅子にすわっている。死体の発散しつづける霊気が、怪異の原因だったのだ。その顔を見て、私が凍りついたのは、間違いなくマイケル・ゴフで、しかも、数年前に死んだという記事を新聞で読んでいたからだ。動いて、せりふのある役なら、死亡記事は誤報だったか、とすぐ考えたろう。

だが、せりふはない。椅子にすわって、微動だにしない。トップ・タイトルに、名前はでなかった。ラストのクレジット・タイトルにも、名前はない。だから、死亡直後、遺体で出演したのではないか、と最初は本気で考えた。そんなことが、あるはずはない。ひとに聞いても、マイケル・ゴフという俳優を、知っているものさえ、すくない。

そのうちに、死亡記事を読んだというのは、なにかの錯覚とわかってきた。間をおいて、ゴフの出ている映画が、日本へ入ってきたからだ。『ヘルハウス』のクレジット・タイトルに、名がでなかったのは、ほんの数分の動かない役だからだろう。それでいて、印象的な顔が必要だから、マイケル・ゴフが起用されたらしい。心にくい配役だった。

これは、小説に書けるな、と思った。けれど、どういうかたちで書くか、心がきまらないままに、年月がたって一九八九年、ティム・バートン監督の『バットマン』を見た。バットマンことブルース・ウェイン家の執事に扮して、マイケル・ゴフが出ていた。執事アルフレッドは、重要な役だ。こんどこそ、私の記憶の中で、いちど死んだ男のことを書こうと思った。

『ヘルハウス』のラストにショックをうけて、小説になりそうだ、と思ってから、実に十六年がたっている。それだけに、小説だか随筆だかわからないようなものには、したくなかった。だから、ゴフをそのままの名で、出すわけにはいかない。シェリダン・クラヴという、ゴフどうよう姓よりも名の長い芸名をつけて、イギリスの舞台から、アメリカの舞台へ移り、犯罪劇がヒット、その映画化で、ハリウッドに呼ばれる、という経歴にした。イギリス出身の俳優に、よくあるコースを、つかったわけである。

映画エッセイストの雨宮と作家の紬は、私をふたりにわけたものだ。ふたりが、シェリダン・クラヴを贔屓にした理由に、三〇年代から、四〇年代のアメリカ犯罪映画らしい工夫を考えなければならない。ほとんどが白黒画面で、拳銃を射っても、血が噴きだしたりする描写は、ゆるされなかった。当時の犯罪映画には、コイン・トス、ヨーヨー、剣玉などが、よく小道具につかわれた。それも、フランス映画のジュリアン・デュヴィヴィエ作品に多かったのを、思い出した。

そこで突出してきた記憶は、シャンソン歌手のフィリップ・クレイが演じた殺し屋だった。『殺られる』という犯罪映画で、クレイの殺し屋は、いつもチューインガムを噛んでいる。仕事をするときには、口からだしたガムを、両手でのばして、相手の目にはりつける。つまり、目隠しをした上で、殺すのである。デュヴィヴィエの監督ではないので、話のはこびはおもしろくなかったが、クレイの殺し屋はおもしろかった。

それを裏返しに利用して、シェリダン・クラヴは初期の日本公開作品で、ギャング役をやった。最後に射たれて死ぬときに、風船ガムをふくらまそうとしている。大きくふくらんだガムが、射たれたとたん、つぶれて顔いっぱい貼りつく。それが、主人公たちに感銘をあたえた、ということにしたのである。

モデルにした『殺られる』は、一九五九年の映画だから、架空のクラヴを印象づけた架空の映画より、新しいことになってしまう。そこで、小説の中でたねあかしをして、フィルム・ノワールはアメリカ犯罪映画の影響が大きいから、これも模倣したのだろう、という失礼な理屈をつけた。

紬がロスで見た映画も、むろん架空のものだが、日本で修業した初老のニンジャに、西部劇のリー・ヴァン・クリーフが扮したアクションものを、私は以前、ハワイで見た。吸血鬼とたたかう若者を、ピーター・カッシングの神秘学者が助ける、というカンフー映画もあった。まんざら、でたらめでもないわけで、こうした配慮は、映画にくわしいひとを、納得させるはずだと思う。もっとも、近ごろはリー・ヴァン・クリーフを知らない映画ファンも多い。脇役俳優は死んだとたんに、わすれられるものらしい。

これで、小説を書く土台はできたが、あまりに趣味的になりそうだった。しかし、じっさいに書きはじめると、主人公が映画を見ておどろき、だれかと話したくなる心情を、えがかなければなくなって、自然とその問題は解決した。私の場合、書きはじめてから、主題がはっきりすることは、しばしばある。それでも、娯楽映画でスタートするだけに、趣味的すぎる、とまだいわれるかも知れない。けれど、科学者の残した数式の真贋を、弟子がつきとめるとか、異色作家の遺稿をしらべるとかいう作品は、これまでにいくつもあって、趣味的といわれることはない。

結末は大塚の紬の家に、主人公の雨宮が通夜にいって、幽霊にであう。紬は作者の分身なので、家も私に縁のある場所をえらんだ。JR山の手線の大塚駅あたりは、少年のころ遊んだ場所で、京楽座という映画館が、池袋へいく線路ぞいにあった。

　これを書いている今日は、ひどい暑さなので、その東宝映画の小屋を思い出した。冷房などない戦前だが、両わきの扉をあけておくと、いい風が入った。しかも、上映の邪魔にならない。夏、東宝映画を見るときは、かならずそこへいった。近くにあった大塚鈴本という寄席は、死んだ志ん生が、はじめて独演会をやったところで、それは作中に書いておいた。

第7回　書きだし百枚

書きだし百枚、という言葉があった。書きだしに苦労して、書いてはやぶり、書いてはやぶり、百枚の紙くずができた、という意味である。

私が小説を書きはじめたころ、戦前から娯楽雑誌の編集をしていたひとに、この言葉を聞いた。吉川英治を担当していて、中篇小説を依頼したが、難航している。書斎をのぞいたら、まるめた原稿用紙が、机のまわりに散乱していた。先生の食事中に、それをひろげてみたら、すこしずつ異なった書きだしが、ほんとうに百枚近くあったという。

事実かどうか、あやしい話だけれど、吉川英治の小説を読めば、書きだしに苦労したらしいのは、よくわかる。好ききらいは別で、吉川英治の小説は好きではない。当時は大作家なら、きらいでも読もうとしていたが、通読できた作品はすくない。しかし、冒頭だけは、読んでいるわけだから、書きだしに工夫を凝したことはわかるのだ。ただし、その工夫の方向、狙いも好きではない。

もっとも、近ごろのように、無造作な書きだしの小説が、やたらに多くなってくると、吉川英治の凝りかたも、なつかしい。文学作品にも、技巧は必要だから、書きだしについて、考察した小説がある。太宰治の『女の決闘』という作品だ。

太宰治の作品集は、いまでも文庫本で、たやすく手に入るはずだから、ぜひ読んでみていただきたい。短篇小説だから、簡単に読める。これは、森鷗外が翻訳した『女の決闘』という、ヨーロッパの短篇小説を材料にして、自分の小説に書きあらためる、という趣向の作品だ。鷗外の本も、太宰の本も、すぐ取りだせるところにはないので、うろおぼえだけれども、あまり有名でないドイツの作家のものだったと思う。

本題に入る前に、太宰治はまず森鷗外全集の翻訳篇の一冊を、ひらいて見せる。鷗外の観賞力と文章力が、えらびだし、日本語にした短篇のかずかず、その書きだしをならべて、すばらしさを示す。

書きだしをならべ、それを論ずることによって、書きだしにしたのである。実におもしろい。同時に、小説というものを、読者に考えさせる。敏感な読者の心を刺激して、文章をあじわう努力をさせるのかも知れない。私がこれを読んだのは、二十二、三のころだったろう。すでに小説を書きはじめていたので、大きな発見をしたような気がした。書きだし百枚の話も聞いていたし、以来、書きつぶしの原稿枚数が、がぜんふえた。

書きだし論の書きだしのあと、本題に入って、森訳『女の決闘』の最初の部分が紹介される。そのあと、太宰は自分が疑問に思うところをのべて、創作の部分に入っていく。つまり、外国人の書いた小説の隙間すきまを押しひろげて、そこへ自分の小説をはめこんでいく。そして、いつの間にかぜんたいを自分の小説にしてしまう。

それほど、簡単なことではない。なんどもくりかえすことのできる手法でもない。太宰治は二度と、この手はつかわなかった。一種のパロディ、正確にいえばパスティッシュだから、おなじ手法の作品をいくつか書いて、一冊にすることはできる。

現に太宰は、日本のおとぎ話のパロディを、いくつか書いて、『お伽草紙』という短篇集をだしている。本にしたのは、敗戦直後だったか、記憶がたしかではないが、書いたのは戦争中だから、おとぎ話なら、当局に睨まれずにすむ、と考えたのだろう。『女の決闘』のほうは、自分の作品に書きかえてしまいたい翻訳小説が、ほかになかったのかも、わからない。

ほかにも、太宰治は敗戦前に、書きだしに工夫を凝した作品を、たくさん書いている。好ききらいは別にして、一読の価値はあるだろう。私もあまり、太宰治は好きではないが、全集は持っている。好きではないから、ときどき古本屋に売りはらって、何年かすると、また買いなおす。現在は、ちくま文庫版の全集を持っているが、本の山にうまって、取りだすのが容易ではない。

山本一郎が川上忠男とはじめてあったのは、平成七年の九月九日のことだった。旧暦の八月十五日にあたっていて、東京の夜空には、うろこ雲のあいだに、まんまるな月があった。

こんな書きだしが、ひところ流行した。単純明快、まことにわかりやすい。名前のでている人物ふたりが、その物語の主役であることもわかるし、いつごろ、どこで起った物語かも、すぐわかる。

しかし、「だれかさんとだれかさんがあったのは……」と、はじまる小説が、やたらに氾濫するのは、いい気持のものではない。すぐあとに、それぞれちがう世界が、くりひろげられるのだから、さほど腹は立たないにしても、「ほかに知恵はないの」ぐらいのことは、いいたくなる。流行が長つづきしないで、さいわいであった。だから、わすれられかけた流行をつかって、

山本一郎が川上忠男に殺意をいだいたのは、きのうやきょうのことではない。実に二十八年前、ふたりがともに、高校生になったとき、発生した。

といった書きだしにする手もあるだろう。そうしておいて、二十八年前の出来ごとは、いきなり書かない。現在の山本の心に、殺意が呼びさまされる経過をえがく。それから、過去の殺意の発生をものがたる。このふたつの部分が、ぜんたいの四分の三をしめるような書きかたをして、残りの四分の一は、また現在にもどる。

そこで、ふたりのうちのひとりが、殺されるわけだが、書きかたに工夫をして、いかにも山本が川上をころしたように、読者には思わせる。そして、最後に、殺されたのは、山本であることを、あきらかにする。川上もおなじように、殺意を持っていた、ということにすれば、これで一篇の小説ができあがる。

むろん、ディテールに趣向を凝さなければ、おもしろい小説にはならない。人物の名も、山本一郎と川上忠男では、いけないだろう。長篇小説ではないから、あまり凝る必要はないが、山本一郎は平凡すぎる。長年、たくさんの小説を読んできて、作中人物の名前の

つけかたを、私は発見した。なにも大いばりで、いうほどのことではないけれども、おぼえやすく、印象に残る名前をつけるには、姓と名と、両方とも凝ってはいけない、ということだ。しかも、口にしやすくなければ、いけない。

姓名ともに美しく、奇抜すぎたりすると、リアリティがなくなる。姓が美しく、あるいは風変りなときには、名はやぼったいほうがいい。あるいは、その逆に、姓はやぼったく、名は美しくする。私の専門分野の推理小説でいえば、名探偵の明智小五郎は、多くのひとの知っている明智光秀と、桂小五郎をくっつけたから、ポピュラーになったのではない。

多少はそれもあるだろうが、明智という、するどく澄んだ姓に、小五郎という、ややごつごつして、音もにごった名を、むすびつけたから、印象づよいものになったのである。金田一耕助の場合は、姓が奇抜でありながら、やぼったく、音もにごっている。名のほうがすらっとして、舌にのせやすく、それでいて字づらは、金田一にあわせて、いくらかやぼったい。それで、成功したのである。

江戸川乱歩は一度だけ、小説くささに反発したのか、木村清という平凡な名の探偵を主人公にした。けれども、それは失敗におわったようだ。現実の社会では、名前はおもに耳から、入ってくる。顔の印象、からだつきの印象が、それにともなう。だが、小説の場合は、まず字づらだ。ほんのすこし遅れて、音が入ってくる。顔やからだつきの描写は、あまり細かいとかえって混乱するし、イメージを限定するのは、むずかしい。

それに、主人公の場合は、読者の感情移入が容易なように、わざと空白な部分を、つくっておく必要がある。だから、名前だけに神経をそそぐのである。現実には、木村清という名も、ひとの信頼をあつめたり、好意をかちえたりする。あるいは、その逆もあるだろうが、活字が第一の小説では、きわめて弱いことになる。

話を書きだしにもどすが、エンタテインメントの場合、一ページ目の文章は、きわめて大切だ。これからなにが起るか、どんな楽しみが約束されているか、それを知らせなければならない。だれが、どこで、なにをするか。この通りの順序でなくてもいいが、そのどれもがわからないと、読者は不安になる。

もっとも、小説の書きかたには、絶対の規則はない。

本題とは無関係なおしゃべりが、えんえんとつづいても、成功することもある。しかし、最初は先輩を見ならったほうが無難で、たとえばグレアム・グリーンの初期のエンタテインメントは、参考になるだろう。

私が好きなのは、『拳銃売ります』の書きだしだ。主人公の殺し屋が、標的の人物を教えられる場面を、やや抽象的なタッチで、えがいている。モノクロームの写真のような画面に、悲劇を感じさせる低い音楽が、ひびいてくるような文章だ。グリーンは、書きだしの名人、といっていい。どの作品でもいいから、手にとってみるべきである。

第8回　人の目か神の目か

小説を書きはじめるときに、一人称にするか、三人称にするか、私は迷ったことがない。たいがい、一人称をとる。この形式が、いちばん書きやすい。

だから、この前、サントリー・ミステリー大賞の審査会で、候補作のひとつについて、この作品は一人称で書いてあるので、好意を持った、という意味の発言が、北方謙三氏からあったのには、めんくらった。

私は文章アレルギイが激しいので、現代日本の小説はあまり読まない。明治の東京をえがいた小説で、旗本くずれが関西なまりで喋ったりすると、たちまち居心地が悪くなる。略語の多用もだめで、三十年ちかく前、第一ページに、冷水機のメカがおいてあった、という文章があって、先を読めなくなった。一人称ならともかくも、三人称の地の文だ。以来、よほど必要のないかぎり、日本の小説は読まない。

だから、気がつかなかったのだが、そういわれて調べてみると、日本の長篇推理小説には、一人称小説は近ごろ、すくない。単純に考えれば、これは翻訳ミステリイの影響だろう。英米ではいわゆるハードボイルド・ミステリイに、一人称は限られていて、あとはすべて、三人称小説といっていい。北方氏も、出発点がハードボイルド・ミステリイだから、一人称の減少を残念がっているのだろう。

日本での増加で、まず考えられるのは、三人称のほうが、楽に書けるからにちがいない。ことに長い作品を書く場合は、実に楽なのである。ストーリイの要求に従って、時間空間を移動して、のちの展開に必要な場面を、神の目から書くことができる。一人称小説は人の目だから、主人公が東京にいて、半年前、ニューヨークで起ったことが、関わってくるとすると、その場にいた人物を、あとで出してくるしかない。しかし、それでは出来ごとに、重大な意味があるのが、わかってしまって、困ることもある。

だが、三人称なら前のほうに、さりげなくその場面を、書いておけばいい。たとえば映画で、ホテルの一室がうつる。ニューヨークと下に字幕が入って、アメリカ人と日本人が口論をする。場面が変ると、東京の街路、半年後、東京と字幕が入って、主人公が歩いていく、といった感じだ。時間空間、自在に動いて、多くの人物をえがくことができる。

一人称では、当然ながら、語り手が見たこと、聞いたことしか、描写できない。話している相手の気持なども、語り手の想像しか、書くことができない。不自由きわまる形式だから、手をださないひとが、多くなったのかも知れない。

けれども、便利なものには、しばしば落し穴がある。馴れないひとが、つかいそこなうばかりではない。アガサ・クリスティーのような大ヴェテランにも、名探偵ポワロが知らないはずの、たとえばだれとだれがこういう話をした、というようなことを証拠に、事件を解決する作品がある。だれとだれがこういう話をした場面が、三人称で前のほうに書いてあって、読者には知らしてあるから、作者も油断したのだろう。

その情報を、だれかからポワロが聞く場面を、とちゅうに入れれば、問題はなくなる。だが、そういう手がかりは、くどく書くと、読者が気がつく恐れがある。だからこそ、前のほうに、さりげなく書いたのだろう。したがって、くりかえすわけにもいかず、クリスティーは困って、目をつぶったのかも知れない。読者には知らしてあるのだから、アンフェアではない、というのを弁解に。

推理小説を論ずるには、まだ読んでいないひとのことも、考えなければならないから、題名を書くわけにもいかない。話があいまいになって、恐縮だけれども、戦前、クリスティーの人気が上昇したころの長篇に二篇、そういうのがあった。

現代アメリカのベストセラーは、枕になりそうな厚みを持った本が多い。三人称の多元描写で、たくさんの人物を登場させて、ひとりひとり、丹念に書きこんでいる。主要人物との関連で、ある章にでてきて、住所氏名、職業、配偶者の有無まで書いてあるから、あとでまた出てくるのだろう、と思っていると、それきり消えてしまう人物もある。なんでもかんでも、書いてしまうのである。

それが、成功する場合もあるけれど、よく考えてみると、この場面はいらない、あの場面もいらない、このふたりの脇役はひとりにできる、と思うようなことも、すくなくはない。体力があるにまかせて、楽に書いている、という感じもする。

それに反して、一人称は楽ではないように見える。だが、さほどむずかしくもない。ことにハードボイルド・ミステリイの一人称は、フランス文学に影響をあたえたほど、意味のあるものだった。アンドレ・ジッドが、ダシル・ハメットを高く評価したのは、有名な話だけれども、カメラ・アイと呼ばれた技法は、戦後のヌーヴォー・ロマンの作家たちによって、実践された。

フランス文学といえば、心理描写である。そこへ、言葉ではなく行動で、レンズが記録するように、背後の心理を浮かびあがらせていく技法は、新鮮な衝撃だったらしい。しかし、いまの日本では、フランス文学は持てはやされない。小説を書きたい、といいながら、ジッドを知らないひともいる。六〇年代のヌーヴォー・ロマン、アンチ・ロマンはなおさらで、私もビュトール、ロブ゠グリエぐらいしか、作家の名前を思い出せない。

推理小説とフランス文学は、縁があって、このジャンルをひらいたエドガー・アラン・ポオの小説を、高く評価して翻訳したのは、『悪の華』の詩人ボードレールだった。その後、リアリズムに大きく踏みだしたハードボイルド・ミステリイも、最前いったように、高く評価したのは、フランス文壇だった。英米の文学者には、過去も現在も、ミステリイに対する偏見があるらしい。

だから、一人称のほうがいい、というわけではない。一人称、三人称、アンチ・ロマンの作家がこころみた二人称というのもあって、おっちょこちょいの私は、三十五年前の推理小説処女長篇で、これをつかったが、どれを選ぶかはまず、どんな小説を書くかによってきまる。

それが逆になったときが、小説のプロフェッショナルになったとき、といえるかも知れない。私の場合は、一人称で書くほうが楽だから、たいがい一人称で書きはじめる。書くものは、おもに推理小説だから、三人称をつかうと、AはBとわかれたあとC市へいく、そのときDは東京にいる、といったメモを、しょっちゅうつけていなければならない。興奮状態で書いていると、そういう細かいことを、ついわすれてしまうからだ。

一人称では、主人公の私、ぼく、俺が見たこと、聞いたこと、いたところをおぼえていれば、どんどん書いていける。現実の世界では、隣家にすんでいるひとでも、服装の趣味などがわかるくらい、長い年月がすぎてさえ、職業はわからない、ということもありうる。三人称では、作者は神様だから、なんでも知っていなければならない。けれど、一人称では、現実のようにできる。一日の出来事を、ひとに話すように、書くことができる。

そういうつもりになれば、一人称小説は、けっしてむずかしくはない。登場人物にいちいち、名前をつけずにすむ、というのは、かなり楽なことだ。三人称の推理小説で、事件の起る家の女中にまで、フルネームがついているので、あとで重要な役をつとめるのだろう、と思った。それで、名前をおぼえていたら、その三、四ページにでただけで、女中は消えてしまった。一人称なら、顎に大きな黒子（ほくろ）のあるお手つだいさんとか、丈夫そうな女中とか、あだ名に類する書きかたで、読者によけいな負担をかけずにすむ。三人称の客観描写では、固有名詞をひとりひとり、つけるほうが楽なぶん、読者の記憶力を浪費させることになる。

一人称に近い三人称というのもあって、この手法で書くのが、いちばん好きだ、というひとも多い。一人称代名詞はつかわないが、主人公に密着して書いていく。この手法の利点は、主人公にはまだ知らせたくないが、読者にはいま、知らせておいたほうがいい、ということがあった場合、自由になるところだ。いつでも離れたいときに、主人公から離れられる。ただ離れかたに注意して、つごうがいいからこうします、という感じにならないようにするべきだろう。

私が好きなので、一人称がいちばんいい、といっているように、聞えたかも知れない。私に一人称小説が多いのは、舞台があまり大きくひろがらない、登場人物もたくさん出ない作品が、好きだからだ。つまり、箱庭のような小説で、それには一人称が、しっくりする。ただし、これは私のことであって、規模の大きい舞台で、たくさん人物のでる作品を、一人称で書いている作家もいる。

ハードボイルド・ミステリイだけは、一人称に限るようだ。ホモセクシャルの探偵を書いたジョゼフ・ハンセンは、作者との混同を恐れてか、私でなく主人公の名のデイヴ・ブランドステッター で――一人称に近い三人称で、シリーズを書いた。描写がうまいので、デイヴのあとを、いつも透明人間がついて歩いて、実況放送をしているような気がしたものである。

第9回　小説の両足

小説の基本は、描写である。

描写の基本は、リアリズムである。

こういういいかたは、さまざまな解釈ができて、あぶなっかしい。小説は具体的な言葉で語られなければならない、とでもいったほうがいいように思う。

地球をはるか離れた惑星での冒険譚でも、日本人に読ませる以上、日本語で書かなければならない。日本の現代の言葉で、書かなければならない。具体性ということであり、リアリティということである。

ましてや、現代をえがく小説は、背景になる場所も人物も、現代そのままに、えがかなければならない。

私はそう信じてきた。ひとつには、東京とそこに住む人びとの移りかわりを、小説のかたちで書きとめたい、と私は考えていた。だから、映画のごとく、街は夜があけ、日が暮れて、ひとは動き、話をしなければならない。

ところが、六、七年前から、東京の変りかたが、いやになってきた。人びとの態度や口のききかたは、もっと我慢ができなくなった。往来や乗物の中や、店屋で耳に入ってくる会話を聞くと、東京人はどこへいってしまったのか、と思う。ことに、若い女性同士の会話が、ひどい。抑揚がすべて、関西弁なのだ。

関西人が関西でしゃべる関西弁は、きらいではない。年配の関西人にいわせると、それもかなり崩れているそうで、むかしレコードで親しんだ落語家たちを思い出すと、そうかも知れない、と考える。だが、こまかいところは、わからないから、我慢ができる。

我慢できないのは、東京弁を浸蝕している関西弁で、どこの言葉ともつかないものになっている。歌舞伎の中村勘九郎が、TVコマーシャルで親父を関西ふうに、尻あがりに発音するのを聞いて、暗澹たる気持になった。母方の祖父に、六世菊五郎をもつ役者とも、思えない。

こうした混合のせいで、若い女性の言葉はいまや、かつて耳にしたこともないほど、粗野なものになっている。女子高校生を、作中にだす必要があっても、そんな会話を、書きたくはない。いや、書くことはできない、といったほうが、いいだろう。日本語の会話は、男女の区別が明確で、英語の小説に見られるように、「と彼はいった」「と彼女はいった」と小うるさく書かずにすんだものだが、いまは性別もわからない。

横道にそれたようだが、つまり私の小説は、もはやリアリズムではなくなっている。それでもいいのか、ということを、私は目下、悩んでいるのだ。ほかの作家には、そういう悩みはないのだろうか。江戸時代や、明治時代の東京を背景にしても、関西なまりの会話を、平気で書くひとも多いから、そんなことは、気にしてもいないのかも知れない。

五十余年前の戦争中、首相の東条英機が、演説でしょっちゅう、完遂(かんすい)をカンツイ、未曽有(みぞう)をミゾウユウと読んだ。たちまち、カンツイ、ミゾウユウというひとが増えたが、当時はまだ、それを笑うひとが多かったはずだ。近年、有名人がテレビで耳新しいことをいうと、たちまち一般にひろまるのを見て、日本人は変っていない、いや、悪くなっているのかも知れない、ヒトラーのごとき人物が現れたら、戦争を主張しても、支持されるにちがいない、と私は思った。

それが、まんざら杞憂でもなかったことは、オウム真理教のさわぎを見ても、わかるだろう。そうした右へならえの傾向を、もっとも忌まなければならないのは、小説の世界である。小説は個性を重んじるものだからだ。しかし、エンタテインメントの場合、右へならうのが好きなひとを、読者の大半として、想定しなければならないから、むずかしい。

小説における個性を、いちばん外がわで現すのは、文体だろう。今回は文体について、話をするつもりだったのだが、文体の一歩手前のリアリティを考えるうちに、私の悩みのことになってしまった。

もっとも、文体のほうから考えると、なにも悩むことはない。あつかう素材が、俗悪であっても、卑猥であっても、文章の品格はたもつ。粗野な会話は書かない。それが、私の文体だ、と居直ることができるからだ。

それでも、私は気が弱いから、たとえば女子高生の会話を書いて、「いまどき、仲間同士で、こんな喋りかたをする高校生は、いませんよ」といわれたりすると、虚勢はたちまち崩れてしまう。だから、私の最近の小説には、若いひと同士が会話をする場面は、ほとんどない。

大衆小説を書こう、と思い立ったときから、私は文体のことを考えた。娯楽読物も、文体を持たなければいけない。最初は模倣から、はじめることにした。大佛次郎の文体模写を、せっせとしたのである。しかし、文体とはなにか、説明することは、むずかしい。

私は自分なりに、ある作家の作品を、いくつか読んだあとなら、作者名がなくても、その作家の作品とわかる。それが、文体を持っている、ということだ。そう説明することにしている。これなら、わかりやすいだろう。けれど、自分にしっくり来ない作家のものを、まねする気は起らない。といって、大衆小説を書こうというのに、純文学作家のまねをしても、はじまらない。

敗戦直後のことだから、大衆小説、娯楽読物という呼称を、きらう作家はいなかった。私はいまでも、これらの呼びかたが好きだ。そのころ十七、八だった私には、世の中に知らせたい思想も、感想もなにもなかった。私小説の材料になるほどの、経験もなかった。変った話、おもしろい話を、たくみに語ることにだけ、興味があった。

それも、たくみに語ることが大切で、うまく書けるように、早くなりたかった。そのために、しばしば話をおもしろくする努力さえ、おこたることがあった。そうした姿勢が、間違っていたとは、思わない。それどころか、いまこそ作家志望のひとたちに、そういう姿勢をすすめたい。

小説は「なにを書くか」が、すべてではない。「なにを書くか」とおなじくらい、「どう書くか」が、大事なのだ。なにを、どう書いたかによって、小説の価値はきまるのである。ところが、現在の日本では、エンタテインメントに、どう書いたかはほとんど、問題にされない。

おもしろく、わかりやすければ、それでいい、というのは、貧弱な小説に馴らされた読者のいいぶんだろう。世の中にはもっと、ぜいたくな小説があるのだ。三十年ほど前に、英米の推理小説と日本の推理小説のあいだには、四半世紀のひらきがある、と私は書いた。たしかにそうだ、といってくれるひとが多かった。

それが一時、せばまった。ひらきはなくなったかに見えたのだが、ずるずるとまた後退して、二十五年どころか、三十年のひらきさえ、一部には見られるように思う。それはおもに、技術の貧困、文体の軽視による格差である。

技法の錬磨、文体の確立は、努力によってなしとげることができる。たくさんの小説を読むこと、それにつきる。たくさん読んでいるうちに、多くの文体を知って、そこから自分のものを、つくりだせるのである。だから、ストーリイだけを追って、読んでいてはいけない。気に入った作品を、音読してみたり、筆写してみたりするのも、いいだろう。私は筆写はあまりしなかったが、音読はよくしたもので、はたち代のころには、いくつかの短篇小説や、長篇小説のさわりを、暗記していた。

音読をすることには、ほかにも利点がある。会話のこつが、つかめるからだ。私は調子がでてくると、会話が長くなるくせがある。ぜんたいが長くなるのではなく、言葉がつながって、喋りにくくなるのだ。それは実際に口にしてみなければわからない。

岡本綺堂は戯曲はもちろん、小説を書くときでも、会話を自分でしゃべってみたそうである。銭湯の中で、書きかけの戯曲の殺し場のせりふを、このほうがいいか、あのほうがいいか、ぶつぶつ喋っていて、まわりのひとをおどろかした、という逸話がある。

地の文にしても、音読してみると、センテンスが長くて、わかりにくかったりするのが、よくわかる。私の子どものころ、教科書を音読する中学生が近所にいて、まわりの家にまで聞えた。うるさがっていた大学生が、あれは頭がわるい証拠だ、と悪口をいったけれども、中学生は故障なく大学にすすんで、頭のよさを証明した。だから、私は安心して、音読を励行した。

しかし、エンタテインメントの根本は、おもしろいお話にある。技術、文体は訓練と工夫にはげめば、身につけることができる。ところが、おもしろい話をつくる才能は、かなりの部分、天性による。先天的な部分が多いのである。もちろん、たくさんの小説を読んで、おもしろい、とはどういうことか、まなぶのは可能だ。だが、それには技術をまなぶ以上の努力がいる。

だからといって、「なにを書くか」のほうが、「どう書くか」より、大事とはいえない。どちらも、大切なのだ。しかも一生、努力をしなければならない。小説を書くのは、実にむずかしいことなのである。努力をするのがいやなら、最初から小説など、書こうとしないほうがいい。

第10回　鏡のつかい方

モデル問題について、質問があったので、今回はそのことを中心に話をすすめる。

TVニュースや新聞をにぎわした事件、あるいは身近で起った出来ごとから、小説のヒントを得ることは、しばしばある。しかし、うかつにやると、問題が起る。

現実の事件をそのまま書いても、昭和のはじめ、あるいは大正、明治時代に起こったことなら、解決、未解決にかかわらず、めんどうは起らないだろう。もちろん、そのままに書くときには、じゅうぶんに調べなければならない。実在の人物がでてくるのだから、どんな喋りかたをしたかも、じゅうぶん考えなければならない。

ひところ、推理小説で、有名な実在の作家を、探偵役にするのが流行して、芥川龍之介、夏目漱石、樋口一葉までが、事件の謎と対決した。若いころ、芥川と面識のあった老人がそれを読んで、「芥川さんはこんな話しかたをするひとじゃない」と、概嘆していた。漱石は探偵を軽蔑していたし、金のために小説を書こうとした一葉は、探偵小説は売れるとわかっていても、書けなかったひとだ。安易にモデルには、できない有名作家なのである。それを、名前が知られている、というだけで、つかっているわけである。

推理小説ではなく、伝記だけれども、樋口一葉を主人公にしたTVドラマを見て、一葉が現代の若い女性みたいに、ら抜き言葉をつかうので、あきれかえったおぼえが、私にはある。子どもや孫が、まだ生きている可能性のある人物は、気をつかってえがかなければならない。言葉づかいや、性格づくりのみのことなら、作者が恥をかくだけだが、ひとに迷惑をかけることもある。

日本ではまだ、あまり真剣には考えられていないが、なにかというと、訴訟を起されるアメリカでは、作家はいつも気をつかっている。小説にしばしば、架空の都市、架空の町がでてくるのは、そのためである。

犯罪の起るところが、あなたの住んでいる町であって、容疑者や犯人の苗字が、あなたとおなじだったら、つくり話とわかっていても、あなたは不愉快にならないだろうか。私には、そういう経験がある。エンタテインメントの小説に、実社会で生活しているひとを、不愉快にしてもいい、という権利はない。訴えられる恐れもあるので、架空の土地をつくるだけでなく、その上にかならず、「これはフィクションであって、現実にモデルはない。名前などが一致したとしても、それは偶然にすぎない」という断りがきをつける。

日本も昔はやかましく、江戸時代には小説や戯曲で、江戸という大まかな名さえ、つかえなかった。江戸は鎌倉、両国橋は花水橋、深川は婦多川と書かなければ、ならなかった。武家の名前は、似通っているというだけで、お咎めをうけた。山坂古論太とか、赤井御門之守とか、ふざけた名の旗本、大名が、まじめな小説に登場するのは、そのためなのだ。

推理小説の場合、私は事件の起るところ、犯人の住んでいる場所などは、架空の地名をつかうことにしている。しかし、東京都内に架空の区をつくるのは、違和感があって、うまくいかない。そういうときには、現実の区名、町名をつかって、五丁目までしかないところに、六丁目をつくったり、二十番地までしかないところに、二十一番地をつくったりする。これは現実感もそこなわずにすんで、よい方法だと思う。

もっとも、読者は自分さえモデルにされなければ、どこで殺人が起ろうが、放火があろうが、気にしない。私がいつぞや、地下鉄都営三田線白山駅あたりに、本駒込という駅をつくって、奇妙な出来ごとを書いたら、読者から注意の投書があった。三田線に本駒込という駅はない、というのだ。これには、困った。

しかし、日本の作家、読者は、架空の地名に馴れるべきだろう。不愉快な犯罪関係でなくても、たとえば三島由紀夫の『潮騒』などは、現実の島をモデルにして、それに架空の名をつけている。海の中の小さな社会だけに、そこに住む人びとに迷惑をかけては、いけないということなのだろう。人物をモデルにする場合は、より以上に、気をつかう。知りあいに、小説につかいたい人物がいても、私はそのひとりだけでは、つかわない。ふたりか三人、とりあわせて、はっきりわからないようにする。それでも、自分をモデルにしたろう、という抗議をうけることがある。たいがい、モデルとは無関係の人物が、そんなことをいってくるのだから、おかしい。

重要な脇役として、推理作家が登場するときには、名前をまず私自身と似かよったものにする。椿正雄とか、紬志津夫といった名である。しかし、性格などは、私がモデルではないけれども、似たところが残るかも知れない。似ていたところで、私は文句をいわないから、大丈夫である。

まっ昼間、日本橋のまん中で、裸になる覚悟がなければ、小説は書けない。そういうことを、太宰治がいったそうだが、ほんとうかどうか、私は知らない。事実にのっとった小説を書くには、相手を傷つけるだろうが、それ以上に、自分も傷つく覚悟をすれば、相手も納得してくれるかも知れない、ということなのだろう。

どうしても、書かずにはいられない真実なら、たがいに血を流して書こう。そういう覚悟にちがいない。だが、そこまで正直になって、小説が書けるものだろうか。エンタテインメントとしての小説には、血を流さなければならない、という場合はない。ぜったいにない、とはいえないが、めったにない。

だから、私は人間のモデルはつかわない。見たり聞いたりしたことは、遠慮なく利用する。新聞の小さな記事から、短篇の推理小説を書いたこともある。静岡の新聞に出ていたという話を、友人から聞いたのだ。駅の構内で、轢死体が発見された。所持品がなくて、身もとはわからなかったが、改札掛りが顔をおぼえていた。この一週間ぐらい、最終のひとつ前の鈍行がついた直後、改札を出ていく。のぼりだったか、くだりだったか、もうわすれてしまったが、最終の鈍行に間にあうように、改札にもどってくる。それがつづいたので、顔をおぼえたというのである。

二本の鈍行のあいだは、三十分か四十分、遠くまで往復はできない。駅の近くに用があって、毎晩、判で捺したように通ってきて、一週間目に死んでしまった。続報がでたかどうか、わからないけれど、これだけでじゅうぶんだった。小味ながら、魅力的な謎だ。この話を聞いた老人が、推理をするという短篇小説を、私は書いた。『退職刑事』というシリーズの一篇にしたのである。

　このシリーズは六冊あるので、題名もうろおぼえだが、『四十分間の女』としたと思う。いわゆる安楽椅子探偵のシリーズで、ほかにも二篇、見聞から書いた作品がある。ひとつは『真冬のビキニ』、富山へいったとき、地方紙で読んだ。大きな川が海へでるあたりの海岸で、寒い冬の朝、ビキニの水着をきた女の溺死体が発見されたという記事だった。いかにも老退職刑事が、興味を持ちそうな事件なので、帰京してすぐ五十枚に書いた。

　もうひとつは、近所の地下鉄の駅のプラットフォームで見て、首をひねった出来ごとだ。私が夕方、出さきからの帰り、プラットフォームへおりると、若い男が改札から階段をくだってきた。手に洋服を三着、さげている。ワイヤーのハンガーにかけて、安っぽいビニールのカヴァが、かかっていた。いまクリーニング屋から、とってきたという感じだが、ふつうはそんなふうに、洋服を持って、電車にはのらないだろう。

　これは書ける、と思って、家へもどるとちゅう、題名が浮かんだ。『ジャケット背広スーツ』という、あっさりしていて、気のきいた題だ。「なぜ三着も、洋服を持って歩いているんですか」と聞かれたら、その男、いうんじゃないかな。「一着はジャケット、一着は背広、もう一着はスーツです」って。

　そんなジョークを、登場人物に早めにいわせておけば、題名は生きるだろう、と思ったのだ。実をいうと、本駒込という架空の地下鉄駅をつくったのは、この作品でである。

　現実から吸収した経験、知識がなければ、小説は書けない。小説は現実をうつす鏡、といってもいいだろう。ただエンタテインメントの場合は、まともな鏡ではない。凹面鏡か凸面鏡で、誇張したうつりかたをする。鏡のつかい方をあやまると、名誉毀損で訴えられたりする。

　小説ではなく、エッセーでだが、名誉毀損で訴えられたことが、私にもある。名誉毀損はたいがい、示談でおさまりがつく。被告が勝つことは、めったにない。だが、このときは被告の私が勝訴して、珍しいことだといわれた。しかし、弁護士に依頼して、ずいぶん時間もかかったし、気苦労も多かった。筆をすべらせて、訴訟を起される、というのは、愚かなことだ。私は筆をすべらせたわけではないが、相手が不快に感じたのは、わからなくもない。

私が現実を誇張して書いた『退職刑事』シリーズの三篇は、さいわい評判がよかった。こういうことが、もっとあればいい、と思うのだけれど、年をとって、外出がへったせいで、近年は書けそうな出来ごとを、見聞する機会がない。つねにアンテナをぴりぴりさせて、目を見ひらき、耳をそばだてていなければ、いけないのだ。

第11回　質疑応答

今回もいくつか質問があったので、それにお答えすることで、話をすすめたい。文章はつい、はずみがついて、書きすぎることが多い。よぶんなものは、削るべきなのだろうが、どう見きわめたらいいのか、というのが、最初の質問だ。たしかに、簡潔にして、明快というのが、小説の文章の理想だろう。しかし、私は時間があって、手を入れることができる場合でも、削るより、書きくわえるほうが、ずっと多い。

削るのは、「その晩のうちに」とか、「あの男が」とか、「そう思った」という、その、あの、そう、といった言葉である。こういう言葉は、調子にのって、よく考えもせずに、書いてしまうことが多いが、読みかえすと、実にむだだという気がする。だから、たとえば「その晩のうちに」は「午後十一時をすぎてから」、「あの男が」は「都筑道夫が」、「そう思った」は「と、都筑は思った」という具合にすれば、ずっと具体的になる。

無造作に書くと、言葉が重なったり、不似合いなたとえがあったり、くどくなったりするものだ。小説のこつを、あっさり、みじかく、はっきり、といいあらわしたのは、ロシアのプーシキンだったと思う。淡彩で簡潔に具体的に、ということだろう。プーシキンは、どちらかといえば短篇作家だ。長篇小説の場合は、すこし違うかも知れない。

削らずに、書きくわえることが多い、と私がいったのは、おもに長篇の場合である。なにを書きくわえるか、というと、風景描写、心理描写だ。筆にまかせて、書いていると、つい先を急いでしまう。だれが、どこで、なにをするかを書くのが、小説だけれど、しばしば、どこでがわすれられる。

たとえば、二階の窓から外を見て、主人公がなにか考えている。その建物が低地にあるのか、高台にあるのか、窓から遠くが見えるのか、大きなビルで視野がさえぎられているのか、空は晴れているのか、雲が多いのか、そうした違いによって、人間の思考は影響をうける。風景描写は、小説のストーリィを助け、登場人物を助けるものなのだ。軽く見てはいけないのに、日本の近年の小説には、風景描写がすくない。

心理描写については、二番目の質問と関連する。人物描写はどのていど、丁寧にしたらいいのか。それが、第二の質問なのだけれど、短篇と長篇とでは、大きくちがう。ひと口にいって、短篇は事件を書くもの、長篇は人間を書くものだ。

短篇ではときには、人物の名前も職業も、住んでいる場所も、書かないことがある。主題となる出来ごとの印象を、強烈にするために、わざと書かない場合もある。枚数の制限のために、詳細にわたれない場合もある。前者の場合が多いだろう。

いっぽう長篇の場合は、近ごろの翻訳ミステリィを読めば、わかるだろう。おもな登場人物について、どんな家庭に生れそだって、どんな教育をうけて、どんな趣味を持っているか、等身大にえがくために、微に入り細にわたって、書いている。ここまで書かなくても、と思うこともある。しかし、それによって、事件を形成する人間心理が、はっきり納得できる。だから、人物描写はここまででいいか、という判断は、むずかしい。

いくたりの人物をだすか、どんな性格をあたえるかで、判断するよりも、事件や出来ごとの規模で判断したほうがいいだろう。もっと端的にいえば、四百枚に書くか、千枚に書くかによって、ちがってくる。おまけに、人物描写は、両刃（もろは）のつるぎである。作者の技術が、はっきり現れる。やたらに言葉をついやして、書きこんでも、読者にイメージをあたえられないこともある。

昔はよく、背中が書けていない、といったものだ。上っつらだけ書いてはあるが、背中があって、歩いているようには見えない。自分の意思を持った人間とは、うけとれない。ストーリィに都合のいいように、作者が動かしているあやつり人形、ということだ。

しかし、生きた人間を書くなどと、最初から思わないほうがいいのかも知れない。エンタテインメントの場合、読者がもとめるのは、おもしろいストーリイである。ストーリイを的確に語りながら、生きた人間を書くのは、むずかしい。人物の性格は単純にして、ストーリイを語るテクニックを、まず磨くべきだろう、というひとも多い。

なにしろ、現代の日本で小説を書くには、さまざまな問題がある。読者の知識に、大きな断層があることも、問題のひとつだ。以前はあまり迷わずに、読者を想定して、小説でもエッセーでも、書くことができた。

アイディアだけにたよるのも、考えものである。独創的なアイディアだと思っても、たくさんの作家が、たくさんの作品を書いているのだから、かならず前例がある、と覚悟したほうがいい。わかりやすく、映画の話から入ると、長谷川一夫が戦前、戦後に当りをとった『雪之丞変化』は、三上於菟吉（おときち）の戦前の人気小説が原作だけれど、この長篇小説、ジョンストン・マッカレイの『双生児の復讐』という作品が、下敷になっている。

マッカレイはアメリカの大衆作家で、日本では『地下鉄サム』という、愉快な掏摸（すり）を主人公にした短篇シリーズで、人気があった。このシリーズの最初の翻訳者、坂本義雄は早稲田実業学校の英語の先生で、戦後は野球部の部長をつとめ、王貞治を育てた。

マッカレイには、もうひとつ有名な、なんども映画になった長篇がある。主演俳優を古い順にいうと、ダグラス・フェアバンクス、タイロン・パワー、ガイ・ウィリアムズ、アラン・ドロン、ジョージ・ハミルトン、フランク・ランジェラといったひとたちだ。『怪傑ゾロ』である。

こういう文章も、平気で書けた。だが、いまはこの中の人名を、読者はいくつ知っているか、と考えて、ためらわざるを得ない。長谷川一夫は、かなりの人が知っているだろう。王貞治はみんなが知っているとして、ゾロを演じた俳優となると、アラン・ドロンぐらいだろうか。

映画が好きだ、という若いひとの中には、外国俳優の名を、ぜんぜん知らないのもいる。フランク・ランジェラの二時間ＴＶ映画いがい、ぜんぶのゾロを見ている私としては、悲しくもなろうというものだ。

嘘だと思うかも知れないが、小説のひとつも書こうというのに、ドストエフスキイも知らず、ジッドもカミュも知らず、ヘミングウェイもスタインベックも知らず、志賀直哉も太宰治も知らない、というひとがいるのである。読者にはもっと無知なひとがいるから、こまかい風景描写や、人物の外面描写、内面描写をやっても、しょうがない、というひともいる。

つまり、エンタテインメントなら、むずかしいことはいわずに、おもしろいストーリイをわかりやすく書けばいい、というわけだ。たしかに、いまの日本は文芸批評、書評のスペースが雑誌でも、新聞でもすくない。おまけに、酷評しかできないような作品は、とりあげない、という不文律がある。問題にされるのは、内容だけであって、技術面をけなされる心配はない。

しかし、だからといって、易きにつくひとが多くなったら、日本の文芸は、レヴェル・ダウンするばかりだろう。現にエンタテインメントでは、そうした傾向が現れている。楽しみのための小説でも書くことは楽しみだけではない。苦しみの部分のほうが、むしろ多いだろう。でも、ひとに読んでもらって、金をもらうのが、小説家の仕事である。楽をしよう、と思ってはいけない。つねに、この前の作品より、いいものを書く、という覚悟が必要だ。

最後の質問は、ユーモアはどのていど、盛りこむべきか。くどくなってもいけないだろうし、ものたりなくてもいけないはずで、その見きわめかたが、わからない、というものだ。質問のかたちから見ると、いわゆるユーモア小説の場合ではなく、ふつうの小説の薬味としてのユーモアのことらしい。

私は先ごろ、コリン・デクスターの『カインの娘たち』という推理小説を読んで、感銘をうけた。久しぶりのイギリス・ミステリイで、ウイットに満ちた文章に、本物の知的エンタテインメントとは、こういうものだったのだ、と堪能したのである。大笑いするようなギャグではなくて、微笑をさそうような上品なものだ。

しかし、こうした笑いは、むずかしい。日本では、先ほどいった知識の断層のせいで、読者の理解力を測定しにくくなっているから、なおさらだ。私は現在、自作にユーモアを入れることは、考えていない。だが、あったほうがいいものだから、入れるとして、さりげなく、ということを、心がけるべきだろう。わざとらしく、つくったユーモアではいけない。ものたりないかな、と思うくらいが、ちょうどいいのである。

いちばん大事なのは、自分らしさを発見することだ。自分らしいユーモア、それを考えれば、自然に入れどころ、強調のしかた、といったものが、わかってくるはずである。小説の書きかたに、絶対はない。十人の作家がいれば、十の小説作法がある。逆にいえば、たくさんの小説を読んで、そのうちのどの技法が、自分にあっているか、発見するのである。小説の読みかたが、うまくならなければ、うまく書くことはできない。

第12回　見本の見本

　この連載をはじめるとき、梗概の書きかたを、どこかに入れてくれ、と編集者にいわれた。長篇小説の募集には、なん枚の梗概をつけろ、という規定がある。はじめて、応募しようとするひとは、どう書いたらいいのか、たしかに考えあぐねるかも知れない。

　けれども、梗概というものを、私は書いたことがない。読んだこともない。選考委員の手もとにくるコピイには、梗概はついていないからだ。下読みのひとは、梗概を参考にするのだろう。四十年ほど前に、私も二度ばかり、下読みをしたことがあるが、短篇小説の募集だったから、梗概をつける規定はなかった。

　当時の応募作には、箸にも棒にもかからないものが多くて、こんな文章にもならない作文で、なぜ応募する気になったのか、と首をひねることが、しばしばだった。二、三枚、読めば、活字にできるものかどうか、はっきりわかる。だが、近ごろは、文章力が平均して、わかりやすく、読みやすい。ずばぬけた筆力のものは、まれらしいが、とにかく二、三枚では、見当がつけられない。それだけに、梗概が参考になるのだろう。

　要するに、下読み委員に読む気を起させれば、梗概はいいのだと思う。つまり、映画の予告篇か、全集の内容見本のようなものらしい。ミステリイやファンタジイなら、どれほど新しく、変ったストーリイが展開するか。それが、どんなに魅力的な人物によって、物語られるか、強調すればいいはずだ。

　しかし、新しく変ったストーリイといっても、作者がそう思っているだけでは、しょうがない。前人未踏のトリックを考えました、と胸をはっていうので、聞いてみると、いくらも類例のある思いつきにすぎないことがたびたびある。梗概ひとつ書くにも、たくさん読んでいることが、必要なのだ。

私は小学二年生くらいから、振りがなをたよりに、おとなの小説を読んできた。まだ探偵小説といっていた推理小説、伝奇小説、怪奇小説、やたらに乱読して、六十代になった現在も、読みつづけている。いちいち、おぼえてはいないが、新しい作品を読んでいて、これは？　と思うのをきっかけに、記憶がよみがえってくる。

そんな私が最近、ぎょっとしたことがある。『退職刑事』という連作短篇を、私は長いあいだ書いていて、先ごろ五冊目をだした。知人にそれを送ったら、「思い出したよ。古い浪花節に、退職刑事があった」といわれた。木村重行という浪曲師がいて、昭和のはじめまで、活躍した。そのひとの演目に、明治の探偵ものがあって、人力車の客が、走っているうちに、毒殺される。車夫はなにも知らないというので、担当の刑事が頭をかかえる。刑事の父親は、退職したもと刑事で、息子の話を聞く。その話だけで、事件を解決する、というのだ。

まさに、退職刑事である。明治時代には、探偵小説の最初のブームがあって、演芸にもそれが及んだ。探偵実話『五寸釘の寅吉』のような講談や、『探偵うどん』のような落語があるのだから、浪花節に探偵ものがあっても、ふしぎはない。

そんなところまで、目はとどかない、とすましていてもいいのだが、敗戦直後に一年ばかり、寄席演芸にくわしく、芸人の小説を書いていた正岡容のもとに、私は出入りしていた。木村重行のレコードも、なん枚か聞いている。人力車上の殺人の話を教えてくれたのも、正岡さんの友人だったお年よりで、折口信夫門下、近世芸能を専攻したひとだったから、私は降参した。

だからといって、『退職刑事』をやめる気は、私にはない。このシリーズのミソは、主要人物の組みあわせにはなく、あつかう事件にあるからだ。しかし、明治ものの浪曲に、刑事親子のアームチェア・ディテクティヴがあった、というのには、びっくりした。ひろく目をくばらなければ、いけないわけだ。

小説を書こう、と思うくらいだから、小説が好きなはずである。関連して、ストーリイ性のあるもの、映画や落語、講談にも、興味があるはずだろう。なんでも読んで、見て、たくわえるべきだ。たくわえたストーリィを組み合わせて、新しいストーリィをつくることもできる。

先日も、新聞の文芸欄に、ろくに小説を読んでいない若いひとが、小説を書こうとする、と苦言を呈する記事があった。西武百貨店の池袋コミュニティ・カレッジというところで、私は長年、小説作法の講座を持っているが、そこでも同様のことを感じる。小説を書くには、小説を読まなければ、いけない。このことは、前回にも書いたけれど、なんどでも、くりかえして書くつもりである。

梗概のことに、話をもどそう。長篇小説の募集規定にある梗概が、映画の予告篇とすこし違うところは、一般読者の目には、ふれない点だ。読むのは下読み委員、小説を読むことに馴れて、さまざまな手法を、知っているひとたちである。予告篇のように、ああなりまして、こうなって、さて、どうなりますか、見てのお楽しみ、というわけにはいかないだろう。気がまえは予告篇、内容見本だが、そのへんがちょっと違う。

推理小説なら、ときには犯人まで、書く必要があるかも知れない。書かないほうが、いいかも知れない。こういう説明では曖昧だから、生れてはじめての経験だが、ひとつ梗概を書いてみようか。見本の見本、というわけである。例を自作にとっても、ひとの作品にとっても、いろいろと差しさわりがあるから、実在しない長篇の梗概を、書いてみる。

主人公の雨宮良作は、二十六歳になっても、定職を持っていない。弁護士の父の事務所の調査員ということに、いちおうなっているが、日本画家の祖母の家で、ごろごろしていることが多かった。

春さきの雪のふる晩、祖母の家に帰ろうとして、千葉県の小都市のはずれを、車で走っていると、かたわらの竹やぶから、いきなり男がひとり、飛び出してきた。雪道にすべって、相手が倒れたので、良作が車からおりてみると、男は起きあがって、怪我はないという。男は大学時代の旧友で、久しくあっていない。良作が話をしようとすると、相手は急いでいるからと、もとの竹やぶへ、走りこんでしまう。

気になって、あくる日、古いアドレス・ブックにあった男の住所へ、電話をかけてみる。細君らしい女性がでて、話は嚙みあわない。ねばって聞きだしたことに、良作は仰天した。遠藤というその旧友は、二年前に死んでいる。それも、殺されている、というのだった。

　別の友人に電話して、聞いてみると、事件は新聞にもでたし、自分は葬式にもいったという。奥さんにたのまれて、きみにも電話したが、ロンドンに滞在中で、とうぶん帰らない、ということだったので、伝言も残さなかった。そういわれて、良作はすぐ、車でゆうべの道へいく。一時間ほど前まで、ふりつづいた雪のせいで、タイヤの跡や足跡はない。

　周辺の民家を聞いてあるいたが、遠藤らしい男が、住んでいる様子はなかった。良作はその足で、都内の父の法律事務所にゆき、二年前の新聞の縮刷版を、書庫からだした。良作は当時、半年間、日本にいなかった。その間の新聞をしらべると、簡単に見つかった。遠藤は愛人に、無理心中をしかけられたのだった。遠藤は死に、女は死にそこなって、病院にはこばれた。遠藤を殺したことを、女はみとめ、裁判で有罪になった。

　良作は混乱した。心中をしかけるほど、思いつめた相手を、女が間違えるはずはない。細君も死体を確認し、検視もおこなわれたのだろう。ゆうべ出あったのは、遠藤ではなかったのか。夜といっても、暗闇ではない。雪あかりと、車のヘッドライトで見たのだから、友人の顔を見まちがえるはずはない。自分の顔を見て、相手も狼狽していた。

　調べてみよう、と良作は思った。

　馴れないことは、するものではない。梗概にしては、くわしすぎるような気もする。長篇の梗概は、四百字五枚以内、という規定になっていることが、多いように思う。私の見本は、ここまで二枚半ぐらいだろう。あと二枚半あるなら、この調子でも結末まで、書けるかも知れない。

　はみだしたら、削除し、加筆して、書きなおせばいい。小説でも、梗概でも、一度で完全を狙ってはいけない。詩文上達のこつとして、看多做多商量多（かんたさたしょうりょうた）ということが、昔からいわれている。たくさん読み、たくさん書いて、なんども直せ、という意味だ。

　この連載エッセーも、十二回になった。一年間というのが、最初の約束だったけれど、書きたりないような気もする。読者のほうにも、質問したいことがあるのではなかろうか。編集部から、すすめがあったのを幸いに、もう一年、つづけることにする。スタイルも、すこし変るだろう。

小さなことでも、大きなことでも、遠慮なく質問をよせていただきたい。私のいうことは、絶対ではない。けれど、それぞれの小説作法を、読者が発見するヒントは、ひそんでいるはずである。

第13回　結末のつけ方

小説は終らなければならない。書きはじめるのも、むずかしいけれど、終らせるのは、もっとむずかしい、といえるかも知れない。ただし、昔の娯楽小説作家の中に、こんなことをいったひとがいる。

「結末というのは、十二ヵ月のうちの、たったひと月だ。それまでの十一ヵ月がおもしろければ、最後のひと月が多少、つまらなくても、編集者も読者も満足する。なにも、苦労することはない」

そのころの長篇小説は、月刊雑誌の連載が多かった。たいがいは一年、ときには一年半、二年にわたることもある。中には国枝史郎のように、話をひろげすぎて、しばしば収拾がつかなくなって、しばらく休みをいただいて、いずれまた続きを書きます、といった断りを出して、たいがいの場合、それきり未完になってしまう作家もいた。

しかし、いまでもときおり、国枝史郎の伝奇長篇小説が、復刊されることがあるから、前述の娯楽小説家の言葉は、あたっている、といえるかも知れない。この言葉は、大衆小説は龍頭蛇尾でもいい、という意味だ。

まじめに考えれば、どんな種類の小説でも、龍頭蛇尾でいいはずはない。これは、あまり堅くなるな、という意味に、解釈しておいたほうが、いいのだろう。肩肘をいからせた終りかたよりも、音楽が低くなって、いつの間にか、聞えなくなるような、さりげない終りかたのほうが、たしかに効果をあげることが多い。

結末のつけかた、落ちのつけかたについて、実は質問があったので、こういうことを書きはじめたのだが、結末のつけかたには、いろいろある。落ちのつけかたは、別の問題で、ストーリィの考えかたのほうに、属する。

落ちを必要とするのは、短篇小説、ことにショート・ショート・ストーリィだ。落ちはストーリィから、自然に導きだされる場合が多い。それに、短篇小説、ショート・ショートでも、かならずしも落ちが必要とは、かぎらない。私は六百篇かそこら、ショート・ショートを書いているが、落ちのないものも、かなりたくさんある。

落ちというのは、どんでん返し、そのほかの意表をついた結末のことだ。あざやかな落ちは、読者をあっといわせるが、あんがい記憶に残らないものである。むろん、個人差もあるだろう。私は作者としても、あまり自作の落ちは、おぼえていない。評判のよかった落ちも、よくなかった落ちも、わすれてしまう。六百篇というのは、ごく内輪な見つもりで、もっと多いにちがいない。それを全部、おぼえていることは、不可能だろう。

一所懸命に考えて、ひとつだけ思い出したのは、セールスマンをからかって、退屈しのぎをしている老夫婦の話だ。新人のセールスマンが、先輩の指導をうけながら、歩いている。しもた屋の小ぎれいなのを見つけて、新人が入ろうとすると、先輩がとめる。

若いセールスマンがくると、行方不明の子どもが帰ってきた、という芝居をする。ばあさんが泣いたり、じいさんが手をとって、あがれ、あがれ、部屋はそのままにしてある、というので、みんな怖くなって、逃げだすというのだ。ばかにしている、と新人は憤慨する。じゃあ、ぼくはその子のふりをして、老夫婦を困らしてやる、と家へ入ろうとすると、先輩は腕をつかんで、そんなことで、困りゃしない。もうこのくらい大きくなったろうと、毎年としを数えて、着物をつくっている。そんな窮屈な服はぬいで、これに着かえろといって、女の着物を持ちだすぞ。

これだけの話を、会話もまじえて、六百字で書いたのである。原稿用紙一枚半でも、ちゃんと小説が書けるのを示した作品として、いささかの自負を持っている。

これも、いい落ちがついたので、おぼえているわけではない。セールスマンは、老人たちの退屈しのぎ、と解釈しているが、淋しさから、狂気に踏みこんでいるのかも知れない、というところまで、感じさせようとした。そういう構成ぜんたいとして、私は記憶していたらしい。これは、セールスマンがくると、おかしな応対をする老人夫婦、という設定を思いついて、押しすすめていったら、自然に落ちがついたのである。

結末のつけかたと、落ちのつけかたは、違うといっても、まったく違うわけではない。ストーリィの必然的な展開で、落ちがつき、終るべきところで終る、という意味では、おなじようなものだ。しかし、技巧的には、さまざまな終らせかたがあって、そこが違うのである。

長篇小説では、フランスのフローベールの作品のような、物語の決着がついたあとで、おもな登場人物のその後の運命を、箇条書みたいに書く、という手法がある。主筋の中では、損な役わりばかりつとめていた男が、後年、たいへん出世をしたとか、いい役どころの人物が、あっけなく事故死をしたとか、人生を感じさせて、印象が深い。日本では、石川淳の『白頭吟』という長篇、明治のテロリストたちをえがいた小説だが、これの結末がその手をつかって、主要人物の後年を書いている。私の好きな作品で、結末も見事だった。たしか現在では、中公文庫に入っていると思う。

いっぽう、途中でばっさり、切りすてたような結末もある。もうひと場面、ふた場面あってもいいのに、打ちきってしまう。例えば『忠臣蔵』を書いて、四十七士が雪を踏みしめて、吉良邸の前にくる。みんなが門の屋根をあおぐと、雪がつもっている。そこで唐突に、終らしてしまうような結末だ。

忠臣蔵で思い出したが、大佛次郎に『四十八人目の男』という、同志を脱落した小山田庄左衛門をえがいた長篇がある。その結末は、討入りの翌朝、深川あたりの川ばたを、庄左衛門がとぼとぼ歩いている。これから、どう生きるつもりか、といった説明はない。川べりに鰻かきの男が、焚火をそばにして、くわえ煙管（ぎせる）でしゃがんでいる。火にあたらしてくれぬか、と庄左衛門が声をかけると、鰻かきはふりかえりもせずに、

「好きになせえ。焚火は勝手に燃えているのだ」

このせりふで、小説は終っている。なんの説明もないが、この鰻かき、直助権兵衛なのかも知れない。寒ざむした空気が感じられて、いい結末だ。大佛次郎の場合は、せりふで終る作品が、なぜか印象に残っている。『鞍馬の火祭』だったか、『雪の雲母（きらら）坂』だったか、

鞍馬天狗ものの中篇小説で、立ちまわりの直前で、終るのがあった。

勤皇家のふりをして、幕府に通じている浪人が、馬でやってくるのを、鞍馬天狗が待っている。相手がきて、馬をおりると、あんたのせいで、あんたのような男が、なぜ裏切りを働いたのか。あんたのせいで、惜しい人物がいくたりも死んだ。このままで、すますわけにはいかない、と天狗がいう。相手がふてくされて、刀をぬくと、天狗も刀の柄に手をかけて、天気もいい、場所もいい、というようなことをいってから、ちらりと馬のほうを見て、「おれの帰りの馬まである」

きざな感じもあるが、いかにも颯爽とした結末だ。映画のラストシーンのような、描写でしめくくる手法もある。久生十蘭の『無月物語』は、スタンダールの『イタリア年代記』の中の『チェンチ一族』を下敷きに、平安の貴族の冷酷無残な悪人ぶりを、きびきびとえがいた傑作だ。ラストシーンは、山の中の別荘の露台のようになった板敷で、妻と娘が夫であり、父である貴族を殺す。燭台の灯の下で、大男の額に大釘をうちこむ。のたうちまわるのを、女ふたりが押えこんでいると、ひとつだけの灯の下で、やがて動かなくなる。まっくらな闇の中に、小さな灯のともっている光景が、まるでカメラの俯瞰撮影のように、ぐんぐん空にのぼっていって、闇一色になる。そう書いてあるわけではないのに、はじめて雑誌で読んだときにも、そう感じたし、いまも読みかえすたびに、そう感じる。すばらしい結末だと思う。

長いあいだ、小説を書いてきたから、愛着のある作品も、ないではない。しかし、この結末は自信がある、といえる作品は、残念ながらない。すぐれた結末というのは、単にいいストーリィが、自然かつ必然的に、終るということではない。自然かつ必然的な終りかたを、どういう書きかたをするか、それが問題なのだ。

もっとも、この考えかたは、古いといわれるかも知れない。すぐれた結末を考えるときに、私はしばしば映画を思いうかべる。たとえば、キャロル・リード監督の『第三の男』である。墓地の中の長い道を、女が歩いてくる。落葉はきの車が、手前にとめてあって、それに男がよりかかっている。男はタバコを吸いながら、期待を持って、動かずにいる。それに一瞥(いちべつ)もあたえずに、女は通りすぎる。いかにもイギリスらしい、センチメントを底に秘めたラストシーンだった。

しかし、近ごろの映画には、こうしたラストシーンは見られない。詩的であれ、というわけではないが、映画は散文的になりすぎているようだ。小説はもともと散文だから、いよいよ散文的になって、印象に残るラストシーンがない。

手ばなしの詩情ではなく、詩情を背後に隠した結末——独立した場面として、印象に強烈に残る結末が、私はあるべきだと思っている。はじめるよりも、終らせるほうが、ずっとむずかしい。

第14回　会話らしく

小説は地の文と、会話から成立する。書くのには、どちらが楽ということはない。むずかしい、といえば、どちらもむずかしい。ただ好き嫌いというか、えて不得手といったものはある。

私は会話が好きで、地の文を書くのには、苦労する。書いては消し、書いては消しして、ひとくさり地の文がおわると、ほっとする。さあ、会話だと意気ごむのだが、得意というほどではない。自信があるわけでもない。子どものころから、戯曲をたくさん読んでいて、劇作家をこころざしたことがある。好きだというのが、たよりなのだ。

好きになったのは、小さいころから、落語や講談、映画や芝居、会話なしではなり立たない芸能に、夢中になってきたからだろう。ことにまだ、テレビというものがなかったのは、幸運だった。映画館、劇場、寄席へいかない日でも、ラジオがかかっている。ラジオは耳にだけ訴えるものだから、出演者はアナウンサーをふくめて、話のしかたを錬磨する。近ごろの若い俳優のように、なにをいっているのかわからない、ということはない。

小説も言葉だけがたよりで、ラジオより分が悪い。個性的な声、抑揚のたくみさ、効果音といった応援を、たのめないからだ。紙上にならんだ活字だけで、心理まで感じさせなければならない。もちろん、

「ありがとう」と、正雄はいった。はずんだ声に、うれしさが現れていた。

といった具合に、説明の助けを借りることはできる。では、そういう会話を、効果的に書くこつがあるのか。以前、なんどか書いたように、声にだしてみるのも、ひとつの方法だ。そうすれば、

「ぼくはけさ、八時に起きて、朝めしを食って、会社にいってから、すぐ初栄商事に電話をして、営業の村松さんにあいにいったんです。十時半という約束でしたが、芝の初栄商事へついてみると、村松氏は不在で、社内を探してもらってもいないし、ぼくを待っていると、隣りのデスクのひとも聞いたというので、心配になりました。しかし、いないものはしょうがないんで、十二時ちかくに、あきらめて帰りかけたときに、地下の駐車場で、村松さんが死んでいる、という知らせがあったんです」

こんな会話は、音読できないことが、わかるだろう。こんな会話を書くひとなど、いるものか、と思うかも知れないが、案外いるのである。必要なことを、いちどに書こうとするから、こうなるのだが、どう整理すればいいのか。基本は、短く分断することだ。

「こっちから、電話をして、あいにいったんです。出社してすぐかけたんだから、九時十分ぐらいでしょう。十時半ならいい、というんで、初栄商事にいきました。ええ、時間どおりに」

「そのときには、いなかったんですね、もう村松さんは」

「そうなんですよ、刑事さん。ぼくを待っているって、隣りのデスクのひとに話したそうで、だから、応接室や十階の喫茶店なんか、探してもらったんですが……」

「見つからなくても、待っていた？　大事な用だったんですな」

「きょうでなくても、よかったんですがね。うちの社は八王子で、ここは芝でしょう。もうすこし待とう、もうすこし、と思っているうちに、十二時になって、あの知らせです。地下駐車場で、村松さんが死んでいるって……びっくりした。ほんとうに、びっくりした。朝めしが早かったんで、腹がへっていたのに、たちまち食欲がなくなりました」

これでいくらか、会話らしくなった。現実の会話では、ああ、いやいや、ええっと、なんというか、ほら、その、といった無意味な言葉が、しばしば入る。そういうものを入れたほうが、リアリティをだせる場合もある。だが、小説や戯曲の会話は、現実的でなければいけないけれど、現実そのままの会話ではない。

ことに、いまサンプルとして、書いてみた会話は、推理小説の導入部らしいものになった。そうだと仮定すると、現実らしい会話よりも、データを知らせる会話でなければならないだろう。刑事を相手に、喋っている男が、単なる点景人物でなく、主役のひとりとすれば、ますますそうだろう。

1　彼のつとめ先は、八王子にある。
2　被害者のつとめ先は、芝にある。
3　彼は被害者にあうために、午前十時半に芝についた。被害者は営業の人間にちがいない。
4　被害者が彼を待っていたことは、同僚も知っている。だが、どこへいったか、見あたらない。
5　正午ちかく、地下駐車場で、だれかが死体を発見した。
6　警察が呼ばれて、彼は立ちさるわけには、いかなくなった。

これだけのことを、読者に知らせるための会話だから、リアリティを多少、犠牲にしても、やむをえないわけだ。推理小説では、なるべく早く、事件の条件を提示しなければならないからである。これがたとえば、その日の夕方、彼がガール・フレンドにあって、事件の話をしているところとなると、リアリティが主になってくる。


「どうしたのよ、ねえ」

「どうしたって？」

「聞いてないでしょう、あたしの話」

「聞いてるよ、ちゃんと」

「うそ」

「わかるかな。昼間、ちょっと嫌なことがあって……」

「どんなこと？」

「取りひき先のひとが、急に死んでね」

「年上のひとね」

「おないどしじゃないかな。ふたつ、みっつ上か……この話はよそう。こんなところで、する話じゃない」
「というと、ふつうの死にかたじゃないのね？」
「だからさ。こんなところで、する話じゃあ……」
「殺されたんじゃない？　ひょっとして」
「テレビのニュースで、やったのかい、もう……」

現実では、短い断片的な会話が、ひょいひょい飛びかうものだ。芝居でも、ことに世話物の場合、会話は原稿用紙の二十字一行以上になっては、いけない、といわれている。登場人物の気持が高揚し、観客がのりだすような場面になったとき、はじめて三行、五行、六行、といった長いせりふが、交換される。それでも、十行以上の長ぜりふは、控えたほうがいいという。たしか、岡本綺堂の書いたものに、そんな心得がでていた、と記憶している。

前掲のような短い会話のやりとりは、実は書くのも楽なのだが、こんな調子が数ページつづくと、読者はあきるという、危険性もある。気のきいたいいまわしや、ギャグがちりばめてあっても、その危険はあるのだ。芝居とちがって、俳優が喋るわけでは、ないからである。

もうひとつ、気をつけなければいけないのは、らしく、ということだろう。老人は老人らしく、女子学生は女子学生らしく、刑事は刑事らしく、会話をさせなければ、いけない。ただし、刑事だから、やくざだからといって、隠語をやたらにつかうことには、私は賛成しない。録音してきたような会話は、録音してくれば、だれにでも書ける。近ごろは隠語といわずに、業界語というらしいが、できるだけそれは使わずに、それらしく見せるのが、作家の技術というものだろう。

らしく書きたくても、書けない。いや、書きたくない、という場合もある。目下の私の悩みは、それなのであって、たとえば若い女性の言葉づかいだ。東京に生れて、育った若い女が、地方なまりの会話を、粗野な大声でかわす。散歩にでるたびに、それを聞いて、こんな会話は、ぜったい書きたくない、と私は思う。

リアリティとは、ただ「らしい」ということではない。書こうとする人物の性格を、頭の中で、立体的につくりあげる。それにしたがって、人物が紙の上で行動する。そうなれば、自然に会話もでてくる。わかりにくい説明かも知れないが、そうなるときこそ、小説を書いていて、いちばん楽しいときなのである。自分の考えが、つくりあげた人物、という気はしなくなって、人物がそれぞれの自由意思で、勝手に動きだす。作者はそれを見まもって、記録していく。

ペンを持つ手が、自然に動いている、という感じがする。ワード・プロセッサーで、そういう境地に達するのは、むずかしいような気もする。手とペンと原稿用紙は、密着している。ワープロのキイと、指さきはくっついているが、文字は離れたスクリーンにでる。そのせいで、一体感がでにくいのではないか、とも考えられる。

第15回　推理小説の世界

小説を書くには、たくさんの小説を読まなければならない、とくりかえしいった。私の専門分野は、推理小説である。推理小説を書くには、どんな推理小説を読まなければならないだろうか。

この五月、アルツハイマー病の研究をしている日本人の大学教授が、アメリカ西海岸の住宅地で、お嬢さんといっしょに、射殺された。治安のいい高級住宅地で、ラホヤという。その名を聞いたとたん、私はチャンドラーを思い出した。ハードボイルド・ミステリイを完成させた大作家、レイモンド・チャンドラーである。ラホヤは長年、彼が住んでいた町なのだ。

だが、新聞記者やTVニュースの記者は、だれもハードボイルド・ミステリイなどには、関心がないと見えて、チャンドラーの名を持ちだすひとは、いなかった。ほかのことではなく、殺人事件なのだから、土地の警官にしても、ひとりくらい、チャンドラーを思い出してもいいだろうに、もう完全にわすれられた名なのだろうか。

チャンドラーは、三〇年代はじめの大不況のとき、石油会社の重役の地位をうしなって、手っとり早く金になる仕事をさがした。雑誌に推理小説を書くことを考えたが、ろくに読んだこともない。若いころから、詩を書いていたので、文章を書くことには、自信があったらしい。そこで、評判のいい推理小説を、買いあつめてきて、読んでみた。

ところが、いっこうにおもしろくない。あきらめて自己流に、自分の納得がいくような犯罪小説を書きはじめた。そういわれているが、どこまで事実かは、わからない。とにかく、チャンドラーの書いたミステリイは、そのころまで、主流をしめていたヴァン・ダイン、アガサ・クリスティー、エラリイ・クイーンの作品とは、大きく違っていた。

当時のアメリカ社会と、緊密にむすびついて、読者に自分のすむ町を歩いているような気にさせる。そういう現実的な犯罪の物語だった。もうひとり、アメリカには、他人の作品はほとんど読まずに、大作家になったひとがいる。弁護士ペリイ・メイスンのシリーズを書いたアール・スタンリイ・ガードナーである。ガードナーは弁護士で、貧しい人びとのために、金にならない仕事ばかりひきうけるので、事務所は赤字つづき。それを埋めるために、推理小説を書きはじめた。

じきに執筆が忙しくなって、弁護活動ができなくなったが、若い優秀な弁護士や、気鋭のジャーナリストをあつめて、冤罪事件再調査の会をつくって、死ぬまで金を出しつづけた。ガードナーは、他人の作品を読まなかったから、大家になっても、新人作家の著書に、推薦文などは、めったに書かなかった。私の知るかぎり、一度だけ新人の本の裏表紙に、絶賛の言葉を書いたが、皮肉なことにその新人は、わずかに二冊、長篇ミステリイを出しただけで、消えてしまった。

チャンドラーは卓抜な文章家で、寡作の作家、ガードナーは絶妙のストーリイ・テラーで、多作の作家という、極端なちがいはあっても、どちらも天才だ。天才のまねは、するものではない。やはり、さまざまな推理小説を読んで、どんなタイプがあり、どんなテクニックがあるか、おぼえたほうがいい。

推理小説は、英米で生れた。日本にも、類似のものがあるが、知的なエンタテインメントとしての本家は、やはり英米だろう。したがって、推理小説の書きかたを学ぶには、原書を読むか、翻訳を読まなければならない。翻訳はきらいだ、というひとは、推理小説を書く資格はない、というべきだ。

読むのは翻訳物として、どういう傾向がむいているか、手に入りやすい作品、アガサ・クリスティーとレイモンド・チャンドラーを読みくらべてみてはどうだろう。クリスティーでは、『ナイルに死す』『ＡＢＣ殺人事件』、チャンドラーでは、『さらば愛しき女よ』『長いお別れ』がいいと思う。

エラリイ・クイーンも、読んでおく必要がある。論理的なものの考えかたを、はっきり示したものとして、

『オランダ靴の秘密』と『途中の家』をすすめたい。メロドラマ性の強いものとしては、『エジプト十字架の秘密』が、おもしろい。これらの作品は、『長いお別れ』をのぞいて、戦前に書かれている。

つまりは古典で、推理小説にかぎらず、古典をたくさん読むのは、いいことだけれど、もっと新しいものを、読みたいひともいるだろう。そういうひとには、エド・マクベインの八十七分署シリーズがいい。ニューヨークをモデルにした大都会の、警察分署の刑事たちをえがいた集団ドラマで、いちじるしい出来不出来がない。

出来不出来がない、という点では、前述のE・S・ガードナーも同様だ。どれをとっても、駄作がない。ストーリイのつくりかたでは、たいへん参考になるが、マクベインかガードナーか、どちらかひとり、ということになれば、私はマクベインをとる。

マクベインの十年くらい前の作品は、それまでの推理小説のさまざまなパターンを、実にたくみに取入れて、新しくしあげている。プロットのつくりかた、トリックのつかいかた、サスペンスのもりあげかたで、教えられるところが多い。

しかし、それを読みとるには、知識のつみかさねが必要なので、ガードナーかマクベインか、といった考えかたは、よろしくない。機会があったら、なんでも読むことだ。近ごろ本は高い。そんなには、買えない、というかも知れないが、古本屋というものがある。図書館というものがある。若いうちは、読めば読むほど、読む速度はますものだ。はたち代から、三十代の前半にかけて、私は多いときには日に五、六冊、小説を読んでいたことがある。

仕事で読んだので、そばからわすれてしまって、あまり役に立ったとも思えないが、知らないうちに、滋養になっているのだろう。私は小学校一年生のときに、吉川英治の『鳴門秘帖』を読んだ。以来、大衆文芸、純文学、本を読まない日は、なかったといっていい。私には世の中に、訴えたいことはなにもなかったが、おもしろい話を、ひとに聞かせたくて、大衆小説を書きはじめた。

大佛次郎、岡本綺堂、さらに後年、久生十蘭の影響をうけた。つまり、十代から、はたち代にかけて、おぼえたことで、私は小説を書いているのだ。

この五十年に、エンタテインメントとしての小説が、どんなふうに変化したか、というと、まず洗練されたことが、いえるだろう。かなり高級になってきている。推理小説にしても、五十年前にくらべると、ずっと厚くなっている。厚くなったというのは、それだけ細かく、書きこんである、ということだ。

アメリカには、厚い本でないと、ベストセラーにならない、という迷信がある。迷信というのは、妥当でないかも知れないけれど、ベストセラーになる本の九〇パーセントが、枕のように厚いことは、事実である。たっぷり書きこんであると、背景になる場所にしても、脇役の人物にしても、いきいきとしてくる。

ときには、こんな端役まで、くわしく書く必要があるのか、このエピソードはむだではないか、と思うこともあるが、筆力がなければ、そういうむだもできないだろう。だから、これは純粋の推理小説ではなく、怪奇小説だが、スティーヴン・キングの『ニードフル・シングス』あたりを、読んでおいたほうがいいだろう。ひとつの町が、悪魔のはたらきによって、壊滅するありさまを、豪快かつ明細にえがいた長篇で、私はこれを、ディズニー映画の恐怖小説版、と評した。つまり、華麗で、幻想的で、美しく、恐ろしい長篇小説ということだ。

いなかの長い橋が、爆薬でふっとんで、空に舞いあがってから、川水に落ちるところなぞ、実にすばらしい描写である。悪魔の魔法に対抗して、保安官が両手をくみあわせて、壁に影絵をつくり、思いもかけず、勝利をおさめる描写も、ばかばかしさを感じさせない。ディズニー映画の恐怖小説版、という所以である。

チャンドラーでも、マクベインでも、感銘をうけた長篇があったら、もう一度、第一ページにもどって、読みなおしてみるがいい。わすれる時間がないうちに、完全に読みなおすことができたら、それは本物の傑作といっていい。

ノートをとりながら、読んだことは、私はない。しかし、エド・マクベインの作品などは、ここは伏線らしいとか、この描写は見事とか、ノートをとって、読んでみると、いいだろう。一作だけのノートは、あまり役に立たないように見えるが、二作、三作とたまってくると、意味を持ってくる。ひとつおぼえのようにくり返すが、たくさん読んで、たくさん書く。小説を書くには、ほかに方法はないのである。

最初のうちは、感心したひとの描写を、そのまま真似をしたって、ゆるされる。猫の顔のような薔薇が、花瓶にさしてあった、という描写が、大佛次郎の現代小説にあって、はたち代のころ、私はなんども自作につかった。大佛次郎の真似だね、といわれたことは、一度もない。うまい文章を筆写していると、いつの間にか、うまくなるものだ。描写にしても、同様である。

第16回　恋愛小説の世界

このエッセーでは、恋愛小説に、これまで言及したことがない。なにしろ、五十年ちかく前に、『マノン・レスコオ』や『若きウェルテルの悩み』、『ポールとヴィルジニィ』といった古典を、翻訳で読んだだけだから、どうしても、敬遠したくなるのだろう。

作家としても、恋愛小説は、書いたことがない。書こう、と思ったことはあって、『猫の舌に釘をうて』という初期の長篇小説が、それである。しかし、ストレートに恋愛を書くのは、てれくさい。というよりも、どう書けばいいのか、わからなかった。

それに、推理小説としてのかたちも、ととのえたかった。だから、都筑道夫の『猫の舌に釘をうて』という長篇の束見本に、だれかが書いた手記、という形式をとった。ここで束というのは、本の厚みのことだ。校正がすすんで、ページ数がきまった作品を、実際に使用する印刷用紙で、そのページ数だけ製本して、実際どおりに表紙をつけたのが、束見本である。つまり、表紙だけは小説本のようだが、中は白いページの本なのだ。

『猫の舌に釘をうて』を書くすこし前に、知人の編集者から、不用になった束見本を、私はもらって、ノートがわりに使っていた。それから思いついたわけで、束見本に手記を書いた人間が、それをどう利用するかにも、工夫を凝らした。

そういう趣向のほかに、グレアム・グリーンが、長篇『情事の終り』でつかった手法で、ストーリイを書きすすめた。正式には、なんと呼ぶべきか知らないが、連想によって、時間と空間を飛躍させて、自由にストーリイを展開する、というテクニックだ。たとえば、江東地区の煙突の林立を見て、北陸の海辺のまばらな林を連想する。そして、その海辺のエピソードに移る、といった手法だ。

　そんなテクニックの飾りを、たくさんつけたのは、自信のなさの現れだったろう。したがって、恋愛小説の要素は、ずっと後退してしまった。もっとも、恋愛小説にも、いろいろな書きかたが、あるはずだろう。さきにあげたグレアム・グリーンの『情事の終り』も、一種の恋愛小説であり、史上、もっとも意外な犯人を設定した推理小説でもある。早川書房の『グレアム・グリーン選集』にも入っているし、新潮文庫にも入っていたから、読んでみていただきたい。技術的にも、実に見事な小説だから。

　そういえば、大佛次郎の明治をえがいた作品群、『幻燈』『霧笛』『花火の街』などは、恋愛をからめて、人間の成長をえがいた心理小説だ。敗戦直後の作品『幻燈』が、主人公がいちばん若く、次は『霧笛』の無頼漢あがりの異人館のボーイ、『花火の街』の旗本くずれの男は、いちばん年上で、激変の時代に生きる男女が、よく書けている。戦争中に、はじめて『霧笛』を読んだときには、おどろいた。『鞍馬天狗』シリーズや、『異風黒白記(こくびゃく)』『海の男』『幻の義賊』といった作品は、読んでいたから、大佛次郎の小説が、ハイカラな雰囲気を持っていることは、知っていた。

　だが、『霧笛』はまるで、フランスの現代心理小説だった。こんなタッチでも、明治を書くことができるのか、と目をみはった。三作とも、それほど長くはないので、『霧笛』と『幻燈』を一冊にして、徳間文庫に、おなじく『霧笛』と『花火の街』を一冊にして、講談社文庫の大衆文学館に、それぞれ入っているから、いまでも手に入るはずである。

　恋愛小説とは、男と女が恋をして、どうなるか。その経緯を書く小説のことだろう。もちろん、ただ男と女ではない。A子とB夫であって、その恋の経緯が、C江とD太郎の恋とは、どう違ったのか。それを、書かなければならない。

　くぬぎ林の中の一本が、ほかの一本と、どう違うか。それを書くのが、小説だ、といったのは、だれだったろう。うろおぼえで恐縮だけれど、フランスの大作家フローベールが、弟子のモーパッサンに、いった言葉だったと思う。

普遍的な恋愛の中に、特殊なものを見いだして書く。それが、小説なのである。あるいは逆に、特殊の中に普遍を見いだす。男を書きわけ、女を書きわけなければならない。性格描写の技術が、しっかりしていなければ、恋愛小説は書けないのである。

もっとも、恋愛小説とは、かぎらない。どんなタイプの小説にも、性格描写は必要だ。けれども、恋愛小説では、性格描写のしめる比重が、いちばん大きい、といえるだろう。

『猫の舌に釘をうて』を、書いたころの私は、性格描写に自信がなかったから、失敗したに違いない。それでも、この作品には、愛着がある。推理小説専業になったころの私の生活が、濃く反映しているからである。それきり、恋愛小説を書こうという気は、二度と起きなかった。それについて、思い出すことがある。あるとき、取材旅行に出かけた。行きは電車だったが、別の仕事がさしせまっていたので、帰りは飛行機にした。羽田からは、タクシイにのって、車中、メモの整理などをしていたら、取材の帰りですか、と運転手が話しかけてきた。

小説の好きなひとで、愛読書の話をいろいろしたあげく、でも、ポルノだけは読みません、という。若い元気のいいひとなので、ポルノもけっこうじゃないか、と私がいったら、運転手いわく、そりゃあ、けっこうですがね、ありゃあ読むものじゃなくて、やるものでしょう。そういって、笑うので、私も笑ってしまった。

恋愛小説とポルノグラフィをいっしょにしたのでは、怒るひともいるだろう。しかし、このことを思い出すたびに、恋愛も書くものではなくて、やるものだ、と思う。だから、恋愛小説を書こう、と考えなくなってからも、私はなんども恋をした。

むろん、恋愛小説にも、ポルノグラフィの要素の入ったものがある。それでまた思い出したが、００７シリーズの作者、イアン・フレミングに、『私の愛したスパイ』という変りだねの作品がある。いつもの三人称ではなく、若い女の一人称で、性愛遍歴の記録という体裁になっている。

最後の章で、ジェイムズ・ボンドが登場して、主人公の女性とおなじモーテルに、泊りあわせる。そこへ、殺し屋がやってきて、大活劇になって、女も巻きこまれる、という趣向なのだ。イギリスの作家は、こういう遊びの小説を書くのが好きらしい。

おなじ題名の映画があるが、ストーリィはぜんぜん違う。翻訳はハヤカワ・ミステリィで出て、そのあとハヤカワ文庫になったはずだから、興味のあるひとは、読んでみていただきたい。

私は007シリーズでは、この『私の愛したスパイ』と、『死ぬのは奴らだ』が好きだ。後者は、はじめて読んで、当時の日本の読者には、受入れられまい、と思いながら、翻訳出版をきめた作品で、思い出がある。出してみたら、あんがいの好評で、ほっとしたものだ。そのころ、私は早川書房で、作品選定の役目をしていたのである。

こんなふうに、思い出してみると、私もけっこう、恋愛小説を読んでいる。小学生のころを考えてみると、同学年のものは四、五年生で、おとなの小説を読みはじめた。たいがい恋愛小説で、いちばん持てはやされたのが、菊池寛の『第二の接吻』だった。当時としては、衝撃的な題名で、学校に持ってきたりしたのを、先生にみつかったら、間違いなく没収だった。だから、なおさら持参して、見せびらかした。

みんなが読むような本は、読みたくもない、と称して、実は没収されて、閻魔帳に名をしるされるのが、怖かったのだが、私はもっぱら、黄いろい表紙の「世界探偵小説全集」、茶いろい表紙の「世界大衆小説全集」を、持ってあるいた。どちらも文庫サイズで、古本屋での値段も安かった。

けちで、つむじ曲りなところは、その時分から、発揮されていたらしい。私が濫読家だったから、いうわけではないが、若いころは、なんでも読んだほうがいい。私は小学生のころは、時代小説、探偵小説、翻訳探偵小説を読み、中学生になると、それに戯曲、フランス文学、江戸文学がくわわった。

一九四一年十二月八日、太平洋戦争のはじまった日にも、私は炬燵の中で、時代小説を読んでいた。小学校へはちゃんといったのだけれど、講堂で校長の訓示を聞いたあと、帰宅していい、といわれた。

そのとき読んでいたのが、川口松太郎の長篇『新編丹下左膳』だったことも、カバーの岩田専太郎の派手な絵とともに、はっきりおぼえている。戦争がおわった四五年八月十五日には、なにも読んでいなかった。空襲で家とともに、わずかな蔵書も焼いてしまったからだ。

早稲田大学の近くの古本屋は、焼残っていて、クイーンやクリスティーの探偵小説の原書や、翻訳本も売っていた。そこで買った翻訳ミステリイを、家では読んでいたのだが、持ってあるくことはできなかった。敵性の書を読んでいるのを、教師に見られたら、没収されると、いわれていたからである。

古本屋の棚にあるものを、かばんに入れてあるいて、なぜいけないのか、といったことは、まったく考えなかった。なんでも読める現代は、ありがたい。

第17回　怪奇小説の世界

子どものころから、おばけが好きで、小説でも、映画でも、その手のものを読んだり、見たりしてきた。はたちになって、小説を書きはじめてからは、ときおり怪談を書いた。怪奇小説、恐怖小説、呼びかたはいろいろあるが、私は怪談という、古風な名前が、いちばん好きだ。

しかし、自分では幽霊や超自然現象は、爪の先ほども、信じていなかった。現代の怪談がどうあるべきかも、考えていなかった。ただ「小説新潮」に、内田百閒の『とほぼえ』という短篇小説がのったのを読んで、怖いと思った。

怪談を読んで、おもしろかったことはあるが、怖かったことはあまりない。『とほぼえ』が怖かったので、内田百閒の初期の二冊の短篇集、『冥途』と『旅順入城式』も読んだ。『とほぼえ』の入った短篇集のタイトルは、おぼえていないけれど、百閒の小説は福武文庫、岩波文庫に入っている。そのどれかで、読めるはずだ。

百閒の短篇を、怪談というひとは、ほとんどいない。悪夢のような心象風景を書いたものだと解説するひとが多いが、『旅順入城式』に『大尉殺し』という、ごく短い小説が入っている。明治の半ば、岡山で実際にあって、新派の芝居にもなった殺人事件を、昭和のはじめに、現実の光景として、見ている自分を書いたものだ。夢と解釈するのは簡単だが、それにしてはリアリティがありすぎる。

さらに『先行者』という作品では、ミルク・ホールで、奇妙な盲人にあった男が、帰りみち、結果的にその盲人を尾行することになって、しかも、それが自分の家に、妻にむかえられて、入っていくのを目撃する。なんとも異様な作品で、怪談といっていいと思う。

　もうひとり、私が夢中になったのは、『半七捕物帳』で知られる岡本綺堂である。綺堂は短篇の怪談を、たくさん書いている。百閒の作品とちがって、怪談と呼んで、異議をとなえるひとはいない。作者自身も、怪談といっている。江戸の歌舞伎や草双紙の怪談の影響で、綺堂は戯曲、小説を書きはじめたが、それ以外に漢文、英語の書物からの影響もあった。

　だから、江戸の人間の怪談好きだけではなく、モダーン・ゴースト・ストーリイのこころが、綺堂の作品には、あふれている。因縁因果から離れて、すなおに怪奇現象とむきあっているところは、中国の古い怪談の影響だろう。同時代の日本作家とちがって、綺堂の怪談は、いまだに新鮮なのである。

　その作品に、『三浦老人昔話』という連作があって、いまでは『鎧櫃(よろいびつ)の血』という題名で、光文社時代小説文庫に入っている。怪談集ではないが、『置いてけ堀』という一篇は怪談で、しかも綺堂の怪談構成法が、よくわかる。ぜひ読んでみていただきたい。

　綺堂と百閒を手本にして、私は怪談を書きはじめた。二十枚から三十枚で、編集者からも、読者からも受入れられて、やたらに書いた。それを集めた短篇集が七、八冊ある。近ごろ、あまり書かないのは、怪談の傾向に変化があったからである。

　百閒や綺堂の怪談は、ひと口でいえば、幽霊を信じない現代人を、読者に想定している。そうした読者が、多い時代だったからだ。ところが、映画技術の進歩によって、読者の意識が変ってきた。いわゆるＳＦＸの大きな進歩に、コンピューター・グラフィックが新たにくわわって、どんな画面にもリアリティを持たすことが、できるようになった。

　近年の映画を見て、娯楽としてのＳＦやホラーは、小説では滅びるだろう、と私は思った。文章ではとうてい、こうしたリアリティは出せない。画像を目で見せる力には、言葉はかなわないのである。

　しかし、予想は外れた。幼稚な特殊撮影のころから、目を見はるＳＦＸまで、順に見てきた読者ばかりではない。いきなり、ＳＦＸを見て、それで育った若い読者には、最初から、言葉は無力だったのだ。無力なものに、期待するはずがない。つまり、怪談の変質がはじまったのである。

同時にスティーヴン・キングという、優秀な作家の登場によって、アメリカにホラー長篇のブームが起った。超能力少女の物語が、処女作だったことも、ブームのためには、よかったのだろう。そして、幽霊屋敷テーマの『シャイニング』を書いて、長篇時代の到来を、読者に印象づけた。

文藝春秋社から、翻訳のでている『IT』は、ひとつの頂点だった。キングの特徴は、現代生活を微細にえがいて、リアリティをだしながら、そこへ超自然の出来事を、すべりこませるところにある。したがって、実存の商品名など、固有名詞が多い。

ジェイムズ・ボンド・シリーズの作者、イアン・フレミングは、かつての連続活劇映画のような非現実の冒険をえがいて、リアリティを——正確にはアクチュアリティをあたえるために、着るもの、食うもの、のる車、実存の固有名詞をつらねた。私のまったくの想像だが、キングはそれを、見ならったのではなかろうか。

だから、キングの作品は、長くなければ、生きてこない。一作ごとに長くなって、『IT』などは、文春文庫で四分冊になっている。そして、日常の詳細な描写のスペースのない短篇ホラーでは、別人のように古めかしい。

近年の作品、『ダーク・ハーフ』や『トミーノッカーズ』『ニードフル・シングズ』は、『IT』ほどではないけれども、やはり長い。

キングにつづくホラー作家、ピーター・ストラウブの長篇も長い。なにからなにまで書く、という感じがしないでもない。しかし、そこまで書くには、筆力が必要で、描写力も抜群でなければならない。私のきらいなディーン・R・クーンツにしても、描写力はみとめざるをえない。

クーンツのホラー長篇が、なぜきらいかというと、構成が古めかしくて、この手の小説の定石を、知っている人間には、ストーリイの先が、あっさり読めるからだ。それだけに、これから小説を書こう、というひとには、勉強になるかも知れない。代表作は、ほとんど文春文庫で、翻訳がでている。

怪奇をえがく日本の作家というと、泉鏡花をわすれては、いけないだろう。実をいうと、私は鏡花も好きではない。理由は簡単、ロマンティックすぎるからである。私はもともと、ロマンティックで、センチメンタルな人間なのだ。それゆえ、あからさまにロマンティックで、センチメンタルなものは、てれくさい。ハードボイルド・ミステリイのように、ロマンティシズムにしろ、センチメンタリズムにしろ、ぐっと抑えたものが、のぞましいのである。ところが、泉鏡花の作品は、大佛次郎がいっているように、「生きているうちから、幽霊のような」美女をえがいて、なんとも、てれくさい。

鏡花はてれがないから、きらいだ、といったのは、喜劇俳優で、たいへんな読書家でもあった古川緑波(ろっぱ)である。緑波はきっすいの東京人だから、てれのないところが、きらいだ、という気持は、おなじ東京人として、よくわかる。東京生れ、東京育ちで、江戸から東京の文化に、こだわりを持つひとは、鏡花を好きになれないのかも知れない。

だが、特異の文体は、一読にあたいするから、『歌(うた)行燈(あんどん)』『眉かくしの霊』くらい、読んでおくべきだろう。どちらも、幽霊はでたのか、でないのか、よくわからない。この二作だけは、私も好きなのである。

近ごろの小説は、なにが書いてあるか、ということだけが、問題にされがちだ。内容がおもしろいか、ひとを感動させるか、それがすべてのようである。しかし、以前にもいったと思うが、なにを書くか、というのは、小説の半分にすぎない。

どう書くか、というのが、あとの半分なのである。近年は、わかりやすく、読みやすいというのが、小説の第一条件のようになっている。しかも、アマチュアとプロフェショナルの境いめが、だんだん狭くなっている。

私がはじめて、懸賞小説の下読みをやったのは、もう四十年も昔のことだが、応募作品の大半は、文章にもなんにも、なっていないような作品だった。だから、二、三ページ読めば、予選を通過するかどうか、見当がついた。しかし、いまは文章力が平均して、最後まで読まなければ、わからない。下読みもたいへんだ、と聞いている。

家にたとえれば、床が高くなったのだ。それに比例して、天井は高くなっていない。そこが問題だ、と私は発言したことがある。わかりにくく、読みにくい小説があっても、いいではないか。むかし怪談の読者は、めったなことでは、信じないぞ、と眉をひそめていた。

いまは、どんなオバケでも信じるよ、と待ちうけている。

作者は楽になった。つくり手が楽になると、ろくなことはない。その先に待っているのは、質の低下である。お粥のような小説になれた読者は、泉鏡花を読んで、努力してみるのもいいかも知れない。鏡花の文体は、私もきらいではない。

怪談について、語るとなると、つい中立公平ではいられなくなって、好ききらいが出てしまう。趣味が反対と思うひとは、私がきらいといった作家のものを、読んでみればいいわけである。ただし、キングだけは、だれが読んでも、おもしろいはずだ。

第18回　どの道を行くか

若いころの私は、なによりも、うまい小説家になりたかった。そのころの有名作家でいえば、吉川英治にも、川口松太郎にも、なりたくなかった。大佛次郎になりたかった。

それに、のちになって、岡本綺堂と久生十蘭が、くわわった。前にも書いたけれど、私は最初のうち、大佛次郎のまねをして、小説を書いていた。だいぶたってから、文章は久生十蘭をまねるようになって、十蘭よりも、さらに厳しい自己規制をおこなった。

原稿用紙四百字一枚の中で、おなじ言葉を二度つかってはいけない、といった規制だ。たとえば、手という言葉を一度つかったら、その一枚のうちでは、もうつかえない。手すりや、手つだいはかまわないが、右手、左手、手にとるように、といった言葉は、つかえない。ナニナニのように、と一度書いたら、次にはナニナニみたいに、その次はナニナニのごとく、そのまた次には、あたかもナニナニに似て、と変えなければならない。

これは、つらいことだった。一枚書くのに、やたらに時間がかかる。とうとう音をあげて、当時はいわゆる、半ぺらの用紙を愛用していたので、二百字のうち、ということに縮小した。この呪縛から、自由になるには五、六年かかった。

呪縛は、大坪砂男からのものだった。大坪砂男は、寡作の推理作家で、昭和二十三年から、十数年のあいだに、凝った短篇小説を発表した。一時期、私は師事していて、ずいぶん影響をうけた。その作品に、『零人』というのがあって、書きだしは、

「天城峠のトンネルをぬけると南伊豆の秋空はくっきりと青く光っていた」

三十四文字のうちに、トという音が、四つある。これを減らして、三つにしようと、大坪砂男はひと晩、苦心惨憺したというのである。けっきょく、あきらめたそうだが、ばかばかしい、と思うひとも、あるかも知れない。私はそうは思わなかった。

大坪砂男は、久生十蘭に傾倒していた。自分の技法にしばられて、大坪砂男がなにも書けなくなってから、私は十蘭にのめりこんでいったのである。久生十蘭も、自分のつくりだした文体に、がんじがらめになっていたけれど、まだしも、のびのびしたところがあって、作品のかずが、それを証明している。

いまになって、うまくなりたい、と思ったのは、私の大きな間違いだったらしい、と考えることがある。売れる本を、たくさん書きたい、と思って、努力するべきではなかったのか。だが、そういうときに、頭に浮かぶことがある。

戦前、戦中の小説の出版部数は、すくなかった。初版は千五百部か、二千部で、再版されないことも、しばしばだった。しかも、戦争末期には、アメリカ軍による空襲で、日本の都市は次つぎに焼かれた。わずかな私の蔵書も、灰になった。日本中で、どれだけの小説本が、燃えてしまったことだろう。

それなのに、いまでも古書店のカタログで、むかし持っていた小説の書名を見いだすことがある。なつかしいから、買って読んでみると、信じられないほど、無神経な文章がならんでいたりする。二千部かそこらの本の一冊が、大空襲の炎をくぐって、大げさにいえば、作者の恥をさらしているのだ。

そう考えると、やはり迂闊な文章は、書けなくなる。死んだあとにまで、恥をかきたくはない。死後のことまで、気にしたってしょうがない、という考えかたもあるだろう。たしかに十年さき、二十年さき、五十年さき、百年さき、日本では小説そのものが、ほろびているかも知れない。

だが、いま目の前に三、四十年前、一世を風靡した小説があって、それが粗雑な文章だったりすると、ひとごとながら、ひや汗が流れる。格調ある文体が、私の唯一のぜいたくで、食いものなどは、なにが食卓にならんでも、文句はいわない。けれど、たとえば三人称小説の地の文に、

「ミスチルのCDを聞いていたら、ポケベルが鳴った」

とあったりすると、もう一行もすすめなくなる。ここは「コンパクト・ディスクで、ミスター・チルドレンを聞いていると、ポケットベルが鳴った」で、なければならない。そうした文章にさまたげられて、おもしろそうなのに二、三ページしか読めなかった本が、なん冊もある。というよりも、読みとおせた本は、数えるほどしかない、といったほうが、正確だろう。

いつごろから、そうなったのか、なかばは生れつきの、いわば性分であるらしい。損をしているようにも思うが、いまさら、どうしようもない。文章というつながったもの以前に、言葉そのものが気になるらしくもある。

ことに外国語は、明治、大正いらい、定着してしまったものはとにかく、サイケデリック、タロット・カードとは書くことができない。前者はサイキデリック、後者はタロウ・カードが、原音に近いからだ。

そんな具合に、こだわるものだから、思いついた描写が気に入ると、ついなんども使ってしまう。はたち代で、中野の沼袋に下宿していたころ、当時はまだ雑木林や池があって、春になると、蛙が鳴きだす。大きくなると、重なった声がにごってくるが、幼いうちは澄んでいて、夜ふけ、仕事はそっちのけで、耳をかたむけたものだ。

そのころから、夜中でないと、原稿が書けなかったわけだが、幼い蛙の合唱に聞きいっていて、ガラスのゼンマイを巻いているようだな、と思った。それが気に入って、小説につかったが、以来いくたびもくりかえし、つかっている。

その下宿屋の裏庭にでると、日が暮れて、夕焼の空に、無数の蝙蝠（こうもり）が舞いたつのが見えた。それが、胡麻をたくさん、ふりかけた赤飯を連想させた。以来、蝙蝠の飛翔を遠望する場面に、胡麻を散したように、という表現を、くりかえし、つかっている。はじめのうちは、ためらったものだが、久生十蘭も、志賀直哉も、おなじ描写をくりかえしているので、気にしないことにした。

大佛次郎の現代小説に、猫の顔のように大きな薔薇の花が、という描写があって、その場面を生かしていた。うらやましくて、私はいちど、無断借用してしまったが、こういう細部に工夫を凝らしていると、じつに楽しい。逆にいえば、ストーリィを展開するためだけの場面は、いつも苦痛なのである。

つまり、私はもともと、エンタテインメント小説には、むかない人間なのかも知れない。といって、若いころから、純文学を書こう、と思ったことは、いちどもない。私には人間や、ものごとの好き嫌いがあるだけで、世の中に訴えたいことも、知らしたい考えも、持ちあわしていなかったからだ。ただただ、おもしろいお話を――それも、どちらかといえば、自分にとって、おもしろい話を、洗練された言葉で、語りたいだけだった。

好き嫌いは、言葉づかいそのものにまで及んで、三十代のころ、瑣末主義と非難されたこともある。正確な言葉にこだわって、数年前、大森貝塚の発見者E・S・モースを主人公に、明治ものを書いたことがあるが、そのときも思いなやんだ。いまでこそ、モース博士と呼ばれているが、当時の一般人は、モールス博士と呼んでいた。

近年に廃止されたモールス信号の発明者も、ほんとうはモースなのだが、最後まで日本では、モールスだった。E・S・モースの有名な著書『日本その日その日』は、翻訳があって、モースと表記されている。考えたすえに、地の文と英語でかわされる会話では、モースと書く。一般の日本人の会話では、モールスと書くことにした。

読者はめんくらうかも知れないが、ストーリィはまったく、架空の話なのだから、表現は現実に則したい。わかりやすければいい、というものではないから、この方法を押しとおした。小説を書きはじめて、五十年ちかい私には、いまさら態度を変えることはできないのである。

私はいまでも、もっとうまく、小説が書けるようになりたい、と思っているけれど、スタート・ラインに立ったばかりの若いひとたちには、道はふたつだけではない、といいたい。売れなくてもいいから、うまくなりたい。うまくなれなくてもいいから、売れるようになりたい。このふたつの道から、私は前者をえらんだ。

しかし、まったく売れなかったり、まったくへただったら、本をだしてはもらえない。最近はことに、その傾向が激しくなっている。小説の読者が、すくなくなっているからだろう。いわば低空飛行で、長年のあいだ、私が執筆活動をつづけられたのは、時代がよかったからかも知れない。

　これから飛びたつひとたちには、もっと厳しい出版界が、待っているらしい。自己満足のために書くか、金もうけのために書くか、どちらにしても、いささかわびしい。ほかの道はないものか。小説のために小説を書く、というのは、どうだろう。

　へりつつある読者を、ひとりでも戻るようにするために、小説を書くのである。それにはまず、おもしろい小説でなければならないが、おもしろい小説とは、いったい、なんなのだろう。

　次回には、そのことを考えてみたい。エンタテインメントとはなにか、というと、大げさになるけれども……。

第19回　選択した道

ジョン・ロバート・オッペンハイマーは、ユダヤ系アメリカ人で、天才的な理論物理学者だ。第二次世界大戦末期、四十そこそこで、原子爆弾製造の指揮をとったひとである。しかし、水素爆弾の製造には反対して、公職を追放された。

数カ国語に堪能で、その中には、中国語もある。オッペンハイマー博士の娯楽読物は、漢文の西遊記だという。インタヴュー記事のそのくだりが、三十年近く前に読んだのに、印象に強く残っている。アメリカ人の物理学者にとって、原書の西遊記が、エンタテインメントだというのである。

西遊記なら、現代の日本人にも、知っているひとは多いだろう。しかし、児童むきのリライト本か、抄訳本で読んだひとが、ほとんどに違いない。岩波文庫の翻訳は、まだ完結していないし、江戸末期の『通俗西遊記』を知っているひとも、すくなくなった。

『通俗西遊記』は、明治になって、帝国文庫に入った。文庫といっても、四六判の厚い本で、昭和十年代にはまだ、古本屋に端本がいくらもあった。小学生から中学生にかけて、私はこの帝国文庫で、『女水滸伝』や『児雷也豪傑譚（じらいやごうけつものがたり）』『白縫譚（しらぬいものがたり）』など、あまりほかで、活字になっていない江戸の伝奇小説を読んだ。そのころに、『通俗西遊記』も読んだ。

だが、原典の『西遊記』を通読したとなると、中国文学を専攻しているひとぐらいではなかろうか。それを、アメリカの物理学者が、頭脳の疲れをやすめるための読物だ、というのである。

おもしろい小説とは、どういうものか、と聞かれたときに、この話をかならず思い出して、返事に困るのである。おもしろい、といっても、だれにとって、おもしろいのか、それが問題なのだ。ある人びとを、読者として想定しようとしても、その人びとの好みを正確に測定することは、むずかしい。以前にも書いたけれど、けっきょく自分とおなじような、好みを持った読者を、想定するよりしかたがない。

しかし、こういう表現は、不親切だろう。実例をあげたいところだが、ほかの作家のことはわからない。私自身のことを書くと、自慢ばなしに見えかねない。そうではないことを、おことわりした上で、私の場合を書いてみよう。

はたち代で、時代小説を書きはじめたころのことは、前にいった。翻訳ミステリイ雑誌の編集を、しばらくやってから、推理小説に手をだしたときのことだ。

読者のことは、まったく考えなかった。ただなにか、目あたらしいことを、やってみようとだけ考えた。ちょうど、フランスのヌーヴォー・ロマンが、さかんに紹介されていたときだ。そのひとつに、二人称をつかったものがあった。

私という一人称、彼という三人称ではなくて、きみと主人公に呼びかける。それが、二人称である。きみは目をひらく。きみは立ちあがって、部屋をでる。きみは廊下を、どちらへいってていいか、わからない。これだ、と思った。

サスペンス小説には、もってこいの技法である。文学では二人称、エンタテインメントでは、実況放送スタイルといっていい。瞬間、瞬間の登場人物の動きを、読者に実況報告するのだ。

推理小説は、文学ではない。あまりに斬新な手法は、ふさわしくない、と当時の私は考えていた。フランス文学で、すでにつかわれていて、しかも、それが翻訳されているから、真似をした、というくらいが、ちょうどいいだろう。そう考えて、書いたのが、私の最初の長篇サスペンス小説、『やぶにらみの時計』だった。

それが受入れられたので、第二作も技術面に、新しさを工夫することにした。私はそのころ、親しい編集者から、束見本を一冊もらって、ノートとして使用していた。単行本のできあがりを見るために、つかうはずの印刷用紙で、予定ページ数だけ製本して、表紙をつける。それが、束見本である。束というのは、本の厚みのことだ。

本らしいかたちをしていて、中のページは白いから、日記帳などにつかうには、つごうがいい。私のある小説の束見本に、別のやはり若い物書きが、手記を書きつけた。そういうスタイルの小説を書いたら、どうだろう。そうすると、書名は本文と関係がないから、どんな変った題もつけられる。

私は気軽に、『猫の舌に釘をうて』という題をつけた。そんな題で、ほんとうに小説を書くとなったら、どんなストーリィにすればいいのか、いまでも見当がつかない。ところで、手記のほうをどうするか、案じはじめたとき、『やぶにらみの時計』で、知人にいわれたことを思い出した。

凝った技法にくらべて、ストーリィが単純すぎはしないか、といわれたのである。そうも思わないが、いくらか気にはなった。だから、こんどは内容にも凝ることにして、「私はこの事件の犯人であり、探偵であり、そして、被害者にもなりそうだ」という書きだしを考えた。

それにあてはめて、内容の工夫をはじめたが、そのとき自分に課したのは、ぜったい記憶喪失はつかうまい、ということだった。記憶喪失をつかえば、ひとり三役でもなんでも、簡単にできる。いちばん安易な方法だ。

書きあげたころ、おなじような設定のフランス・ミステリイがあるのを知って、大いに困った。けれど、やがて翻訳がでてみたら、記憶喪失がつかってあったので、ほっとした。フランス・ミステリイには、好意を持っていなかったから、やっぱり薄っぺらだな、と思ったものだ。

しかし、私のほうも、失敗作というべきなのだろう。凝りすぎて、後半に数ページ、白紙の部分をつくったりしたものだから、読者から出版社へ、質問がきたりした。手記の書き手の連想によって、時間と空間が自由に変化する、という手も、複雑すぎたかも知れない。グレアム・グリーンの『情事の終り』の技巧に、私なりに挑戦したものだが、手にあまったのだろう。

のちに、亡くなった福永武彦氏から、「推理小説には、ミソはひとつあれば、いいんじゃないかな。きみのは、ミソが多すぎるよ」といわれて、頭をかいた。それでも、執筆当時の四ツ木界隈、千住界隈、大塚界隈を微細に書いてあるので、私自身はこの作品に、愛着を持っている。

次の長篇も、技術的な面から、考えたのだから、私も強情である。正体不明のふたりの人物が、一章ごとに交替して、書いた小説、というスタイルで、誘拐事件の顛末が語られる。登場人物のだれとだれが執筆者か、というのが謎の中心だった。

そのころ、シック・ジョークというのが、アメリカで流行しはじめていた。それが気に入って、ぜんたいの味つけにつかった。のちにブラック・ユーモアといわれるようになったが、『誘拐作戦』はその傾向を、意識的にもちいた日本最初の小説かも知れない。

ブラック・ユーモアに効果があったのか、この作品は成功した。気をよくして、『三重露出』という長篇を、次に書いた。日本を舞台にして、外人が書いたナンセンス・スパイ小説の翻訳、というスタイルで、忍者の伝統をうけつぐ日本のスパイ団と、外人青年がたたかう話だ。

ところどころに、それを翻訳している人物が、かかわった殺人事件の物語が入る。そこは静かな調子で、ナンセンス・スリラーと対比させて、翻訳と称する部分は二段組、翻訳者の話は一段組にした。

しかし、私がなかなか書きあげられないうちに、この趣向をおもしろがってくれた担当編集者が、ほかの部署に移ってしまった。そのために、レイアウトがうまくいかなくて、結果的にこの趣向は、失敗だった。

翻訳と称する部分は、当時のベスト・セラー、山田風太郎氏の忍者小説のパロディだが、いまになってみると、ほかに風俗資料としての価値も、ありそうである。東京の町名に、占領軍のつけたストリート名、アヴィニュー名をつかって、訳注のかたちで、その説明をしているからだ。占領当時は、やたらに標識が立っていたが、いまでは記憶しているひとも、すくないだろう。

レイアウトの失敗に懲りて、形式に凝るのはやめて、ナンセンス・スリラーを、いくつか書いたけれど、まだナンセンスの受入れられる時代ではなかったらしく、私は短篇作家に移行していった。

ふりかえってみると、変った形式の推理小説を書く作家という印象で、私は評価をさだめたらしい。読者に狙いをつけるのではなくて、ついてきてくれる読者を、もとめたことになるのだろう。

そうした行きかたも、あるわけである。固定読者がついているから、宣伝をしなくても、一定の部数は売れる、といわれたこともある。アンチ・コマーシャリズムの作家、といわれたこともある。

これには、そんな態度で、エンタテインメントを書くのは、けしからん、という悪口も、こめられているらしい。そういわれても、ベストセラーなど、軽蔑する気風のひとたちの中で、育ったことは確かだけれど、コマーシャリズムに反対したおぼえはない。もっとも、さほど腹を立てているわけではない。

第20回　なんでも聞いて

　こまかい質問がいくつかあったので、紙数のゆるすかぎり、お答えしようと思う。

　まずF市のMさんから、「小説を書くには、小説を読まなければいけない、というので、読んでみるのだが、挫折してしまう。どうやって、克服すればいいか」という質問。これには、ちょっと首をかしげた。エッセーや実用書は読めるが、小説は挫折する、というのは、おわりまで読めないのだろうか。

　おとしは、二十七歳とある。これまでに、通読した小説が一冊もないのなら、これはどうしようもない。小説を書くのは、あきらめるべきだろう。野球のルールを、おぼえることができないのに、プロの野球選手になりたい、というようなものだから。

　しかし、一冊や二冊、読みとおした小説は、あるにちがいない。それを、思い出してごらんなさい。恋愛小説か推理小説か、ユーモア小説か歴史小説か、あるいはだれが書いた小説か、それがわかっていたら、おなじ種類のもの、おなじ作家の書いたものを、読んでみることだ。

　それでもだめなら、前に通読できた小説を、もういちど読んでみる。それが読めなかったら、あきらめるより、しょうがない。あなたは小説とは、縁のないひとなのだろう。ただし、ろくに小説を読まずに、小説を書きだして、大作家になったひとも、ごくまれにはいる。思いきって、書いてみるのも、ひとつの手だろう。

　N市のTさんは、明治から大正へかけてを背景に、小説を書きはじめたが、わからないことが多くて、行きづまった。時間のあまりない生活をしているので、どう勉強していいか、わからないとおっしゃる。

なぜ明治から大正なのだろう。その時代でなければならない話なのだろうか。Tさんは十八歳、敗戦前のことだって、実感を持つのは、むずかしいにちがいない。参考になる本は、たくさんあるけれども、東京、京都、大阪といった大都会の事物に集中している上に、手に入りにくいものも多い。

石井研堂の『明治事物起源』、平出鏗二郎（ひらでこうじろう）の『東京風俗志』、篠田鉱造の『明治百話』（これは最近、岩波文庫に入った）、森銑三（もりせんぞう）の『明治東京逸聞史』（これは平凡社の東洋文庫に入っている）などを活用すれば、明治の東京は書けるだろう。大正までというと、長い年月にわたる物語なのだろうか。

これは大変なことで、十八のお嬢さんの手にはあまると思う。まず身近なことから、おはじめなさい。たとえば、昭和初期の浅草から、事件のはじまる小説があって、有名な賞をとった。劇場の客席で、殺人が起るのだけれど、私には現実味が感じられなかった。

なぜなら、当時の劇場、映画館には、臨官席というものがあって、警官がすわっている。いない場合もあるが、それにまったく、ふれていないのは、不自然だった。しかも、当時の浅草の劇場の椅子は、細長いベンチ型のものが多く、現在のように、ひとつひとつ肘かけはついていない。そこで、ひとが殺されたら、隣りの客が気づかないはずはないのだ。おまけに、女性の席、男性の席、同伴席とわかれていた。私は子どものころ、母親につれられて、映画を見にいくと、まわりが女ばかりなので、なんとなく居心地が悪かった。

作者が若いので、そういうところまで、調べなかったらしいが、知っているものは、気になるのである。だから、現在のよく知っている場所、人間たちを題材に書くことから、はじめたほうがいい。

I市のUさんからは、取材について、質問があった。これも、大ざっぱすぎて、答えるのはむずかしい。だいいち取材というものは、なにを書きたい、だれのことを書きたい、というのがきまってから、わからないところを調べるのだろう。

たとえばパリを知らないし、地図も写真も見たことがない。案内書のたぐいも、読んだことがないひとが、パリを書きたい、と思うのはおかしい。映画やテレビで見たりして、パリを書きたくなることが、あるかも知れないけれど、映画やヴィディオをくりかえし見て、さらに写真、地図などを参考に、イメージをふくらませていく。そこまでは、取材以前の取材で、だれにでもできる。

書きはじめて、こまかいことがわからないときに、パリ生活の長いひとなどに、話を聞くのが、ほんとうの取材だ。歴史にうもれて、あまり資料のない人物を、書こうとするときも、他人をたよることになるけれど、研究家の著書などを、無断で利用すると、あとで著作権問題が、起りかねない。

紹介してくれるひとを探して、著者にあって、話を聞いて、許可をえなければならない。私はひとづきあいがへたなので、電話で面会をもとめる段階で、たいがい、あっさり断られてしまう。さきのN市のTさんの場合とおなじく、身近なよく知っている世界から、書きはじめたほうがいい。作家として認められて、著書もふえてからなら、編集者が取材を手つだってくれる。

私の場合、取材というと、背景にえらんだ場所の、地形や雰囲気をつかむためのものが、ほとんどである。時間をつくって、その場所へいけばいい、というだけだが、やはり馴れが必要だ。目に入る風物の中で、どこを強調すれば、いちばんその場所らしく見えるか、勘をやしなわなければならない。

永井荷風の『濹東綺譚（ぼくとうきだん）』は、岩波文庫に入っていて、いまでも版を重ねているはずだ。この作品は、荷風を思わせる初老の小説家が、小説の着想をえて、背景に玉の井の遊廓をえらぶ。そして、取材をする経過が、書きはじめた小説をはさんで、ことこまかに語られる、という凝った構成の作品なのである。

これを読むと、荷風のようなタイプの作家が、どんなふうに取材をするのか、よくわかるだろう。もちろん、ぜんたいがひとつの小説なのだから、実際の記録ではない。

さらに興味のあるひとは、おなじく岩波文庫に入っている荷風の日記、『断腸亭日乗』を読むといい。その昭和十一年の春ごろからの記事と、小説『濹東綺譚』を読みくらべると、いっそう荷風の取材がよくわかる。

最後のU市のSさんの質問は、題のつけかたについてのものだが、『濹東綺譚』のあとについている「作後贅言」というエッセーを読むと、これについての答えにも、なっている。Sさんは、書きはじめたものの、いい題名がつかないために、中絶してしまった小説の梗概を、便箋数枚にしるして、相談してこられた。

最初につけたのは、『白いワンピース』という題名で、書いているのは、地方都市にすむ女性が、ひとりの男をひそかに愛する。男は休みに帰郷するが、軽薄な都会的青年に、変貌している。女主人公は、自分の愛のうすっぺらさに気づいて、成長していく、というストーリイらしい。

忌憚なくいって、ごくありふれた物語である。書きはじめたばかりなら、別の話にしたほうがいい、と思うが、アメリカのスティーヴン・キングのように、どこかで読んだような題材を、強烈な個性の光によって、見ちがえるほど、新鮮なものにしてしまう作家もいる。だから、ありふれた話だといって、いちがいに、おやめなさい、ともいえない。

しかし、こういう話に、新鮮味をあたえるのは、むずかしいだろう。それはとにかく、『白いワンピース』というのは、それほど悪い題名ではない。のちに『もう逃げないで』という題に変えたそうだが、前のほうがよっぽどいいと思う。

脚本家のローレンス・カズダンが、はじめて監督した映画に、『白いドレスの女』というのがあった。評判のよかった作品だから、記憶している映画ファンは、多いだろう。そういうひとには、『白いワンピース』という題名は、魅力がうすいかも知れない。

私自身は、さりげない、あっさりした題が好きだが、読者へのアピールということも、たしかに考慮しなければなるまい。なんにしても、もっとくわしく書いていただかないと、意見ののべようがない。

なんでも、聞いてください。くだらない質問と思われはしないか、とかいった遠慮は御無用である。

ただし、曖昧な質問だと、どう答えていいか、困ってしまう。最初に紹介したF市のMさんの質問のように、「小説は挫折してしまう」、そのあとに「どうやって克服すれば、よろしいのでしょうか」とある。曖昧というのは、こういうところだ。「小説となると、おわりまで読めないのです」「どうすれば、読みとおせるようになるでしょう」と、やさしい言葉で書けば、はっきりする。コミックスばかり読んでいたので、小説はめんどうくさいのなら、そう書いたほうがいい。自分の考えていることを、はっきり正確に書いて、他人につたえる、というのが、小説の根本概念なのである。

　それは、手紙にも、随筆にも、論文にも通じるものだ。したがって、質問でも、わからないこと、不安に感じていること、聞きたいことが、はっきりこちらに飲みこめるように、書いていただきたい。

　最後にひとこと、野心を持つことは、悪くない。けれど、野心と身のほど知らずとは、大きくちがう。最初からあまり高い山にのぼろうとすると、とちゅうで息ぎれするだけではない。その一度でこりてしまって、山にのぼる気がなくなってしまうから。

第21回　年齢無制限

今月いただいたのは、五十五歳の家庭の主婦からで、かれこれ五十年ちかく前、私がしばらく下宿生活をしていた東京のN区N町に、現在おすまいのFさんの質問だ。

私には、なつかしい町である。はじめて親もとを離れて、ひとりで下宿ぐらしをした。当時は森や林があちこちにあって、下宿屋のうらには、菜畑もあった。夕方、そこへ出ると、低地をへだてたむこうの森から、たくさんの蝙蝠が飛びたつのが、夕焼の空を背景にして、黒胡麻をまきちらしたように見えた。

そのころから、私は夜、原稿を書いていたので、夜中すぎに小説がゆきづまったりすると、窓の外の雑木林で、尺八の初心者が稽古をしているような音が、耳についた。はじめはわからなかったが、梟(ふくろう)の声だった。山の手の商店街で育ったから、蝙蝠は見たことがあっても、梟は聞いた記憶がなかったので、最初のうちは、気味が悪かったものだ。二年ほどしか住まなかったが、後年、戦前の東京郊外を背景に、小説を書くとき、ずいぶん役に立った町である。

ところで、Fさんの質問だけれど、「五十を越えて、時間の余裕ができたので、文学全集を読みはじめた。これまでは、あまり小説を読むことはなかったが、孫になにか聞かれても、困らないように、ひと通り知っておこうとした。そのうちに、自分でも小説を書きたくなったが、五十五歳では遅すぎるだろうか。それに、書こうとすると、体験談になってしまう。どうしたら、いいだろう」という趣旨である。

小説は年齢無制限、年には関係ない。定年退職後に、作家をこころざすひとも、近年は多い。ただ小説を書くというのは、体力のいる作業だ。私の若いころ、先輩の作家が冗談のように、人気作家になるのに必要なのは、一に体力、二に体力、三に体力、四に才能ちょっぴり、とよくいったくらいである。だから、年配でスタートすると、たくさん書けない、というだけのことだ。それも、個人差があるから、いちがいにはいえない。

だから、五十五歳でも、遅くはない。ずいぶん古い話だが、イギリスにイードゥン・フィルポッツという、田園小説の大家がいた。このひとは、六十歳になって、推理小説を発表している。農村生活の小説を書くことと、殺人の小説を書くことは、まったく別の作業といっていい。方向転換、という以上のものがある。それから十数年、十冊を越す推理小説を書いた。

要は才能次第である。体験談になることも、気にする必要はない。ひとをおどろかす、あるいは感動させうる体験があって、そのまま書いても、だれにも迷惑をかけずにすむのなら、そのまま書くがいい。だれかを傷つける恐れがあるなら、空想をくわえて、書くがいい。すこし前に、N町のことで書いたように、作家はつねに経験を利用する。

私の『日光写真』という短篇小説は、N町で見聞きしたことを土台に、想像のストーリイを綴ったものだ。戦前の東京郊外の描写につかったのは、雑木林のかたちだったり、道ばたの馬頭観音塚だったり、部分的なものだったが、『日光写真』では、主人公のすむ場所の地形が、現実をそのままつかっている。

その下宿屋での体験で、つかいたい、つかいたい、と思いながら、つかえなかったものが、ひとつある。

正月がくるので、いま思い出したが、三日の午後、知りあいのうちに、年始にいった。酒ものまないのに、ふらふらするので、体温をはかってみると、三十九度ちかくあった。すぐに下宿にもどって、三日ほど寝てしまった。そのときに、見た夢がすばらしかった。

目の前はまっ暗で、これまで見たこともないような、奥のふかい黒さが、ひろがっている。そこに一点、白いものがあって、見る見る近づいてくる。純粋の黒に、純粋の白。見とれていると、白いものは近づいて、馬だとわかる。まっ白な馬が、白い毛をなびかして、迫ってくるのだ。

こちらは、動けない。蹄（ひづめ）にかけられる、と思ったが、目はとじることも、そらすこともできない。とたんに、白馬は飛びちった。御幣（ごへい）や垂（しで）の四角の連続した白紙みたいな、無数のひらひらした紙片になって、漆黒の闇の中に飛びちったのだ。実に美しくて、おそろしい眺めだった。

　叫びをあげて、目をさましたらしい。下宿屋の娘さんが、襖の外から、「どうかしましたか」と、心配そうに声をかけてくれた。起きあがってみると、熱はさがっていた。粥をつくってもらって、元気もでた。風邪をひいた記憶がうすれても、白馬の夢だけは、頭に残った。

　小説につかいたい、と思ったが、どうもうまくつかえない。十年たっても、二十年たっても、わすれられないので、腹が立って、エッセーにかいた。二年ほどして、またエッセーに書いた。五十年ちかいあいだ四、五たびエッセーに書いたろう。そのたびに、おなじ夢がでてくるが、テーマがちがうから、原稿の二重売りにはならない。

　それでも、あきらめられないで、まだ小説につかおうと思っている。だが、異様な美しさは書けても、その美しさに感じた恐怖を、うまく書くことができないのだ。この話も、経験をつかう、あるいは、つかおうとする場合のひとつの例になるだろう。

　Ｆさんの質問も、曖昧なのが、ちょっと気になった。お孫さんはおいくつなのか、文学全集を読んでいる、とおっしゃるが、日本文学全集なのか、世界文学全集なのか、どこの出版社のものなのか、体験談になることを、なぜいけないと思うのか、そうしたことを、はっきり書いていただけると、適切なアドヴァイスができると思う。

　恥ずかしがって、おられるのだろうか。太宰治にいわれた言葉として、だれだったかが書いていた。まっ昼間、日本橋の上で、裸になって、寝そべる勇気がなかったら、文学は書けない。つまり、傷つくことを恐れるな、ということだろう。

　エンタテインメントの場合は、それほど厳しくないかも知れないけれど、やはり覚悟は必要なのだ。物語をつくり、そこに人物を動かす、ということは、大げさにいえば、作者の人生観を表明することなのだから。

　このあいだも書いたけれど、小説の基本は、自分のいいたいことを、正確に読者につたえる、ということなのである。いいたいことを、半分しかいわないでは、小説にはならない。小説ばかりではない。人間と人間との関係も、意思をつたえられないところには、成立しないはずである。

　しかし、いいたいことをいう、というのは、案外にむつかしいものだ。馴れることが、まず大切だろう。言葉に馴れる。つまり、言葉をいつも、たくさんつかう。言葉をつかわない日は、だれにだってないじゃないか、というかも知れない。だが、言葉をつかう、というのは、自分がしゃべり、相手がしゃべって、たがいに意味を把握することだ。

　あなたがたは、とんちんかんな会話をして、当惑したことはないだろうか。私などは若いひとと話していて、めんくらうことが、しばしばある。アクセントのちがいは、もうあきらめているが、言葉の意味がわからないときもある。

　それにくらべれば文章を書くときには、目の前には相手がいない。自分とおなじくらいの理解力を持った相手を、想定することができる。それだけ、文章を書くほうが、楽だともいえるのである。

　自分が舌たらずであることだけを、気にすればいい。いいたいことを、いいつくしているか、どうかだけ気をつければいいのだ。自分がなにをいいたいのか、わからなければ、どうしようもない。書きはじめる前に、それをよく考えて、いいたいことを、ぜんぶ書く努力をするのである。

　ほかに、養わなければならないのは、記憶力だろう。見たこと、聞いたことを、よくおぼえていなければ、それを利用することはできない。N町とおなじ名のついた私鉄の駅をおりて、しばらく行くと、五十年ちかく前には、トタン張りの旅芝居の小屋があった。その角を曲って、屋敷町へ入ったあたりに、戦前からの挿絵の大家、斎藤五百枝（いおえ）さんが住んでいた。

　挿絵画家といえば、ひとつ手前の駅の近くには、木俣清史（きまたきよし）さんがいた。やはり、戦前からの画家と記憶しているが、はたち代のころの私は、この木俣さんに、時代小説の挿絵をなんどもかいてもらった。

　みっつ先の駅には、これも戦前からの時代小説の大家、角田喜久雄さんがいた。このひとの作品を、映画にした『髑髏銭（どくろせん）』や『風雲将棋谷』を見て、私は育った。三十すぎて、私はなんどか、角田さんにお目にかかった。角田さんは、私が時代小説をやめてしまったのを惜しがって、ぜひ伝奇小説を書け、とすすめてくれた。

やがて私は、捕物帳を書いて、時代小説にもどってから、『神州魔法陣』という長篇伝奇小説を書いた。これまでに、私の書いたもっとも長い小説で、いちばん多く版を重ねた作品だ。角田さんのアドヴァイスには、感謝している。

それなのに、角田さんが亡くなったとき、こちらの体調がきわめて悪くて、葬うことができなかった。いまでも、心残りである。

第22回　人物が動きだす

熱心な質問が多くなって、中には真剣に答えようとすればするほど、問題がひろがっていって、頭をかかえることもある。たとえば今月、「登場人物が勝手に動くので、作者はそれを記述しているだけだ、といった文章を、あとがきなどで、よく見かける。これは、どういう状態をいっているのか」という質問が、栃木県A市のHさんからあった。二十八歳の女性である。

「私も人物を動かすときは、こういう性格だから、こんな話しかたをして、こんな行動をとって、と考えるが、考えるというのは、勝手に、とは違う。勝手に、という感覚がわからない」と、質問はつづいている。「作者の都合で、人物を動かしてはいけない、ともよく書いてある。都合よく動かすと、どういう小説になるのか」とも聞いている。

Hさんのいう通り、作者は人物の性格を設定して、それらしい喋りかたをさせ、それらしい行動をとらせる。それらがすべて、自然でなければならない。

しかし、ミステリイやサスペンスの場合、人物を考えるより先に、ストーリイを考えることがある。それから、人物を設定して、ストーリイどおり、動かしはじめるが、あくまでストーリイ優先だから、人物の設定と矛盾してくることがある。それでもかまわずに、ストーリイをすすめるのを、作者の都合で動かす、というのだろう。わかりやすくいえば、不自然になってはいけない、ということなのである。

人物が勝手に動く、といういいかたを、私もすることがある。これを説明するのは、むずかしい。メグレ警視シリーズで有名なベルギイ生れのフランス作家、ジョルジュ・シムノンは、書きはじめるとき、ストーリイは考えないという。男、女、愛人、友人といった人物数人をきめて、名前、年齢、すまい、仕事をあたえる。それを考えているうちに、どれを主人公にするか、きまってくる。

主人公がきまると、それをある極限状態に立たせる。ひとを殺してしまったとか、泥坊に入ったら、死体があったとか、半年前に家出をした妻に、旅さきで偶然あった。あとをつけたら、ある家に入って、そこで別の生活をいとなんでいるのがわかった。そういったことをきめて、あとは仕事部屋にこもる。食事もひとり室内でして、家族とは口もきかず、ただひたすらに書く。主人公になりきり、その一作が完成するまで、完全に没入して、書きすすめるわけだ。

この没入することが、人物が勝手に動く、という感じなのだろう、と私は思っている。作者が登場人物に、あるいは登場人物が作者に、のりうつるといってもいい。彼あるいは彼女と、長年いっしょに、生活したような気がしてくるのだ。

現実に生活をともにした両親、兄弟、姉妹、妻、子のことは、よく考えてみると、わかっているのかどうか、自信がなくなるときもある。だが、作中人物は作者がつくっただけに、一体感を持ちやすい。生活し、行動しているのを、そばで眺めているような気さえしてくる。作者はそれを、記録しているだけなのだ。すなわち、勝手に動いている、ということになるわけである。

東京F市のKさんの質問は、三つにわかれている。三番目がおもしろいので、それからはじめよう。Kさんは二十三歳の女性で、おつとめをしているらしい。「一日二十枚をノルマにして、夜、書いているが、眠くてしょうがない。ぜんぜん書けずに、寝てしまうこともある。どうすれば、眠気を押えられるのか。書くこと、そのものとは、関係ないかも知れないが、プロはどうしているのか、それが実はいちばん知りたい」という質問だ。

現在はコーヒーで、眠気を追いはらっているそうだが、私にも名案はない。ほかに玉露、カフェインの錠剤などをこころみたが、だんだん量はふえるし、胃は悪くなるし、あまりすすめたくはない。

現在、私はワード・プロセッサーの前にすわると、まず栄養ドリンクを飲んでから、スウィッチを入れる。

書きはじめて、うまく行くときには、頭に血がのぼるのか、アドレナリンが多くなるのか、調子がいい。この方法の困ったところは、肉体がつかれはてて、寝床に入っても、脳の興奮はつづいて、なかなか眠れないことだ。

ドリンク剤はきっかけにすぎないから、どこのながいい、ということはない。つかの間、元気になって、仕事に集中できればいい。私は集中力がないので、きっかけが必要なのである。しかし、この方法も昼間、仕事を持っているひとには、おすすめできない。集中力をコントロールする方法を、身につけるしかないのだろう。

それよりも、一日二十枚というノルマに、問題がありそうだ。四百字詰二十枚、ということとなのだろうか。私は遅筆で有名だから、例にはならないが、新しく仕事をはじめるときは、一日一枚、書ければいい、と思っている。それが二枚になり、三枚になり、油がのってきて、一日十枚、二十枚になる。

試作の期間に、一日二十枚も書いたら、文章が雑になるのではないか、と心配になる。あまり肩をいからせずに、気楽におやりなさい。気楽にやると、すぐ眠くなるという、心配はあるけれども。

若いときには、がんばることも必要なのは、たしかだろう。はたち代の後半に、私も二度だけ、荒業をやったことがある。最初は二十七時間で二百枚、このときは飲まず食わずで、書きおわったときには、口がきけなかった。二度目は三日間で三百枚、その二回だけで、以後は長篇小説の最後の部分を、一気に三十枚とか、四十枚とか、書いたことがあるだけだ。はたち代の後半に書いた二百枚、三百枚は、読みかえしたくはない。いいかげんに、書きとばしたような気がする。

毎晩はききめがないが、たまにやると、きく方法をひとつ、思い出した。眠くなったら、熱いお湯で手を洗う。次に熱いお湯で、しぼったタオルで、足のうらを拭く。ここが大切で、熱いタオルでごしごし足のうらを拭くと、目がさめる。それが、しばらく持続する。ただし、私の経験では、毎晩やると、馴れるせいか、ききめは薄れていく。

Kさんの質問の一番目は、「長篇小説を書いている。はじめは構想が次つぎに浮かんで、楽しいけれど、とちゅうで書くのが苦しくなる。読みかえすと、単調でつまらなく感じるので、はじめから書きなおすことになる。苦しくても、最後まで書くべきだろうか」というものだった。これは、とにかく書いてしまったほうがいい。

書きはじめると、構想が次つぎに浮かぶ、というのが、ストーリィの方向を変えてしまうようなものだったら、なおさら最初のまま、書いたほうがいい。出来不出来はとにかくとして、ひとつ作品を書きあげると、いかにも仕事をしたという、充実感がある。それが、小説を書く楽しみなのである。

書きあげたら、ひとに読んでもらう。肉親や同年輩の友だちでは、ないほうがいい。書いたひとを、よく知っていると、評価が狂ってくるからだ。あまり自分のことを知らない、小説はたくさん読んでいるひとに、読んでもらうといいと思う。

Kさんの二番目の質問は、「推敲のしかたについて、教えてもらいたい。文章を書きはじめて三ヵ月、文体にも、内容にも、『これだ』というものが、自分にない。書いたものを音読して誤字、脱字をなおすぐらいしか、推敲の方法がわからない」という。書きはじめて三ヵ月で、これだというものがつかめたら、自分で自分を疑ってみる必要があるだろう。十年たっても、小指の先ほどの自信もなかったら、そのとき悩むがいい。一年や二年は、無我夢中で書くべきだ。誤字、脱字の訂正だけで、じゅうぶんである。

今月最後の質問は、滋賀県O町のFさん、十七歳の女性からだ。「三人称の場合、テレビはテレビジョン、リモコンはリモートコントロール、CDラジカセはコンパクト・ディスク・ラジオカセット・レコーダーと書くべきか。ピアノはなんどでもアップライト・ピアノと書くべきか」というもの。いつか私が略語はできるだけ、避けるほうがいい、と書いたので、こういう質問がでたのだろう。

客観描写の地の文で、略語をやたらにつかうと、下品になることは、たしかである。だが、十七歳の文章には、かならず若さがにじみでる。略語がひとつも出てこなかったら、かえって気どりすぎた感じになるだろう。テレビやピアノのように、もう日本語といっていいものは、そのままでいい。

もっとも、私は高級住宅の描写などだと、壁ぎわにはなんインチのテレヴィジョン・セットがあった、といった書きかたをするだろう。CDラジカセはCDラジオ・カセットで、いいと思う。つまり、ときと場合である。私が略語をきらうのは、戦争中に亡くなった詩人、北原白秋の影響だ。白秋によって、私は言葉の力、美しさを知った。わずか三十一文字の短歌の中でも、北原白秋は略語をつかわなかった。

そうはいっても、言葉のリズムが優先で、「青いソフト帽子に」とは書かずに、「青いソフトにふる雪は」としている。最初の詩集『思ひ出』の中の短詩の一節だが、この詩には一ヵ所、鼻濁音がつかってあるだけで、濁音はつかっていない。帽子あるいは帽の音の重いにごりを、嫌ったからにちがいない。

第23回　言葉の力

今月の質問の最初は、和歌山県A市のYさんという、三十七歳の女性からで、昨年十二月号の私の文章の結びの六行について。

「野心を持つことは、悪くない。けれど、野心と身のほど知らずとは、大きくちがう。最初からあまり高い山にのぼろうとすると、とちゅうで息ぎれするだけではない。その一度でこりてしまって、山にのぼる気がなくなってしまう」という私の文章を読んで、自分は身のほど知らずではなかったか、と思った。低い山を目ざして、またのぼりはじめたが、やはり息ぎれしてしまう。低い山のみつけかたと、のぼりかたを、教えてください、というのが、Yさんの質問である。

高い山でなければ、低い山という考えかたに、Yさんの問題があるように思う。高くなければ低いというのは、小説家的な考えかたではない。高く見えても、のぼりやすい山もある。低く見えても、道は紆余曲折、入りこんだら、出てこられない山もある。なによりも、低い山にのぼれ、と私はいっているわけではない。

こういうと、詭弁に思われそうだが、そうではない。最初から高い山にのぼるな、というのは、自信のない世界に、いきなり挑戦するな、危険だから、ということなのだ。自分のよく知っている世界から、書きはじめるべきだ、ということなのである。

危険だから、というのを、失敗しやすいから、といったほうが、わかりやすいかも知れない。だが、それでは、失敗したときのショックが大きいことがある。だから、高い山にのぼると、息ぎれする、という比喩をつかったのだ。

比喩をつかったのは、私の間違いだったかも知れないが、もっと想像力をはたらかして、読んでいただきたかった。

次は兵庫県A市のMさんという、女性からの質問。年齢は書いてないが、こちらの都合に気をつかった書きかたで、字もうまい。若くても、三十前後だろう。

「新人賞などの審査員は、なにを基準に判断しているのでしょうか」という質問である。私はかつて、推理作家協会賞、江戸川乱歩賞、オール讀物推理小説新人賞の審査員をつとめたし、ことしもサントリー・ミステリー大賞の審査員を、ひきつづきつとめるから、答える資格はあるだろうけれども、答えるのはむずかしい。

審査員はそれぞれに、小説を評価する尺度を持っていて、それにてらしあわせて、判断する。その尺度は、ひとによって、微妙にちがうが、あらかじめ話しあって、調整するようなことは、私の経験ではない。審査がはじまって、ひとわたり意見がのべられてから、ほかの審査員の尺度が、おぼろげにわかってくるのである。それぞれの尺度に、完全にあう候補作は、まずないといっていい。話しあって、歩みよって、入選作をきめるわけだ。

ところで、最近のコンテスト応募者が、審査員の顔ぶれを考慮に入れて、作品を書こうとする傾向がある、というのは、ほんとうだろうか。そういう話を聞いて、私は首をかしげた。審査員それぞれの作風から、審査態度を推察して、それにあわして、作品を書ける手腕の持ちぬしなら、そんな考察をしなくとも、卓抜な作品が書けるはずだからである。それだけの手腕を持たないひとが、審査員にあわそうとしても、どうにもならないだろう。

Mさんの質問は、もうひとつあって、これから世にでる作家に、必要なものはなにか、と聞いている。これも、単純には答えられないことだ。たとえば、オリジナリティと答えれば、簡単なわけだけれども、どう解釈していいか、迷うひともいるだろう。

自分にしか書けない小説を書くことだ、といってもいい。まったく新しい角度から、世の中を見、人間たちの行動を見た小説が書けたら、どんな審査員でも、票を投ずるだろうし、読者も感激するにちがいない。それが理想で、すこしでもそこに近づく努力をすれば、いいのである。

こうした質問は、単純に答えることもできるが、どこかに食みだすところがある。ひろがりのある質問だからだ。あるいは、「どうしても、必要なものなんて、ありません。しいていえば、辞書一冊でしょう」とでも、答えようか。

小説は言葉をつかってつくる。小説ばかりではない。人間のすることは、すべて言葉の力を借りなければならない。だから、言葉をたくさん、知らなければならない。辞書には、言葉がつまっている。読んでいるだけでも、なかなか楽しいものである。

最後の質問は、北海道T市のIさんからで、二十九歳の女性。かなり大きな問題を、聞いてこられている。それでいて、小説を書くことを、それほど大げさに考えなくても、いいじゃないか、とも考えさせる。

「私の質問というのは、自分の主義主張を、どうデフォルメして、文学にまで昇華させるか、ということです。たくさんの作家、詩人がなにかを書こうとした裏側には、すさまじいばかりの生きざま、苦悩があり、叫びがあったことと思います。しかし、それが小説その他の文学として現れたときには、なまなましい叫びそのものではありません」

そうだろうか。なまなましい叫びそのもの、すさまじい苦悩のにじみでた文学も、たくさんある。質問はさらに、

「私の書くものは、途中でいやになって、どうしても短文になってしまうのですが、日記や手紙といったたぐいの、自分自身の悲痛な叫びでしかありません。どうクールダウンするか、それは一般にいわれるように、数多く書きこなすことなのか、もしくは人間が枯れなければ、無理なことなのでしょうか」

とつづいている。デフォルメという言葉、クールダウンという言葉を、不用意につかっておられるように、この質問者は、なにか勘違いをされていはしないだろうか。書きたいことがあるのなら、デフォルメもクールダウンもない。そのまま、書けばいいのだ。ただし、読むのは他人だから、他人にわかるように、書かなければいけない。

借りものでない自分の言葉で、他人にもつたわるように、悲痛な叫びを書けばいいのである。それが、読者を感動させないとしたら、作者だけが苦悩の叫びと思っているだけ、大した悩みではない、ということになる。

小説の力は、作者の年齢や経験と、あまり関係がない。二十代には二十代の、三十代には三十代の、感動させうるものを、持っているはずなのだ。すなおに自分をぶつけたときに、ひろい層の読者が感動し、共鳴してくれるだろう。

それにはもちろん、具体性がなければいけない。Iさんの手紙には、どんな小説を書こうとしているのか、どんな仕事をしているのか、こまかいことが書いてないので、このていどの答えしかできないわけだ。もっとも、私はこの紙上で、人生相談をしているのではないから、あまり具体的に書かれても困るけれど。

ふりかえってみると、質問をくださった方がたの、ほとんどが女性である。池袋の西武百貨店にあるコミュニティ・カレッジで、娯楽小説の書きかたの講座を、私は長くつづけているが、そこの生徒さんも、女性が多い。それでいながら、小説コンテストの予選通過者のリストを見ると、こちらは男性のほうが多い。

男は黙って、ひとり本を読み、習作を書いて、小説家たらんとしているらしい。小説の書きかたは、たしかに教えられるものではない。どんな書きかたをしても、かまわないものだからだ。ただ細かい技術的なことは、教えられる。私がやってきたのは、そのことなのである。

私のクラスに在籍したひとで、プロフェショナルの作家になったのは、六人いる。創作講座に通うのも、作家になる道のひとつだ、ということだろう。ひとりこつこつやって、作家になったひとは、もっとたくさんいる。どちらでも、かまわないわけだが、まったくの孤立はさけたほうがいい。

私が小説を書きはじめたのは、作家になりたければ、だれかの弟子になれ、といわれる時代だった。私も師匠をふたり持ったが、原稿をこまかく直してもらったことは、ほとんどない。ただ師匠につきまとって、だれのこういう小説はおもしろいとか、昔こういう芸人がいたとか、こういう俳優がいたとかいう話を聞かしてもらっただけである。

だが、いまの私には、それが栄養になっている。つまり、現役作家の周辺にいて、ジャーナリズムの空気を吸ったのが、栄養になったわけだ。小説家でなくても、小説について、見識を持っていて、敬愛できる年長者がいればいい。

もっとも、小説はまったく自由なものだから、孤立していても、当人の意欲しだいで、作家になれないとはかぎらない。先輩同輩がいたほうが、時間の節約になるだろう、というだけのことだ。カー・ラリーにおけるナビゲーターのような意味で、いたほうがいい、というのである。

この欄をはじめてから、来月号で二年になるが、紙面の都合で、二十五回でおわることになった。あと二回だから、できるだけ具体的な質問を、よせていただきたい。

第24回　はなし相手

　みなさんの質問を読んでいると、小説の好きな仲間、小説について話しあう仲間が、いないような気がして、しかたがない。

　私が最初に、いまに小説を書きたい、と周囲にいったのは、小学校の四年生か、五年生のときだったが、さすがにまともに聞いてくれるような同年輩はいなかった。ただひとりだけ、一学級上の女の子が、大丈夫、きっと小説家になれるわよ、と保証してくれた。

　そう思う理由が、なにかあったのだろうけれど、やがて太平洋戦争がはじまって、その末期に、空襲で家は焼けた。女の子の所在は不明になって、間もなく私は、原稿で食えるようになったが、本名をつかったことは、一度もない。だから、予言のあたったことを、彼女はいまだに知らないだろう。

　当時の私には、いっしょに小説を書きはじめた仲間が、いくたりもいた。ことにすぐ上の兄は、推理小説マニアで、江戸文芸の愛読者で、いい話相手だった。この兄は、戦争中に落語家になり、戦後に真打になって、二十九歳で病死してしまった。

　落語家になる前に、小説を書いたこともあったが、すぐあきらめたようだった。戦後、私が作家になろうとすると、いろいろな面で、応援してくれた。肺気腫で死ぬすこし前に、私がはじめての書きおろし長篇をだしたときには、とても喜んでくれた。

　作家になってからは、多くの先輩が話相手になってくれた。そのひとたちは、もうみんな亡くなって、ほとんど残っていない。年をとると、人づきあいは億劫になる。新しい友だちは、なかなかつくれない。若いうちに、たくさん仲間をこしらえておくほうがいい。

友人と話すにしても、本をたくさん読んでいなければ、ならないだろう。私は最初、時代小説をやたらに読んで、時代小説を書きはじめたが、それ以外に兄の影響で、推理小説も読んだ。江戸の滑稽本、黄表紙、合巻（ごうかん）（伝奇小説）、人情本（恋愛小説）も読んだ。英、米、仏、独、露の文学も、翻訳で読んだ。日に三、四冊、読んだこともある。新刊本は買いきれないから、古本屋、貸本屋、図書館も利用した。

自慢をしているわけではない。年をとると、読書のスピードは衰える。いまの私は、雑誌に持っている書評コラムのために、翻訳ミステリィを月に二、三冊、読むのがやっとだ。やはり若いうちに、乱読といわれてもいいから、読んでおくべきだろう。

さて、今月の質問だが、まず東京S区のMさんという、六十歳の男性から。「小説は事実を書くのではなく、自分で考えたことを、書くのだと思いますが、絵画で人物、静物の写生をするように、小説でも修業中は、写生をするべきでしょうか」

ノンフィクション・ノベルというジャンルがあるくらいで、小説はかならずしも、架空の物語だけを書くわけではない。近年は聞かなくなった呼びかただが、写生文というジャンルもあった。紀行文というジャンルもある。

だから、事実を書くにしろ、空想を書くにしろ、写生の稽古は役に立つ。小説の批評にも、デッサンができていない、といった表現をするくらいだ。しかし、修業中にだけ、やればいい、というものではない。日本画の横山大観は、晩年にも毎日のように、定規をつかわず、直線を書く練習をしていたという。たとえば日記を、小説のように書くのも、ひとつの方法だろう。ただし、日記は自分がわかればいいものだが、小説は他人にわからなければいけない、ということを、つねに頭においておく必要がある。

もっとも、質問者の年齢を考えると、いまさら修業でもあるまい、という気もする。小説は、どんな書きかたをしてもいい。がむしゃらに、自己流で書いても、それがきわめて新しい、すぐれた小説になりうる可能性はある。成功率はたいへん低いが、むちゃだ、とはいえない。

次は埼玉県A市のNさん、十九歳の女のかただ。

「いままでなんども、小説を書こうと決意してきたが、とちゅうで読みかえしてみると、われながら支離滅裂、いいたいことの半分以上は、どこかに飛んでしまっている。物語の内容は、頭の中にできているのだが、書いてみると、展開の部分でゆきづまってしまう」

そのあと、頭にある内容が書いてあるのだが、内容というよりも、思いつきにすぎない。これを小説にするには、熟練した専門家でさえ、時間がかかるだろう。そして最後に、「くだらない質問なのですが、私の最終学歴は高卒です。作家の方方は、ほとんどが大卒です。高卒の人間は、作家になるのはむずかしいのでしょうか」

質問の前半は、シノプシスはシナリオではない。シナリオができて、映画になる。わかりやすくいえば、小説は場面のつみかさねだ、ということを、わすれてはいけない。どんな場面から、はじまるのか、次にはどんな場面がくるのか、それを考えてから、書きはじめれば、展開は自然にできるだろう。

馴れれば、いちいち考えなくても、次にはどんな場面が必要か、浮かんでくるものだけれど、だれとだれが出あって、どんなことを話しあうか、あるいは、なにをするかを考えるのが、内容を考えるということなのだ。それを、わすれないでいただきたい。

後半の答えは、質問者を安心させるためにいうが、私は小学校しか出ていない。その小学校の卒業証書も、戦争末期の空襲で、焼いてしまった。敗戦時、私は早稲田の実業学校の四年に在籍していた。

木造の学校は焼けたが、隣りの中学校がコンクリートづくりで、内部には火が入ったものの、外側は焼けのこっていた。その一部を借りて、戦後の授業がはじまった。コンクリートの床に、われわれは新聞紙を敷いてすわり、裸の壁に黒板を立てかけての授業で、国語の時間、ふたりの生徒が指名されて、あいうえおを、黒板に書かされた。

私たちはそれまでの二年ちょっと、学徒徴用ということで、軍需工場で働かされていたが、いちおう八年間、勉強してきた。十六歳の男子に対して、あいうえおを書いてみろ、とは失礼な教師である。私はそう思ったが、指名されたふたりは、あ行、か行ときて、さ行の半ばあたりで、前後して、立往生してしまったのだ。

私は絶望した。こんな連中といっしょに、勉強していて、なんになるだろう、と思った。そのころ、徴用の期間もふくめて、授業料をはらってくれ、と学校からいってきた。いよいよばからしくなって、私は学校へいかなくなって、ひと月ばかりして、退学届を郵送した。当時、中等学校は四年制だったから、あくる年の三月には、卒業できたのだが、未練はなかった。

もの書きになりたい、と思ってはいたが、なまけものの私は、ぐずぐずと遊んでいた。しかし、本だけはよく読んだ。劇作家をこころざしていたから、芝居と映画もよく見た。東京でやる芝居と映画は、ぜんぶ見よう、ときめて、一年ばかりはそれを実行した。小づかいはままならないから、小さな出版社につとめたが、それが小説家になるきっかけとなった。

戦時下という特殊事情があって、私の例は参考にならないだろうが、学歴がないのは、事実である。それに、十四、五、六の少年にとって、戦争という無理じいで、わずか二年間、学校を離れただけで、多くをわすれてしまう、ということも知らせたくて、この話を書いた。

たいがいのひとが知っていることは知らないが、ひとの知らないこととなると、実によく知っている、と仲間の作家にいわれたことがある。雑学の大家、という評価もうけた。ほぼ三年間、翻訳ミステリイ雑誌の編集長もつとめた。それらに必要な知識を、私は独学で得たわけだ。

実業学校で二年間、英語の基礎をまなんだだけだったので、ミステリイの翻訳にかかわらなければ、ならなかったときは、つらかった。だが、それをやらなかったら、食っていかれない、となると、たいがいのことは、出来るものらしい。三十前の若さだったから、なんとかなったのかも知れない。おぼつかない英語で読んで、翻訳権をとった作品が、読者に好評だった上、雑誌も順調に部数をのばしていたときほど、私は安心したことはない。少年時代からの読書経験で、小説を評価する勘が、やしなわれていたのだろう。

いつか私が、「日本語で書いてあっても、英語で書いてあっても、小説に変りはない」といったら、ある作家がにやにやして、「芥川龍之介が△△への悪口をいっているぜ、彼にとってはシェイクスピアも、アルファベットの羅列にすぎなかったって」といった。△△というのは、シェイクスピアの権威といわれた東大教授で、たしか芥川と同級だった。

私はちょっとまいったが、よく考えてみると、これは私に対する手のこんだお世辞だったのかも知れない。小説を理解することにかけて、私が自信をもったのは、このころだった。今月はまだほかにも、質問がきているのだけれど、よりみちをしすぎて、紙数がなくなってしまった。

来月の最終回で、とりあげさせていただくことにしよう。いつの間にか、二年間がたってしまった。早いものである。

第25回　もっと自由に

今月最初の質問は、愛媛県Y市のOさんという、四十一歳の女性からで、「ワード・プロセッサーで書くのと、手書きとどちらがいいか。現在、自分は状況によって、ワープロをつかったり、手書きにしたりで、下書きを書いている。どちらにしても、文才がないので、とても苦しい。文章を書くのは、苦しいことだから、楽して書こうというのは、間違いかも知れないが、迷いつつ苦しんで書いている」という趣旨のものだ。

Oさんはまず、文章を書くのは苦しいことだ、という思いこみを、棄てる必要があるだろう。私はいつも、楽しんで書いている。あれこれ考えて、書いたり消したりしているから、時間はかかるし、適切な表現がみつからなくて、やけを起すこともある。だが、そういう作業が、楽しいのだ。

六十年ちかく前のことだが、ある挿絵の大家が、文藝春秋の「オール讀物」から、無名の女流新人の作品だというので、原稿を見たら、題は『小指』、しかも指の手偏が、木偏になっている。たいせつな題名の文字を、書きまちがえるような女の挿絵がかけるか、と画家はことわった。

ところが、別の画家の挿絵で、発表された『小指』は好評で、直木賞[*1]までとってしまった。おさない文字の作品でも、内容が読者のこころを捉えたのである。最初にことわった挿絵の老大家と、私は戦後に知りあって、ときどきお酒を御馳走になった。

「惜しいことをしたよ。あのとき引きうけていたら、その後ずっとコンビを組んで、仕事ができたのに」

と、酔った画家は苦笑していた。Oさんもしばらく、文章のことはわすれて、楽しいことだけを、のびのび書いてみては、どうだろう。子どものころの思い出でも、恋愛の思い出でも、なんでもいい。すなおに言葉がでてくるようになれば、ワープロがいいか、手書きがいいか、思いなやむことも、なくなるはずだ。

　小説は原稿用紙に、一字一字、刻みつけていくものだ、という作家もいる。私は筆圧が高く、慢性の書痙（しょけい）になって、手がふるえて、字が書けなくなったから、やむをえずワープロをつかうようになった。手書きで筆圧の高い人間は、ワープロのキイをたたくにも、つい力が入って、いまだに書痙はなおらない。

　だから、ほんとうは手書きが好きなのだが、新人賞の原稿などを読むときには、字がきたないと、ワープロをつかってくれればいいのに、と思う。さて、次の質問だが、千葉県C市のWさん、二十一歳の女性から。

「読者を物語にひきこむためには、冒頭にインパクトのある事件を、持ってこなければいけない、とよくいわれるが、かりに百ページの話だとしたら、なんページぐらいまでに、事件を起せばいいのか。そのためには、多少、情景描写を犠牲にするべきなのか」

　こういう質問だが、あなたの書く小説によって、違ってくる。推理小説では昔、「一ページ目に死体を」ということが、よくいわれた。異様な状態の死体の描写から、作品をはじめれば、読者は興味を持つにちがいない、というわけだ。しかし、長篇小説の三分の二ちかくなっても、だれも殺されないで、傑作といわれている作品もある。

　どんなタイプの、どんなストーリイの話かによって、さまざまに違うわけだし、読者をとらえる方法にも、いろいろある。たとえば、鈍行列車が駅の手前で、立往生している。窓の外は踏切で、数名のひとが待っている。それを眺めていた車内のひとりが、ふいに立ちあがって、つれをドアのほうにひっぱっていく。「たいへんだ。だれかが殺される。駅についたら、すぐおりよう」と、男がささやいたとき、列車は動きだした。

　男は読唇術の名人で、踏切で待っている若い男が、「どうしても、毒薬は手に入らない。やっぱりナイフで、ぐさりとやるしかないだろうな」とつぶやくのに、気づいたというのである。実はこれ、私が以前に書いて、わりあい評判のよかったショート・ショートの書きだしなのだ。

　読唇術の名人とその友人は、次の駅でおりると、踏切に急いで、若い男をさがしはじめる。服装をおぼえていたので、ようやく見つけて、警察へひっぱっていこうとする。ショート・ショートだから、そこで一挙にオチがつく。

若い男はアマチュア劇団の俳優で、こんどスリラー劇の犯人役をやる。そのセリフの練習を、声はださずに、口だけを動かして、やっていたのだった。ついでに、どうやって、この話を思いついたかも、書いておこう。ショート・ショートの読みきり連載のしめきりが近づいて、考えていたら、ずっと以前に読んだエッセーを思い出した。

敗戦直後、占領軍の検閲があって、時代劇のチャンバラができなかったころのことを、映画監督が書いたエッセーだ。股旅もののならいいだろうと、打診をすると、いちおうのOKがでた。ロケの日がきて、列車にのりこんだが、最終的なOKがこない。スタッフがじりじりしているうちに、列車は走りだした。検閲部にいっていた社員が、フォームを走ってきたので、助監督が窓から首をだすと、社員は大声で、

「やっぱり長ドスで、ずばずば斬るのは、まずいってさ。匕首（あいくち）で、ぐさっとやるなら、いいだろうって」

この話を、ミステリィふうにアレンジして、このショート・ショートはできあがったのである。

次の質問は、広島県F郡K町のAさん、やはり女性で三十四歳。「理知的で硬質な文章を書きたい、と思っているが、ジュニア小説もどきのおちゃらけた文章しか書けない。これは自分の持味で、変化させることは、できないのだろうか」という趣旨のものだ。文体はいくらでも、意識的につくることができる。ジュニア小説もどきの文章になってしまう、というのは、ジュニア小説もどきのストーリィを、書くからではないのだろうか。

自分の好きな文体の作家の短篇でも、まず筆写してみることから、はじめて、次にはその文体をまねて、自分の小説を書いてみる。馴れるにしたがって、それが自己の文体になっていくと思う。以前にも書いたように、私は大佛次郎と久生十蘭の模写から、自分の文体をつくっていった。

なおAさんは、私の『なめくじ長屋捕物さわぎ』がお好きだそうで、もう新作はでないのか、とも聞いてこられた。現在、光文社時代小説文庫で、旧作をぜんぶ復刊しているが、角川文庫版をすべてお持ちだそう

だから、これは必要ないだろう。まだ本になっていないのが一冊分あって、『さかしま砂絵』と書名もきめてあるのだけれど、そのうちの二篇を書きなおさなければならない。その作業がなかなか進まず、私も弱っている。もうしばらく待っていただきたい。

最後は宮崎県M市のIさんという、五十六歳の男性からの質問だが、条項がたくさんあるのに、もはや要約する紙数がない。解答だけを書くと、御本人にしかわからないかも知れないが、できるだけ、ほかの読者にもわかるように、書いてみる。

Iさんはテーマとか、プロットという言葉に、妙にこだわっている。そんな分析は、小うるさい読者や批評家にまかせておけばいい。エンタテインメント小説を目ざすのならば、おもしろい話を考えて、それを力づよく語ることが先決だろう。

Iさんは地元新聞の俳句欄で、年間の賞をとったことがあって、随筆の投稿もしているらしいが、それも五枚どまりという。体調をくずして、仕事をやめたそうだから、そういう体力不足もあって、長いものが書けないのだろうか。なにも一気に、書くことはない。あせらずに、すこしずつ書いて、二年も三年もかけて、一冊の長篇を書く作家は、外国にはいくらもいる。

以前のアメリカ推理作家は、年に二冊、長篇を書かなければならないから、損だとこぼすひとが、多かった。年に五冊も六冊も、長篇を書こうものなら、ハック・ライターと軽蔑されたものだ。

くりかえしていうが、あせることはない。つまるところ、作家は自分自身のために、小説を書くのである。そして、たったひとりでも、自分の小説の一冊を、生涯わすれられない、という読者がいてくれれば、作家はしあわせなのである。

読者にとっても、なんどもなんども、読みかえせる小説がある、ということほど、しあわせなことはないだろう。もちろん、ベストセラー作家になろうとするな、といっているわけではない。作家には運、不運がある。華麗な五重塔を建てるのも職人なら、小さな根付に名人芸を見せるのも、職人なのである。けっきょく、それぞれにあった芸域を、自分で発見するまでが、修業ということなのだろう。

二年にわたった私の小説についての話を、これでおわることにする。長いあいだ、おつきあいいただいて、ありがとうございました。くりかえすけれど、小説はどう書いても、かまわないものなのだ。私はただ自分が経験したことが、多少なりとも、みなさんのお役に立てば、と思って、こういうたぐいの文章を書き、お喋りをしている。みなさんも、あまり力まずに、もっと自由に書いてください。

＊1　堤千代。一九四〇年上期直木賞受賞。

対話篇

ほんとうに怖い話が好きだ！――対談／高橋克彦

怪談の魅力

高橋　小説を読み始めるようになってから、とにかく都筑先生の本がいちばん好きなものですから、怪奇小説が好きになったのも、たぶん、先生の影響だと思うんです。その前に、怪談映画などを子供のころに見て、ああいう世界が非常におもしろいというのはうすうす感じていたのですが、自分が小説を書きたいと思ったときに、ちょうど先生の『十七人目の死神』（一九七二）という本が出たんです。

　あれには、怪奇小説のあらゆるパターンが入っている。モダンホラーとか、スーパーナチュラルとか、とにかく全部入っていて、それが、ふつうの小説なんかを読んでいるよりもずっとわかる部分が僕にはあった。人間の気持がいちばん表現しやすいんじゃないかなという印象ももったんです。

　そのころ、僕は同人雑誌をやっていまして、一応、純文学をめざしていたんですけれども、もうあれではダメだな、こっちじゃないと、人間は書けないんじゃないかなというショックを受けました。

都筑　あれ、そんなにいろいろなパターンが入っているかしらね。

高橋　今日あらためて読み返してみたんですが、あらゆるものが入っているなという感じがしました。でもその当時は、ただもう好きだから読んでいるだけなんです。僕は都筑先生の本を全部読んでいるつもりですけど、読みすぎたために、何が何だかわからなくなっているんです（笑）。それで、内容と題名がパッと直結するというのは、実はあまりなくて、読み返してみると、十年前に読んだときには、この部分のおもしろさはわからなかったな、みたいなことが、しょっちゅうあるんです。

　ちょうど江戸川乱歩と同じような感じなんです。乱歩も、全集で三回ぐらい読んでいますけど、いつもストーリーを忘れちゃう。そして、何かの機会があって、改めて読んでいると、乱歩はこんなことを書いていたんだなみたいな驚きです。一回読んだだけで、その内容を自分のなかで消化してしまって、これはいいやという問題じゃない。だから、考えてみると、聖書みたいなものですね（笑）。

　何度読んでも、結局、いつも違うことを考えさせられるみたいな……。だから、たぶん、先生のものと、乱歩のものは、非常にストーリー性があるわりに、ストーリーというものとは違うものを書いていらっしゃるような気がする。それだから、何度読んでも、別のところが見えてくるんじゃないかと……。

都筑　シムノンのミステリーを読んでいると――シムノンはロマンとミステリーとわけて書いているでしょう。ロマンのほうが彼の本当に書きたいものであって、後世に残るものだというようなことを言う人が多いんだけれどね。ところが、いま読みかえすと、三〇年代に書いたミステリーが、まったく古びてない。だけど、三〇年代に書いたロマンは、古ぼけているんだ。

　五〇年代以降に、海外の純文学の作家が、ミステリーの手法を盛んに取り入れ出したのは、わかるような気がするね。ただ、僕自身は、シムノンのような書き方をすれば、ミステリーで、かなり本物の小説が書けるんだということを考えながら、なかなか出来ないんだね。

　やはり、ミステリーを書くときには、謎があって、解決があるというものを自然に考えてしまうように、頭のなかができている。それで、怪談を書き出したのかもしれない。あなたのはほめすぎだけれども、いまちょっと言い当てられたような気がするのは、怪奇小説を書いていると、シムノンがミステリーで人間を書いたように――人間を書くという言い方はあまり好きではないんだけれども、ミステリーよりもまともな小説に近いものが書けるような気がして、それで、一時期、せっせと怪談を書いた。

いまは、以前ほどたくさん書いてないけれども、それでも、月に一本は怪談を書くわね。短篇が多いせいもあるけど、僕は、怪奇小説という言葉よりも、怪談という言葉のほうが好きなんです。だから、『十七人目の死神』で一冊にまとめた作品を書き始めたころが、一つの転機だったのかもしれないね。

『妖夢談』は怪談の真髄

高橋　僕は、ミステリーで賞をいただいたので、本当はミステリーを書かなくてはいけないのかという感じに、僕自身がなっているんですけど、そのあと短篇を三つほど書いて、それは一応、全部、怪談を書いたんです。

怪談を書いていて、自分自身がいちばん納得できるのは、怪談の場合のシチュエーションのつくり方が、たとえば、自分の人生ですとか、一般の人たちの実際のドラマでは絶対起こり得ないような状況に、怪奇小説というか、怪談の場合だと、簡単に置き換えることができる。

そこから、ふつうの人生を送っている人間では、けっして考えるはずがない心の動きを書くことによって、人間とはどういうものなのかということを追求できる。それが可能なのは、怪談だけではないかという感じがするんです。それを教えていただいたのは、やはり先生の本でしたね。

たとえば、『十七人目の死神』の中に、手紙だけで処理したものがありましたね。あれをいちばん最初に読んだときは、そこまでわからなかったと思うんです。それが、あとがきのなかで、先生自身も、考えているうちにこうなってしまって、最後のほうで、わけのわからないものになってしまったみたいな書かれ方をしていましたが、今日、読んでいて、あれが怪談の真髄ではないかという感じがしたんです。

いまの怪談、とくに、ミステリーと絡ませた怪談になってしまうと、合理的に説明しないと読者は絶対に納得してくれないところがありますよね。それが、あいうふうなかたちで、別なところに行ったことによって、読者のほうは、一人ひとりが勝手にものを考えちゃうみたいな、そういう部分を引き出してくれるような感じですね。

都筑　何ていう題だっけ？

高橋　『妖夢談』です。

都筑　それは、最初、まったくエロティシズムだけで書いたの。それで、雑誌に発表したあと、本にするときに、最後を書き変えたのね。というのは、どうもそのエロティシズムだけで妙な話というのは、読み返していると、尻切れトンボみたいな気がしてね。一つの結末みたいなものをつけることによって——つまり、もっとわけがわからなくすることによって、夫婦全般のわけのわからなさとか、よく考えると、夫婦っていったい何なんだ、というようなものが出せるんじゃないかという気が、ちょっとし出したのね。そこまでうまくいっているかどうか、わからないけれども……。

高橋　ですから、この夫婦に何があったのかとか、たとえば、最初は精神分析をやっている女性のようなかたちで、ずっと手記が出てきますよね。だけど、あのなかでは、結局、それもうそだった。そうすると、この夫婦の日常生活がすごく怖くなっちゃうんです。あとでそれを考えちゃうと。この夫婦の断絶感を、主人のほうはまったくわからなくて、一緒に暮らしながら奥さんの狂気みたいなものとか、鬱積した想像力みたいなものを、まったく理解できずに、夫婦二人が暮らしていたという……その怖さです。

そして、最後のあたりで、どんでん返しがあって、主人が亡くなった妻の手記をだれに読ませているのかもわからないですね。それで、どんな怖いことでもいいから、わかることがありましたらお教えくださいという結びかた。これはちょっと怖いです。

都筑　この短篇の怪談を含めて、怪奇小説というもののいちばんのよさは、ふつうの人が口にしない夢の話とか、そういう裏側だけを書いて、その表側、つまり、社会と接している人間の生活を、読者に全部想像させることができるところじゃないか。いちばん読者が、参加できる形式なんじゃないか、という気がするんです。

高橋　ただ、やはり怪奇小説を書き続けていくことの難しさというのは、僕は、自分自身が実際に三つ書いただけで、もうアイデアが出てこないなみたいな感じのところがあるんです。

都筑　同じような話でも、それを書くときの作者の心理状態とか、いろいろなものによって変わってきますよね。だから、これはこの前書いたのと同じような話だなというのは、気にしなくていいんじゃないかね。

高橋　『十七人目の死神』の最後に入っていた『幽霊になりたい』は、あとがきを読むと、岡本綺堂の『世界怪談名作集』からの翻案であると書かれてあったので、それも、来る途中、電車のなかで読んで来たんです。比べてみたら、岡本綺堂の訳したほうは、怪奇小説、怪談という感じがしなかったですね。それに比べると、こちらのほうがずっとわかりやすいし、怖さもずっとある。翻案というイメージも全然しませんでした。ですから、どういうことなのかと思って。

都筑　それは、あとから書いた者の強みなんじゃないかしらね。

高橋　確かに、先生があとがきに書かれておられるように、原作の発想そのものは、おもしろいとは思いましたが……。

『はだか川心中』のパターン

都筑　僕が『十七人目の死神』でいちばん好きなのは、『はだか川心中』かな。

高橋　あれも怖い話ですね。

都筑　それから、『風見鶏』。どっちかというと、『風見鶏』のほうは、あそこに持っていくまでに苦労したので、愛着があるんでしょうね。

高橋　『小説指南』を読んでいますと、いろいろと書き直されたことが分っておもしろかった記憶があります。

都筑　『はだか川心中』というのは、スラッとできましたね。怪談というのは、スラッとできたのがいちばんいいみたいな気がします。

高橋　『はだか川心中』というのを、読んでない方に、僕がストーリーを説明してもしょうがないんですけれども……二人のアベックが、ひなびた温泉に行って、泊めてくれる宿を探す話です。そこには宿屋が三軒ぐらいしかないんですが、最初に訪ねた宿の主人が、あんたたちを泊めるわけにはいかないと言うんです。その上、どういうわけか、自分たちを見る目が、すごい異様なんですね。

それで、二人はずいぶん不親切な温泉場だという感じで、次の旅館に行く。すると、あんたらを泊める部屋は一つもないんだみたいなことを言われる。これには伏線があって、一年ぐらい前に、そこで、アベックが心中しているんです。川に、女の子のほうが、上半身裸になって、クイに引っ掛けられたとかということがあったんです。

　三軒めの旅館に行ったときに、主人が、うんざりとした表情で、またお前らは、同じことを繰り返すのかと言うんです。どういうことかと聞くと、あんたら、一年前にここで心中したじゃないかと言うんですね。娘さんの体のわきのところには、アザがあるはずだと言う。偶然の一致なのか、確かにそのアザが娘の体にあった。それで、二人は、死んだのを忘れてしまったのか、あるいはひどいいたずらに巻き込まれてしまったのか、次第に混沌として来るんです。

　結局、最後には、偶然の一致ということで片づけられているんですが、そういう状況が自分にのしかかってきた場合、または自分が宿屋の主人だった場合に、どういうふうになるのか、見てる側からいうと、何が何だかわからないけれども、ただ、怖さだけがすごくつきまとうという小説なんです。

　僕個人は、ああいう世界は書けるわけがないので、もう……頭が下がるばかりです。

都筑　あれも、打ち明け話をすると、ああいうパターンがあるんです。僕は、小説を書くときに、いつもパターンで入っていく。いちばん最初にあのパターンを書いたのは、たぶんアンドレ・モーロアじゃないかと思うんだけれども、アメリカの作家も書いているし、イギリスの作家も書いているんです。

　フランスの小さなシャトーが売りに出て、そこに女の人が買いに行くと、「あなたには売れない」と言うのね。それで、なぜだかわからなかったら、あとで、実は、そのシャトーには幽霊が出る。それがその女であったというんです。ただ、それが生き霊で、つまり、これから死ぬ女の幽霊が先に出ているんだとも、全然説明していないのね。

　それを僕はちょっとひねって、そういうことが起こったために別れてしまう男女というものを書いてみたかったのね、男と女が別れるきっかけというのは、いろいろなものがあり得るはずだという、そういうところを書いたんだけれども、いままでの幽霊が本人より先に出ちゃうパターンというのは、周囲がそれを、わけがわからないで拒否するものばかりだった。あるいは、全然気がつかないか、どっちかなんです。

　それを、『はだか川心中』の場合は、温泉宿の連中が、みんな奇妙に受け入れちゃっているというおもしろさを出したくて、つまり、それを書くことによって、そのパターンに一つ新しいものを付け加えられるのではないか。そういう気がしたんです。

幽霊を信じるか否か

高橋 先生の場合、いろいろなところで、自分自身は幽霊を信じていないんだ。信じてないから、逆に、書ける部分があるみたいなことを話していらっしゃいますね。あれは、具体的にどういうことなのか……。

都筑 つまり、幽霊を信じている人の話というのは、一対一で向かい合って聞いていると、怖い話もずいぶんありますよね。ところが、それを第三者として聞いていると、たとえば、車に乗る幽霊とか、かごに乗る幽霊とか、ずっと昔のパターンが全部つながっているんです。それを、民俗学的に分類して柳田さんのお弟子さんの今野圓輔さんなんかもそういう研究をしているけれども、研究材料としては、ああ、またあのパターンか、というのでも、おもしろい。でも、怖い小説というのは、話し手が最初から怖がってはいけないのね。

これはうその話だ、つくり話なんだから、なんとかして怖がらせようと努力しているうちに、ふっと自分も怖くなってしまったときに、いちばんいい怪奇小説が書けるのではないかしら。

たとえば、僕が不思議なのは、岡本綺堂が、実にたくさん、優れた怪談を書いていて、あの人はやはり幽霊を信じていたというのね。そこが僕は、ちょっとわからない。ただ、信じてたというけれども、本当に信じてはいなかったのではないかなという気はするんだけどね。

高橋 僕は三回ばかり、同じ人間の幽霊を見ていますから、信じてはいるんです。ただ、現実の幽霊というのは、そのときはそれほど怖くない。あとで怖いんです。だから、あのままを書いちゃったら、やはり怪奇小説にならないだろうという感じがするんです。

都筑 そうですね。

高橋 たとえば、田中貢太郎の『日本怪談実話』なんかを読んでいますと、ストーリーとか何とかがメチャクチャな、唐突な話というのが怖いんですね。そして、日本の、『四谷怪談』でも何でもそうなんですけど、因果応報みたいになっちゃうと、あまり怖くない。ですから、いまの怪談の怖さってのは、唐突であればあるほどいいと思うんですけれども、そうすると、小説にならない部分があるので、やはり難しいんじゃないかなという感じがしますね。

都筑　田中貢太郎の怪談で怖いのは、日暮里の保線区の跨線橋を渡っていたら、下を貨物列車か何かが通って、ワァーッと煤煙が上がったら、そのなかから、樽みたいな大きな人間の首がひょいと出たとか、そういう話のほうが怖いですよね。だから、どこどこにだれが住んでいてという話は、ほとんど怖くないわね。

高橋　たぶん、田中貢太郎だと思いましたけど、電話に出る幽霊というのがありましたね。その当時の、グルグル手廻し式の電話ですよ。兄か弟か、九州のほうで、鉄道関係か何かの仕事をしているんですが、なんとなく胸さわぎがして、ふっと心配になって、電話を掛けてみたら、ちゃんと本人が出て、元気だよという話をした。

安心してガチャッと受話器を置いたら、それと同時に、電話電報で死んだという連絡をもらった。あれは、すごく発想が新しいんじゃないかと思うんですが、それを読んで、怖いというか、不思議というよりも、すごくリアリティーがあったんです。

あと、自分の奥さんを情婦と二人で殺して、それを利根川かどこかに捨てにいこうというので、死体を樽に詰める。その途中で、フタがちょっと外れちゃう。それで、何げなしに、中をヒョッと覗いてみたら、そのなかに自分の情婦が入っているわけですよ。アレッと思ったら、周りには、自分の奥さんもだれもいない。そうすると、ここまで後ろを担いできたのはだれなんだという話ですね。こういうのを見ると、小説であそこまで書くのは難しいなという……。

都筑　だから、怪談作家として、僕は、岡本綺堂を、田中貢太郎よりずっと上に置くね。田中貢太郎っていう人は、自分で計算しないで、たまたま怖くなっちゃった話が書けた人で、岡本綺堂っていう人は、ちゃんと計算が行き届いているから、クズがない。数のうえでは、田中貢太郎のほうがずっと書いている。全部で二百三十ぐらい書いているけれども、いいのは十ないんじゃないかしらね。

高橋　僕は、やはり、田中貢太郎の本は押し入れのなかに突っ込んだままにしているんです。というのは、あれは衛生上悪いという感じがするんです（笑）。それで、ときどき何も読むものがないときにチラッと開いて、二、三ページ見るんですけど、なんとなく本箱に置いておくのがいやなんですよ。

ところが、岡本綺堂の場合ですと、いつも本箱に置いておきまして、ときどき、何かおもしろい話はないかなというときに拾って読む。ですから、怖いことは、同じ怖さなんだと思うんですけど、田中貢太郎のものには、体質的にいやなものがあるんです。

ただ、唐突な怖さですから、本当の怖さというのはあるような気はしますけどね。しかし、小説として考えたときに、全然……。僕は、田中貢太郎を怪談作家とはあまり考えてないんです。ですから、怖いから怪談がいいのか、というふうに考えちゃうと、何か違うような感じがしますね。

都筑　だけど、やはり怪談を書く以上、怖がらせたいでしょう。

高橋　そうですね。

都筑　いまの電話の幽霊の話ね、僕は忘れていたけれども、ひょっとしたら、それが頭の中にあったのかな。同じような夢を見てね。僕は、夢を見て怖がったことはめったにない。これは小説に書けるなという夢を見たことは何回もあるけれども、本当に怖くて、怖い夢を見たから小説に書こうという気がしたのは、そのときが初めてなんだ。しかし、うまく書けなかったですね。

高橋　どのような夢ですか。

都筑　僕が生まれた家の便所から出てくるんですよね。そうすると、廊下に暗い明かりがついていて、片側が汚れた壁で、非常に急なハシゴ段があるんです。それが、僕が生まれた家と違うのは、廊下がやたらに長くて、ハシゴ段がいくつもあるの。そして、二階で電話が鳴っているんですよ。僕の生まれた家というのは、電話なんかなかったけどね。ああ、電話に出なきゃと思って上がっていくと、そこで突然、僕が育った家の後ろの家の二階になるんです。四畳半があって、六畳があって、ガラス障子があって、その外に物干し台がある。

明かりはついてないんだけど、正面がガラス障子だから、いくらか明るい。そうしたら、電話がないのね。ああ、ここじゃないと思って、また階段を下りて、まだベルが鳴っている。それで、また次の階段を上がっていくと、四畳半のほうに電話がある。階段を上がるとすぐに四畳半なんです。それで六畳があって、ガラス障子に物干し台。その四畳半で鳴っているわけです。
それで電話を取ると、僕がかなり長いあいだ付き合っていた女性からの電話で、「五郎ちゃんがいるから電話しないでね」と言うの。その女性に関する僕の記憶のなかに、五郎ちゃんなる人物はいないんですよ。それで、なんだかわけがわからない。相手が電話を切ってしまったから、ガチャンと置いて、ふっと顔を上げたら、六畳にその女が座ってるの。

高橋　気持ち悪いですね。

都筑　おそらく、キャーッとか言って目がさめたんじゃないかしらね。それで、これは書けるぞっていうんで、一生懸命に書いた。ところが、それだけでは小説にならないから、これは、その女が死んだだと考えて、会いに行く。自分と別れたあとで……結局、僕がふられて、その女は千葉のほうで、菊人形をつくっている男と結婚した。
それで、最初に、菊人形師の家にいくと、どこそこの遊園地で、いま菊人形をつくっているから、そこに行ってごらんなさいと母親に言われて行くんです。そこへ行ってみると、女房はみつきぐらい前に死んだ。あなたに知らせることもないと思ったが……。主人公のことは、当然、その菊人形師も知っているわけです。知らせることもないと思ったから、通知も出さなかった。
じゃ、せめてお寺をと聞いて、出てこようとすると、そこにでき上がった菊人形があった。それが花井お梅[*1]で、出刃を振り上げているお梅の顔がその女で、カサを広げて、しゃがんでいる峯吉の顔が自分であった。そういう小説を書いたんですけど、最初の夢の場面が、どうしてもうまく書けない。

高橋　小説を書いていて、映像にしたらすぐわかるのになということは、しょっちゅうありますね。夜中に、目をつぶって寝ている。そして、真っ暗なところにパッと目をさましたときに、目の前に真っ白い顔があって、自分をのぞいていたら怖いだろうなと思うんです。
ところが、それを小説というか、文字で書いても、たぶん怖さはそれほど伝わらないだろうなと思う。だから、つい、別のほうから入り込んでいくみたいな書き方になってしまうので、怖さを伝え切れない部分があるんじゃないかなと思います。

都筑　一つには、怪奇小説の場合、怖いというのは、つまり最後に来るわけでしょう。最後にワッと。ことに短篇の場合はね。だから、そこに持っていくまでにいろいろあるから、目をさましたら顔がのぞいていたというような怖さは、書きにくいんじゃないかしらね。そこへ持っていくまでのプロセスをつくってしまうと、顔がのぞいた怖さというのがなくなっちゃうのね。それは、何もわからなくて、ただ顔がのぞいたから怖いんでしょうね。

高橋　ですから、先生の作品で、男女の営みを後ろからのぞいている幽霊がありますね。あれは、小説なものですから、サーッと読んでいると、それほど怖くない。ところが、あとで自分に置き換えたときに、あんなのがいたら怖いだろうなと思うんです。何かしているときに、後ろからずっと見ているというのは……。だから、小説のなかで書いている部分と、現実に置き換えることのギャップが、怪奇小説の場合、あるような感じがするんです。

都筑　おそらく、読者も、読んだときはどうということはなくて、あとで思い出して怖い。それでいいんじゃないのかしらね。あの話は、僕も、書いているときは何ともなくて、ただ、寝ているときにのぞく幽霊の新しいパターンはないかというので書いたんだけれども、書いたあとで、ちょっと怖かったね。

長篇の怪奇小説

都筑　怖さということに、あまりこだわっても、いい怪談は書けないような気がする。長篇で怪奇小説を書いてみたいという気はしない？

高橋　するんですけど、ものすごく難しいと思うんです。何度読み返しても、『ドラキュラ』はおもしろい。ああいうのは、ちょっと書けないだろうなと思います。どんな「ドラキュラ」の映画を観ても、原作をこえたのはちょっとないんじゃないかと感じるんです。何でもないような描写、たとえば、窓から出たドラキュラが、城の石垣をさかさまになってスーッと下りていくという怖さとかね。ですから、長篇は難しいんじゃないかなと思っていました。

都筑　ただ、僕は、スティーヴン・キングをずっと読んだことによって、長篇で怪奇小説が書けるような気がし出したのね。それについて、僕は、恐怖小説がどう変化してきたかという小論文を書いたんだけれども、つまり、恐怖小説というのは、最初は、人間の自然に対する恐怖であった。自然というのはわけがわからない。なぜ月が欠けるのかとか、突然太陽が真っ黒になるのはなぜか、なぜ山が火を噴くのかとか、自然がわからなかったことによる恐怖から、恐怖小説って始まっていると思うのね。

だから、なぜ幽霊が出てくるのかわからない。そういうところから始まって、それがかなり長いあいだ続いて、そのために、恐怖小説というものは、だんだん衰退してきたわけね。そのときに、人間の心のなかをのぞいてみようということになって、ちょっと息を吹き返したわけだけれども、それは長篇ではできない。みんな短篇になってしまうんです。

つまり、そのときに、人間の心のなかにあるものを、善と悪、神と悪魔とか、そういうものに置き換えていったりしていただろうと思うんです。そういうものばかりではないけれども。それで、一九五〇年代の恐怖小説のリバイバルブームの最大の特徴は——最初は長篇もあったし、短篇もあった。それから、短篇だけになって、五〇年代以降は圧倒的に長篇なんですよね。

それはなぜかということを考えているうちに、人間の心のなかをのぞくだけではダメであって、人間の心のなかをのぞくと同時に、人間がつくり出したものを……。つまり、現代の恐怖小説というのは、実は、幽霊の正体がわかっている。自分たちがつくったものだということがわかっている。だから、あれだけキリスト教の伝統に縛られているアメリカやイギリスで、そういう宗教と少し離れたところで、科学を含めた人間の文明と、それがつくり出してしまった……フランケンシュタインの物語から直結したようなかたちで、長篇怪奇小説ブームが出てきたんじゃないかというふうに解釈しているんです。

そうすると、出てくる妖怪であっても、あるいは、とてつもない超能力を身につけてしまった人間にしても、みんな人間がつくり出したものなんです。だから、そういう面から書いていけば、一人の人間の歴史を書くことが恐怖小説になり得るわけです。

僕はいつでも、小説を考えるときに、テクニックの面から、この作家はどうやって小説を書いているんだろうというようなことを考えるので、この場合も、そういうふうに解釈することによって、一つ目が開けたような気がしてる。しかし、じゃ、わかったからやってみようという気には、なかなかなれないのね。というのは、やはり、それだけのある長さを……。スティーヴン・キングなんか、邦訳すると、八百枚ぐらいのものがあるでしょう。僕が書くとしたら、せいぜい四百枚だけど、スティーヴン・キングの半分でも、恐怖感を……。もっとも、全部が全部恐怖感ではないけれども、緊張感が恐怖につながっているわけですよ。そういう緊張感さえ出せるかどうか、その辺が怖くて書けないんだな。

高橋　スティーヴン・キングでは、『霧』が非常に好きです。あれは『ダンウィッチの怪』(ラヴクラフト)の改訂版みたいな感じで、すごくおもしろい。ああいう感じの小説は、最近あまり……。逆に言うと、あそこまで大上段に構えて、ああいう世界をやった人というのはなかったので、ぼくは、『クージョ』とか、あの辺よりも、『霧』のほうがおもしろいんです。

都筑　あの作品は、スティーヴン・キングを解くうえで、非常に重要な作品だと、僕も思うんだけどね。

高橋　短篇集のなかに入れられてしまったので、読んでいる方はわりと少ないですよね。

都筑　僕が、スティーヴン・キングでいちばん興味があるのは、あの人の作品、映画になるとつまらないでしょう。だから、やはりあれは小説であって、そこがスティーヴン・キングのいちばんすごいところだろうと思うんだ。なぜ、映画になるとつまらないかというと、瑣末な日常描写がなくなっちゃうからなのね。あれがあるから、怖さがきわだっている。異常な世界に入っていく。自然に入っていけるんです。

だから、ああいう書き方をすれば、長く書けるんだなという気はするんだけど……。

怪談のベストは?

高橋　先生の場合、ベストファイブというような感じで、いつも考えていらっしゃる作品は、どういうものなんですか。

都筑　そういうことを聞かれると、いちばん困るのね。そのときどきによって違うでしょう。といって、この次に書くのが傑作だと言うのもキザだしね。やはり、好きな作品というのはあるんだから。ただ、それがしょっちゅう変わるな。

高橋　現在の段階では、どうなんですか。

都筑　改まって聞かれると、そう変わってないのね（笑）。『人形の家』とか、『古い映画館』『かくれんぼ』、あの三つが、やはりいちばん好きなんじゃないかな。

高橋　ドール・ハウスものというのは、ずいぶんいろいろなパターンが出ていますが、先生の作品が、ファンタスティックで、いちばんおもしろかったですね。

都筑　あのパターンは、たぶんないと思う。あれは、パターンで書いた小説じゃないからね。『かくれんぼ』とか『古い映画館』なんていうのはパターンで書いたけれども、『人形の家』というのは、昔、編集者のころに、佐藤春夫さんのところに何度か行ったことがあって、そのときに、いい作品ができるときというのは、神様が頭のうえにおとどまりになったからだということを、うかがったんだけれども、『人形の家』っていうのは、ちょっとそれに近い感じがしているのね。

突然、フッとできた。何を書こうかなと思って、そういうときに、いまはほとんど手放しちゃったからないんだけれども、画集とか、そんなものを広げて見る癖がある。そのときにたまたま、「ドール・ハウス」を集めた写真集があって、広げて見ているうちに、スッとできちゃった。あれは、自分でも不思議だった。スッとできて、またスッと、一晩で書けたのね。あいうのは、それ以外に記憶がないね。スッとできて、スッと書けて、しかも、渡した翌日に、「いただいた原稿はとてもよかったです」という電話が編集者からかかってきたというのも、あれが初めて。初めで終わりぐらいじゃないかな。

高橋　先生の作品以外の怪奇小説のなかで、いちばん優れているというふうな意識で読まれた作品というのは、どういうものですか。

都筑　怪奇小説の場合だと、最近では、やはりスティーヴン・キングの『霧』とか、長篇では『シャイニング』とか、そんなものです。そのくせ、僕は『霧』とか『シャイニング』を読み返してないんです。何べんも何べんも読み返しているのは、岡本綺堂のなかの何だろうな。一つだけ挙げろと言われると困るね。好きな怪談作家は、岡本綺堂と内田百閒だね。

高橋　内田百閒というのは、どういう作品ですか。『件（くだん）』がいちばん有名ですけどね。

都筑　『冥途』のなかに入っている作品とか、戦後の作品では『とほぼえ』というのがある。夜の町を歩いていくと、やたらに犬の遠ぼえが聞こえる。それがあちこちで聞こえて、いつも同じ犬のような気がするというものです。

高橋　百閒は、最初、『冥途』の怖さがよくわからなかったんです。それで、二回めか三回めで、初めてゾーッとした。最初、ごく日常を書いているのかなという感じで、スーッと読み通しちゃうんです。それで、あとでフッと振り返って、もう一度読んだときに、いろいろな伏線が張ってあって、怖さがあったような感じがします。

都筑　戦前、あの本が出たときに、あれを認めた人は、たいへんに偉いと思うね。大半の人は、「なんだ、こりゃ」と言ったんじゃないのかしら。ストーリーもないし、小説にもなってないじゃないかって。だから、ものすごく新しいんです。何もストーリーがないことが新しいんじゃないけどね。

高橋　あと、あまり有名になりすぎちゃったんですけど、漱石の『夢十夜』のなかの第三夜ですか、あれなんかも新しい。もうずいぶん古いわけですけど、いまでも新しさを失っていないというか、ぼくは漱石のなかで、逆に、あれがいちばん好きだという部分があるんです。ああいう小説を書けるようになるっていうのは、自分がものを書くようになっていちばんの理想なんですけど、何年たったらあそこまで行けるんだろうという遠さを、すごく感じるんです。

怖い怪奇映画は？

都筑　怪奇映画では何が好き？

高橋　怪奇映画では、ジョン・カーペンターっていう監督の作品が好きなんですよ。『遊星からの物体X』だとか、『ハロウィン』なんていうのを……あれはB級映画で、あまり評判にならなかったんですけど、あのなかに出てくる女優のジェイミー・リー・カーティスという、トニー・カーティスと、ペギー・リーでしたか……。

都筑　何リーと言ったかな。『サイコ』に出た女優さんでしょう？　ジャネット・リー。

高橋　その娘さんのジェイミー・リー・カーティスがすごく好きなんです。彼女は、『大逆転』で娼婦の役で出るまで、怪奇映画にしか出ていなくて、彼女が出ていると必ず観に行っていたんです。それが、どういうわけか、ジョン・カーペンターの映画が多くて、それで、ジョン・カーペンターというのはものすごくおもしろいところを映像化する人だなという感じで……。『エクソシスト』とか、もちろん、そういうのはあったわけですけれども、ああいうものよりはカーペンターのほうがずっとおもしろかった。『テラー・トレイン』という映画もありましたけど……。

高橋　それは、僕、観てないな。

都筑　それも、学生のバカ騒ぎみたいなところから始まってくるんです。

高橋　ああ、観た、観た。

都筑　大陸横断列車か何かに乗って……。

高橋　汽車のなかに、奇術師が出てくるヤツね。ああ、あれ、よかったね。でも、あれはカーペンターじゃなかった。

都筑　いや、あれもカーペンターだったはずですよ。

高橋　そうだった？

都筑　あれも、ジェイミー・リー・カーティス[*2]なんです。奇術師もわりと有名な人みたいで、本物を使っていましたね。ですから、あの映画あたりから、カーペンターが来ると、これは見なきゃいかんみたいな感じで、ずっと……。スピルバーグがやった、たとえば、『トワイライトゾーン』とか、あの辺になっちゃうと、昔、『ミステリーゾーン』を楽しんで見ていましたから、その怖さはあるんですけど、SFっぽい感じがするんです。

都筑　いわゆる怖い映画という感じとちょっと違うからね。ここ十年ぐらいの映画では、『エクソシスト2』がいちばん……。

高橋　『2』のほうですか。

都筑　『エクソシスト』はそれほど好きじゃない。『2』のほうが好きだな。あれは試写で観損なって、みんなが悪口を言うでしょう。それで、映画館に観に行ったら、ガラガラなんですよね。だけど、終わったときに、僕、手をたたいたの。みんながこっちをジロジロ見るんだけど、平気で手をたたいたの、感動して。

高橋　どういうところに感動なさったんですか。

都筑　あれは非常に妙な論理で、全部ピタッとつながっているんですよ。それ、僕、説明がつかなかったのね。そうしたら、あるお医者さんが、あれは精神分裂病の患者に接したことのある人なら、全部わかるよ。あれは精神分裂病の映画だって言うんです。だから、常人の解釈で見たら、何だかわからないんです。
僕が論理でつながっていると言ったのは、どこかで狂った、最初と最後がねじくれたような論理でつながっているのね。なぜ、最後にイナゴが出てくるんだとか、男の子がこうして手を回すのかとか、みんな変なことを言っていたけど、あれがピタッと重なっていくところが、実に快感があった。

高橋 『エクソシスト』そのものがつまらなかったというのは、どういうところなんですか。

都筑 あれは、昔の怪談から一歩も出ていない。神様と悪魔のたたかいね。演出なんかはうまくて、映画としての出来栄えがかなりいいということは認めるんだけれども、さて、好きかと言われると、好きじゃない。

高橋 そうすると、当然、『オーメン』なんかももう……。

都筑 『オーメン 最後の闘争』なんていうのは、もう腹が立って、腹が立って。最後にキリストが出てくるでしょう。バカにするなって言いたかった。

＊1 掛合茶屋の女主人。明治二十年（一八八七）、番頭の峯吉を刺殺。

＊2 実際の監督はロジャー・スポティスウッド。

高橋克彦（たかはし・かつひこ）一九四七年生まれ。小説家。八三年、『写楽殺人事件』で江戸川乱歩賞を受賞しデビュー。その他、八七年、『北斎殺人事件』で日本推理作家協会賞、九二年、『緋い記憶』で直木賞など受賞多数。ホラー、ミステリ、SF・伝奇、歴史・時代小説など幅広いジャンルで活動。浮世絵関連の著作も多い。

現代ミステリーの問題点——対談／佐野洋

トリックと謎

都筑　最近小鷹信光さんが、トリックという言葉は、外国のミステリー作家には通じないだろうとお書きになっていて、あれ面白かったですね。考えてみると確かに日本の作家がトリックと呼んでいるものにあたる言葉がないのね。結局〝プロット〟になってしまう。

佐野　じつはこないだ中島河太郎さん、権田萬治さんと僕たち二人の計四人で座談会をやりまして、そのとき中島さんが「乱歩さんがトリックということをいったために、日本の推理小説が変わってしまったんじゃないか」とおっしゃった。それは僕らも感じていたことだしね。

つまり推理小説っていうのは、トリックと不可分のものだっていう一種の迷信みたいな考え方があるんですね。アメリカでは、例の『娯楽としての殺人』（ハワード・ヘイクラフト著）なんかにも、〝新しく小説を書く人のための技術〟という項目があるんだけれども、そこではトリックについては一言もふれていない。ところが日本では「推理小説読本」といったものに、必ずトリックの項目がある。いわゆる〝推理小説文学論〟を唱えた木々高太郎さんの本にさえ、〝トリックについて〟という文章があるくらいだから。

都筑　日本人には、大道具、大仕掛けみたいなことを面白がる要素があるんでしょうね。でも戦前のミステリーが、それほどトリック中心だったわけでもないのね。それが戦後になって、乱歩さんが声高にトリックといい、ディクスン・カーといったために、かなり道を間違えてしまったような気がする。

今イギリスに、新しい本格派と呼ばれてる人達がいるけれども、その人達の作品に、日本人のいうトリックがあったためしがないんですね。だからこれからも日本のミステリー界がトリックに執着し続けたら、発展はないんじゃないかしらね。

佐野 まず推理小説という形式が誕生して、それが謎解き中心になって、それに反発してハードボイルドや倒叙ものがでてきたりするという形で発展してきたわけですよね。

読者の方も、若いうちっていうのは、人物のキャラクターの面白さっていうのがなかなかわからない。だからどうしてもトリックの華麗さとか不思議さってものにひかれて読む。それでおしまいになっちゃう人がほとんどなんだけど、さらに読み進めると、やはりそれじゃあ不満になってきて、同じ推理小説のジャンルでもキャラクターやプロットの面白いものという風に変わってくる。だから、ことに若い人がトリックを重視するんじゃないかと思うんだけど。

都筑 それをトリックじゃなくて、謎という形でとらえれば、もっと小説的に発展していく可能性があるような気がするんですよ。

謎というとらえ方は、パズルとかリドルとか、言葉の使い方はいろいろあるにしろ、英米のミステリーにはちゃんとあるわけだし。

佐野 僕が文壇に出てすぐの頃、乱歩さんが若い作家を集めて座談会やったのね。そのときどういう小説を書きたいかっていう話になって、多岐川恭さんが「僕は人間の謎を追いたい」っていわれた。ところが僕は、多岐川さんの言葉が理解できなかった。人間の謎を追うっていうのは、普通の小説じゃないか、推理小説じゃないじゃないかという感じだったんです。

だけどそれがわかってくると、結局、今自分がやってることも、それと同じことだという……。

都筑 そのときは、〝人間の謎〟っていう言葉にひっかかったんじゃない？

佐野 かもしれないけどね。つまり謎っていうのは、人間が作りだすものじゃないかということ。

都筑 だから〝人間〟って言葉を使わないで、事件の謎とか、キャラクターの謎とか、キャラクターの絡み合いが生みだす謎とか、そんないいかたをすれば、若い人も理解してくれるような気がするんですけどね。

ミステリーへの疑問

佐野　今翻訳されているものの中でも、評判になるのは、国際大陰謀小説とか、そういうのが多いでしょう。もっと、人間が日々生きていることから生まれてくる謎っていうのがないものかと思うんだけど。

都筑　僕はアメリカの本屋さんっていうのは、ニューヨークとハワイしか知らないけれども、そのどちらともペーパーバックの主流を占めているのは、そういう大陰謀小説じゃないかしら。

佐野　大陰謀は確かに謎には違いないが、非常に巨視的な謎で、もっと小さいが個人にとっては重要な謎が一般の人生には多いわけでね。

都筑　だから、世界小説に対してご町内小説であるべきじゃないかって気がする。

佐野　今の世の中、いろんな謎があるわけです。中国の飛行士がファントムで韓国に来て亡命したいとかね、だけどそういう謎は、本当は現実の方が小説家よりもずっと進んじゃってるんじゃないかって思うのね。

都筑　それと日本では国際大陰謀小説もミステリーの中に入れちゃってるけれども、アメリカやイギリスでは区別してますよ。

ミステリー書いてベストセラーになる作家っていうのは、たとえばローレンス・サンダーズなんか、ニューヨークだけを舞台にした話だもんね。けっしてパリへ飛んだりベルリンへ飛んだりしない。

それに大陰謀小説っていうのは、人物がやたらでてきて、キャラクターの細かい味わいまでそれほど書きこんでないから、案外とりつきやすいってこともあるんじゃないかしらね。

佐野　外国の本屋には、大陰謀小説用の棚があるわけ？

都筑　いや、〝ベストセラーズ〟という棚に入ってるの。ミステリーの棚は別にあって、売れてる作家ってのはたくさんあるからすぐわかる。僕が行った時には、イギリスのルース・レンデルがよく売れてた。

レンデルで一つ面白いことに気がついたんだけど、佐野さんはミステリーという小説スタイルに全然疑問持たない？

佐野　…………。

都筑　具体的にいうと、ここで犯人を暴露しなければ、もっといい小説になるんじゃないかとか、そんなこと考えない？

佐野　ええ、ここで捕まえさせないで、そこからさらにこれまでと同じくらいページを使って、続きを書き継いだ方が面白いんじゃないかと思うことはある。

それから自分で決めてる訳じゃあないけど、ミステリーであるがゆえに、ポッとだして面白い人物はやっぱり最後まで生かさなきゃいけないっていうような、縛られてる要素があるわけですね。

都筑　そうそう、読者ががっかりするんじゃないかとかね。

佐野　自分が読者の場合もがっかりするからなんだけど、それで無理をするってところがありますよ。

都筑　なぜそういう問題がルース・レンデルからでてきたかというと、今まで日本で三冊翻訳がでてる、そのうちの二冊が本格物で、いちばん最近でた『わが目の悪魔』がサスペンス小説なの。まず本格物を読んで大変感心したんだけど、最近サスペンスものを読んだら、途端に本格物がつまらなく見えてきた。なぜそうなのか考えてたら、同じ時期にH・R・F・キーティングという人の、インドの警官を主人公にした『マハラージャ殺し』というハヤカワ・ノベルズででたんですよ。これは大変うまい小説なのね。ところが、犯人捜しであるためにつまらない、主人公のキャラクターが生きてこない。こういった作品をほとんど同時に読んだんで、なんだかミステリーという形式が、少し大げさかもしれないけど、将来解体せざるをえない運命にあるんじゃないかというような気がした。

ただだからといって、僕がキャラクターを細かく描くとか、人生の謎を解くとか、そんな方向に進む自信はないから、やっぱり事件の謎を作ってお話を書くつもりですけどね。

佐野　結局その方が楽なんだな。二十年近く書いてきて、思考のパターンがそうなってきて……。今の僕らにとってはね。

都筑　そうですよね。年に一つ長篇を書けばいいのなら、こういう書き方をしてみたいなという、そういう思い方をする。

シリーズ・キャラクターだって、メグレなんかの場合には、ちゃんと人間の謎を解き、人生の謎を解いてるんだから。最近シムノンのメグレものといわゆるロマンとを読み比べてみたことがあるんだけど、同じ年代に書いたものでもロマンは古くなってるけど、メグレは古くない。

佐野　そうだね。メグレはシムノンの中で完全に生きてるんですよ。初めからずーっと。ただ無理にシリーズ・キャラクターを作りだす必要はないんじゃないかな。

都筑　シムノンの場合、同じ年度に書いたロマンが古くなってメグレが新しいのは、やっぱり犯罪という媒体があるせいだと思う。ロマンも犯罪を扱ってるけど、それは結果としての犯罪であって、メグレのように犯罪を契機にして人間に近づいていくというのじゃないのね。だからミステリーの発展すべき道というのは、犯罪を媒体にして人間を描くというところにいくんじゃないかという気がする。

警官嫌い

佐野　ところで都筑さんは、〝退職刑事〟シリーズを除いて、警察官が探偵役の作品はないでしょう？

都筑　うん、ない。

佐野　それはなぜ？

都筑　警官が嫌いなの。それともう一つは、警察の機構を調べたりするのが面倒くさいのよ。

佐野　僕もまともに警察官が捜査していくってのはないんですよ。警官が偉く、英雄になっちゃうのはどうも気にくわないとか、そういう要素ってある程度あるのね。

都筑　そうかもしれない。

佐野　今のテレビの推理ドラマって、警官が必ず善でしょ。そういうところ、なんかしっくりこない感じがあって……。殺人が起きて、死体が発見されて、警官が捜査するっていう風に書いていけたら楽だなあと思いながらも、やっぱり民間人を探偵役にして苦労するということになる。

都筑　警察の組織力にはかなわないんだから、警察の力を借りればいろんなことがすぐわかってしまうんだけど、そこのところが……。つまり警察を利用する探偵はいいんだけれども、警察官そのものってのは書く気がしないな。

佐野　今度少し警察小説書こうかなって思っていたんだけど、どうしても普通の警察小説じゃつまんなくて、警察官でも少し変わったのを書きたくなったんですね。

都筑　そういうことやると、「ああ、またはみだし刑事ものか」っていうような目で見られそうな気もするし。

佐野　メグレのあと、『87分署』で警察小説はもういいんじゃないかと思ったりするけど……。

都筑　イギリスの作家が地方を舞台にするのは、あれは地方警察がすぐスコットランド・ヤードに応援を仰いで、やって来た刑事が二人ぐらいで動くからでしょ。だからいやらしくないわけですよ。

佐野　日本の場合なら、いったん迷宮入りして、あと二人か三人の特命刑事がやるというシステムで書けるだろうけれど……。

都筑　で、メグレの場合は、後期の作品だと「俺が一人で動きたいが、規則で動けなくなってつまらねえ」という風になってきてるでしょ。それでなんとか一人で動こうとして、ずっと成り立ってたんじゃないのかしらね。やっぱりミステリーというものは、非常に個人的なもののような気がする。だから僕は、シリーズ・キャラクターは、キャラクターとしての魅力も持っていなければいけないかもしれないが、そうでなくて単なる魚を集めるための、登場人物を結びつけるための撒き餌であってもいいんじゃないかと考えてるのね。

巻き込まれ型の必然性

佐野　以前都筑さんと論争した時にね、都筑さんは巻き込まれ型は嫌いだっていったでしょ。この人生でやたらいろんな事件にぶつかるわけないから、巻き込まれ型は不自然だという風なことを言われたんだけど、あれはちょっとおかしいんじゃないかと思うな。殺人事件があれば、必ずその肉親なりなんなりはいるわけでしょう。だからその人を主人公にすれば必然的に巻き込まれ型になるはずです。

都筑　ウールリッチみたいに、主人公がぬれぎぬ着せられたり、あるいは恋人のために闘うとか真犯人を捜すとか、そういうパターンが同じなのでいやになったということでしょうね。それとたとえば、被害者の女房とか亭主なら真剣になるだろうけど、妹とか弟ぐらいになると、警察にまかせておけないから犯人捜してやろうというほど真剣になるのかしらという気がするのね。

佐野　その場合に、巻き込まれ方が納得できる巻き込まれ方ならいいわけでしょう？

都筑　そりゃそうですよ。

佐野　よく交通事故なんかで、警官は信用できないからっていうんで、執念で調査したりする人がいるんだけども。

都筑　僕は、そういうのは巻き込まれるんじゃなくて、主体性のある巻き込まれというか……、自分から事件に飛びこんでいくんだから。

佐野　それはいわゆる巻き込まれ型じゃないわけか。僕のいう意味の巻き込まれ型というのは、本来なんでもない普通の人が、ある日謎にぶつかって、やはりどうしても自分で解きたくなるということなんだけどね。

都筑　なるほどね。論争っていうのは、そういう用語をちゃんと決めておかないとかみ合わないのよね。

佐野　だから推理小説の場合でも、犯人に動機があるのは当り前だけど、探偵の側にも動機が欲しいわけ。警官だからつかまえる、新聞記者だから捜すっていうだけじゃない、主体的に巻き込まれていく理由に趣向を凝らした方が、作家として芸があるということじゃないかと思うの。

都筑　そうするとどうしても探偵が本当の主人公になっちゃうでしょう。事件にかかわっていく動機がはっきりしなきゃ納得しないでしょ。だけど僕はさっきいったように、シリーズ・キャラクターの主人公っていうのは主人公でないと思ってる。撒き餌とか鳥猟に使うデコイであるという考えだから。

それに主人公が巻き込まれる必然性を出そうとする場合ね、たとえば上役が大嫌いで会社をヤケおこしてやめちゃったら、その翌日上役が殺されて自分が犯人だと思われるというようなケース、そんなケースなら主人公と上役との対立をかなり書き込まなきゃならないでしょう。それが僕はまだるっこしくてしようがない。うまけりゃいいけど、たいがい単なる伏線みたいになってしまう。

佐野　僕がそういうタイプの小説を書いてる時に感じるのは、なかなか事件がおきないから読者は困ってるんじゃないかってこと。だけど連載じゃなくて、書下しだったらね……。

都筑　僕はやっぱり最初にはっきりした謎がある小説が好きなのね。

佐野　そうね、それに最初から引き込ませるテクニックがなかったら、プロじゃないというような感じもあるでしょ。

都筑　そうそう。それと反対に最初の方にバーで酒飲んでたりするような描写を入れて、その間に伏線をはろうとすると、俺はここでこのキャラクターを書き込んでいるんだって自分にいいきかせても、それだけの自信がない。これでもつかしらと考えてしまうのね。

描写の難しさ

都筑　しかし、なんでこんな風に世の中が作家の怠慢というのかな、怠け心を許すようになっちゃったんだろうと思うことがある。

戦国時代を書いた小説で「たちまち修羅のちまたとなった」という描写があったけど、次の行ではその戦争が終わってるんだものね。それがいかに修羅のちまたであったかを書くのが小説でしょ。現代ものでは、「銀座のような繁華街を歩いていくと」なんて地方都市の描写があったりする。

佐野　確かにここにはこういうものがあるなと読者に感じさせることが必要だけど、それを十分に書き込んでいるとまだるっこしいこともあるね、推理小説の場合。

都筑　それはあるけど、その場所がストーリーと密接な関係があれば、読者が「ああ、こういう街か」と思うように書かなきゃいけないと思うんだけど。ただ、地方都市の繁華街なんかが画一化されて、似たり寄ったりになっているという現実もあるかもしれない。でもその中でどこかに違いというか、特徴を見いだすのが作家の目じゃないかな。そういう描写を一行で片づけているような小説に出会うと、この作家は人間だってそんなに一生懸命書いてくれないんじゃないかって気がするのね。

佐野　こないだ読んでたある作品で、旦那が死んじゃうんですよ。「病魔に冒される」と書いてあって、ああ、こんなうまい手があるのかって思ったんだけどね（笑）。今病気で殺すの、難しいんですね。癌じゃ少し平凡だとか、肝臓ならどうだろうとか、早期発見できなかった理由まで一生懸命考える。ところが「病魔に冒されて」って書いて、それで読者が納得するんなら、いろいろ考えるのは馬鹿らしいなあって思うわけ。

都筑　そりゃそうだね。

佐野　長篇読んでると、「半月たった」っていうところがある。そうすると半月たつと何月何日になるのか、その間に何かあったのかなかったのか、そんなとこまで一切無視しちゃうんだよね。「半月たった」って書きゃあ、もうそれでいいのかねえ。

都筑　それは平凡な生活が半月間営まれてるんならそれでもいいけど、あとでその半月の間の動きがわかったりすると、「なんだこれ」という気がするのね。

佐野　それから、田中潤司が前にいってたけども、「捜査当局はただちに」っていうのが相変らず多いね。

都筑　それはやっぱりテレビの影響だよ。

佐野　そうだろうね。なんとか機動捜査隊の影響じゃないかと思う。だけど、そこんところを考えればるほど推理小説を書くのが難しくなっちゃってね。殺人があって、その葬式はどうしたんだとかね、葬式するのが当り前なんだから、ちゃんとやってる筈なんだけど。よく小説の中で、被害者が死んだ翌日から肉親が動きまわったりするのがあるでしょう。この人葬式どうしたんだろうって思うよね。

一人称と三人称

都筑　佐野さんは、一人称小説と三人称小説とどっちが多い？

佐野　短篇の場合は、一人称小説の方が多いかな、どうだろう……。

都筑　僕は、さっきの話にでた葬式とか、そういうとの煩わしさを避けるために、一人称を使うのね。当人が息子だったりしたら葬式のことも書かなきゃいけないけど、一人称小説なら「葬式に出かけていった」なんて省略できるでしょ。それこそ〝ただちに〟捜査にかかれるわけよ。

佐野　三人称小説だとできなくて、一人称小説だとできるというのはどうして？

都筑　それは主観だから。

佐野　主観だから書いても書かなくてもいいわけか。だけど三人称一視点の場合でもいいんじゃない？

都筑　いいんだけど、僕はそういうところにこだわるんです。

佐野　一人称小説の場合は省略しようがしまいが、それは「私」の自由なんで、けっしてアンフェアにはならないという解釈ね。

都筑　そう。一人称小説の場合は、彼あるいは彼女にとっていちばん印象深いことが物語られるわけでしょ。だからあとで重要なことを思いだしたってかまわない。

佐野　「そういえばあの時葬式にあらわれた女だった」って書いてもいい。

都筑　そうそう。だけど、三人称だったら一視点で書いても、「あの時葬式に――」って書いてはフェアでないような気がする。

佐野　まあ原則的には僕もそう思ってるんだけども。フェアプレーが必要ってことは、謎解き小説じゃなくてもあるかしら？

都筑　たとえばミステリーとは関係のない心理小説でもあると思う。それが正面に押し出されるか出されないかは別として、作家が小説を書くという行為は、論理に支配されてなきゃいけないんじゃないかな。アンフェアだからいけないっていうより、それじゃ読者が納得しないんじゃないかと思うのね。

佐野　これは推理小説に限らないんだけど、女流作家が男の視点で書くことがあるでしょう。その場合、女性があらわれるシーンで着ているものの描写を細かく書き込んだりするわけ。着物にそんなに詳しくない筈の男が、なんとかの絞りとかなんとかの絣（かすり）だとかいうように見ている。やっぱりこれもおかしいんですよね。

都筑　ただその場合、一人の人物に密着して話が進んでいても、一視点でない場合が……。

佐野　あるんだよね。

都筑　一人の人物の行動を追っていても、視点は作家だというようなケースね。

佐野　だけど、僕はそれが認められないんだ。

都筑　それはどうして？

佐野　つまり物っていうのは、人に知覚されてはじめて在るわけ。そうすると必ず知覚する誰かがいなきゃいけないんですよ。だから二人の男女がでてくる場面では、男が知覚するか女が知覚するかになるわけで、そうじゃない第三者っていうのは、どうも僕は納得できないの。

都筑　神さまですよ。

佐野　うん、当然神さまと考えることになるんだけど、小説はそうじゃないんじゃないかというのが子供の時から抜きがたくあるの。ま、時々ごまかしてやっちゃうこともあるんだけども。

都筑　そうすると一人称小説で、最後に「私」が死んじゃうなんていうのは認めないほう？

佐野　いや、それはいいんだよ。それは死んだあとの人間が書いていると解釈するわけだ。

都筑　それだったら、そこに姿なき神に近い作者が立ち合っててきてもいいんじゃないの？

佐野　いや、姿なき神っていうのは認めないわけよ。

都筑　それじゃ一人称小説で「私」が最後に死ぬ小説を書いた作者が、これは心理が描かれているんじゃないし、神があらわれたんでもない、幽霊が書いてるんだって主張したらどうです（笑）。

佐野　まるっきり認めないっていうんじゃないけど、なんか納得できないとこがあるのよ。追われてる殺人犯の立場に立って小説が書かれていて、その殺人犯がいる山の描写が詳しくでてきたりすると、とてもそんなもの見てる余裕はない筈じゃないかという……。

　殺人事件の場合も、二人だけの場で殺して、しかも犯人が逃げたからはじめて謎が生まれるわけでしょう。そこに神というものを設定したら、謎はなんにもなくなっちゃう。

都筑　その神さまが意地悪だとか……（笑）。だから神じゃないのよ、神に近い立場におかれた作者。

佐野　作者でしょ。作者はなにもかも知ってるじゃない。当り前だけどさ（笑）。

都筑　それはただ単に主人公に密着して語られているにすぎなくて、必ずしも主人公の視点ではないという解釈はしないわけ？

佐野　主人公の視点じゃなかったら、つまり知覚する人がいなかったら存在しないわけよ。

都筑　だから主人公の知覚を作者が代弁してるのよ。もしそこまでいうんだったら、三人称における一視点というのも認められないんじゃない？　それだったら一人称と同じだから、なぜ一人称ではいけないのかということになるよ。

佐野　三人称の場合は、彼の視点を翻訳して書いてるんですよ。一人称の場合は、そのあとに選択があるのね、書く場合に。

都筑　なるほどね。

佐野　つまり一人称のように選択しないで、見たものだけを書くのが三人称一視点じゃないか。ある場面でAとBが話してる時に、Aの視点とBの視点の両方から書いてるのを見ると、やっぱり場面が違ってこなきゃいけないと思う。

都筑　できるだけ作者は主人公に密着しながらも、時には離れ時にはつきっていう書き方は認めるの？

佐野　それは読んでるぶんにはさしつかえないけど、自分じゃちょっと書けない。だから乱歩さんとか横溝さんがやった、〝これはあとになって重大な問題になるんだけど、その時彼は知らなかった〟っていうのは大反対なの。

都筑　でもそれをもっと素朴に物語という形でとらえても納得できない？

佐野　それは物語としては納得できるんですよ。だけど物語じゃないつもりでいるからなあ。そこまでいうなら、犯人をいったっていいわけよね。

都筑　それは犯人捜しの物語だから、犯人をいってしまったら面白くなくなるというごく素朴な意見ではいけないんですか（笑）。

佐野　いけないことはないいんだけど、なんとなくすっきりしないのね。

都筑　それはわかるけど。やっぱりどっかに縛られる部分が作者にはあるのね、いろんな形で。ある人はどうしても一人称が書けないとか。

佐野　そう。一人称の小説っていうのは、そもそも嘘なわけだよね。手記の形でなにかを残すというもんでなきゃ嘘かしいんだよ。「私は今」なんて小説に書いてるのはおかしいんだよ。「今」というのは、現在書いてることだからね。「私は今殴った」なんていうのも、「今」は書いてる今であって、その人を殴った時の「今」じゃない筈だから。

都筑　そうね、でも本来小説っていうのは、神のごとき作者がいて、それがすべてを見通して面白おかしく語るというものなんだから、あんまり堅っ苦しく考えなくてもいいんじゃないかな。

佐野　時々はそう居直るんだけどさ。

都筑　それはなにか別の理由があって、書けないんじゃないかな。心理的な抑圧感みたいなのがあってね。一人称小説が書けないっていうのも、なにか内面に理由があるような気がするよ。

佐野　そうかなあ。

都筑　僕は完全な三人称っていうのは、うまく書けない。あれはやっぱり神のごとき立場に立って、なにからなにまで説明するのが面倒くさいという怠惰な心によって書けないんじゃないかと思うんです（笑）。つまり、完全な三人称っていうのは、実況放送と解釈したらどうなの？

佐野　だけど殺人現場を実況放送するわけないよな。

都筑　架空実況放送。

佐野　だから今度僕がある雑誌に書いた短篇は、『壁が見た光景』っていう題なんだけど、結局そうしてはじめて客観描写ができる。

都筑　それは一つの部屋の中だけの小説？

佐野　初めは部長室、何年かのちに重役室というように、いってみれば壁の視点……。

都筑　作家には多かれ少なかれそういうものがあって、それがその人の小説を面白くしてるんじゃないのかね。そういう話になるといつも思いだすのは、泉鏡花のことだよね。豆腐がすごく好きで、作中人物にも豆腐を食べさせたいんだけど、「豆が腐ると書けますか」、でいつも〝豆府〟と書いてたらしいけど、作家にはそういうことがあってもいいような気がするのね。

短篇と長篇

佐野　僕は自分じゃ短篇作家だと思ってるんだけども……発想が短篇的だしね。

都筑　それは最初から？　そうじゃないでしょ。僕なんかが短篇に主力を注いでるのは、やっぱり詰まるところ体力のせいみたいな気がするなあ。

佐野　体力かどうかは知らないけれども、忙しくて短篇に発想を全部吐きだしちゃうことがあるんだよね、これは惜しいな、長篇向きだなと思いながら。

都筑　心ならずも短篇作家という人も、ずいぶんいるんじゃないかな。

佐野　僕は乱歩さんとの座談会でも、推理小説の本質は短篇にあるんじゃないかといったんだけど、「そんな考え方は損だよ」なんていわれてね。

都筑　ただ、今みたいに推理小説がクライム・ノベルという形になってくると、本当は長篇書かなきゃいけないいんじゃないかという気はするけどね。

シムノンの短篇では、メグレものより〝プティ・ドクトゥール〟[*1]とかああいうシリーズね、最初に大きな謎があってそれがいつのまにか人間の問題になっていくみたいな、そういう方が面白いね。メグレでは、短篇と長篇だとやっぱり長篇の方がいい。

佐野　そうですね。

都筑　以前書いたものとひどく似た話を書いちゃうことはない？

佐野　ありますよ。

都筑　それ途中で気がつく？

佐野　気がつきますね。似てるっていうより、テーマが同じになってしまったり、これを裏返すとこれになっちゃうというようなね。

都筑　僕はしばしば途中で気がつかないね。本にする時初めて気づいたりする。ただそこで救われるのは、はっきり狙いが違うのね。

佐野　それはわかる。それに関連した話なんだけど、もう五、六年前かな、結城昌治から電話がかかってきて、いろいろ話をするわけ。これこれこういう小説を読んだことないかっていうわけよ。「うん、そういわれてみりゃある」って答えて「それ誰だ？」「星さんじゃないか、それは」なんていうやりとりの後、またしばらくして電話があって、「わかったよ、自分の小説だった」っていうのね。本当に他人(ひと)は信じないかもしれないけど、小説家同士だとわかるよね。

都筑　ああ、わかるね。僕も五、六十枚の短篇だとわりあい覚えてるけど、ショート・ショートは書くそばから忘れるね。

佐野　そりゃそうでしょうね。僕は長篇でも文庫になってしばらく間をおいて読んでみると、自分の小説が面白くてね。

都筑　うん。それはありますよ（笑）。しょっちゅうある。

＊1　邦題は『チビ医者の犯罪診療事件簿』。

佐野洋（さの・よう）一九二八年生まれ。小説家。五八年、「銅婚式」が「週刊朝日」「宝石」共催の短篇コンクールに入選しデビュー。以後、一二〇〇以上の短篇を発表。六四年、長篇『華麗なる醜聞』で日本推理作家協会賞、九七年、長年の功績により日本ミステリー文学大賞受賞。七八年に都筑との「名探偵論争」の舞台となった「小説推理」での長期連載「推理日記」は、最晩年の二〇一二年まで三十九年にわたり続いた。一三年死去。

都筑道夫に教えてもらったこと——インタビュアー／鏡明

都筑　今年の九月頃から鬱状態なんですよ。だからあまりはかばかしい返事はできないかもしれない。
鏡　躁鬱気質なんですか？
都筑　今はわりにひどいんですけれど、いわゆる躁鬱症の鬱みたいに何もできなくなるわけじゃなくて、仕事だけはしてるんだけれども、つまりその他の事に対しての……何をやってもつまらなくてね（笑）。積極性がなくなってね、暇がある時は遊ばなきゃ損だって……。外へ出て傘もってても、なんでたまに暇がある時外へ出ると雨が降るんだって、腹立てて帰って来ちゃう。
鏡　都筑道夫世代っていうのはやっぱりいるんですよ。多分僕達と伊藤典夫との間位の人達で、あのころにアメリカとか、ミステリーとか、SFとかに興味もっていた人達っていうのは、かなりの部分で都筑道夫っていう人の影響って受けていると思うんです。で、僕は、都筑さんのを読んで何が一番おもしろかったかというと、ひとつは、知らないことが沢山出てたのね。
都筑　（笑）。
鏡　それで小説と言えばすごいテクニックだしね。プロットとか、ものの書き方そのものも含めて、僕の知らないものをすごくよく書いてる人だという感じがしたんです。たとえば『なめくじに聞いてみろ』にしたってね。『やぶにらみの時計』でも小道具みたいなのが沢山あったでしょ、ああいうのはどこから調べてきたんですか？
都筑　そういう趣味は今でも残ってるけど、ともかく僕は、何か身につけるもの、まあ、小道具が好きでね、丹念に見て歩く。

鏡　アメリカの雑誌が情報源ってことありました？　たとえば植草甚一だったら、「エスクァイア」とか「ニューヨーカー」とかでしょ。

都筑　そういうことはあんまりないですね。日本で手にはいらないものっていうのはめったに僕の小説には出てこなかったはずですよ。

鏡　ドラキュラの貯金箱！　ああいうのはすごい鮮烈な印象があるのね。

都筑　ああいうものは日本に入らない。雑誌の、それもすみの方の広告から拾ってきましてね。ちゃんとした時計とかライターとか、そういうものは全部自分で見て……。雑誌から拾ってくる時も、それが動くところを見た場合に書いたことが多いんですね。たとえば映画の中なんかで。僕はアメリカ映画だけに限らず、外国映画を見るとき、丹念に小道具を見てます。以前はジグソーパズルでも何でも、自分の書いたものは自分の手に届くというか、ふところ勘定と、ふところ具合と、ちゃんと相談できればみんな自分で買いましたね。

鏡　でも、ああいうものを小説に入れようっていうのはどういうことからですか？　単純に自分の趣味を出すっていうことですか？

都筑　そのへんはハードボイルド的な手法を……ハードボイルドの作家が全部それをやってるってわけじゃないけど、ハードボイルド的な手法だと自分で解釈してるんですよ。つまり、推理小説っていうのは、広い意味での推理小説・怪奇小説でも冒険小説でも、その人物の性格を直接的に言葉で説明するとあとで具合が悪くなる点もあるし、野暮ったくなると思ってたんです。人間の性質とかそういうものは、身につけているものでかなり象徴されるわけですよ。それで、こういうタイプの人間だったらこういうものを持ちそうだな、というのを、小道具とか着てる服の派手か地味かどんな好みかっていうので人物の性格を出そうとしたので……それが読者にわからなくても仕方がない。

鏡　感覚的には非常によくわかりますね。主人公の設定とかキャラクターにかかわってくるというところまで意識して読むかどうかは別にして。

都筑　赤い裏地のついたコートなんかをちゃんとつくってみてね、僕のふところ具合で作ると、裏地にうんといい生地なんか使えないわけだから、やたらに重くなってね（笑）。着てみたら颯爽と歩くどころじゃない（笑）。

鏡　あの時代にああいうことをやるっていうのは、何か前例みたいのがあったんですか？

都筑　外国作家の真似ですね。

鏡　なるほどね。アルフレッド・ニューマン[*1]て出てきたでしょ。『三重露出』かなんかで。その頃はまだよく知らなかった。で、ただニタッと笑ってる顔だと思って読んでいる。それで後で実際に「マッド」で彼の顔見るでしょ、こういう顔なのかと思って喜ぶ、その辺の発見みたいなのが常にあってね、ものすごい影響受けてる。でも都筑さんは「ミステリ・マガジン」だったでしょ。で、「マンハント」っていうのはどうだったんですか？　多分一番最初に都筑さんの名を「マンハント」とかあの辺で見たんですよ。すごく冗談ぽかったでしょ、「マンハント」って。逆に「ミステリ・マガジン」ってまじめでしょ。あの頃都筑さんは「マンハント」をどういう風に見てたんですか？

都筑　実は「マンハント」には最初からかかわりあってたわけね。それは、ひとつには商業意識なんですよ。というのは、ああいうリトルマガジンはことに、競争誌がなかったらのびない。それがまちがってなかった証拠には、「ミステリ・マガジン」が一番売れたのは、「マンハント」があり、「ヒッチコック・マガジン」があるあの時期だった。「マンハント」をやってた中田雅久さんは、僕が早川書房に入る前からの知り合いだから、応援したわけです。彼と話をして、たとえば、変な翻訳というのをやってもいいものかねえ、なんて言うと、それは当然「マンハント」ならやっていいだろう、じゃあ僕が浪花節で訳す！　とか（笑）。

鏡　ああいう洒落の感覚、洒落っていっていいのかわかんないですけどね、都筑さん的だなって。あの頃の都筑さんのミステリの知識とか、ＳＦの知識っていうのは、すごかったですよ。新しい作家たちを紹介したのは都筑さんが一番多いんじゃないかしら。イアン・フレミングとかね。

都筑　それはやっぱり、人に使われていると商業意識が旺盛になってね、ともかく非常に熱心ではあったです。多い時には一日に四冊から五冊読んでた。ハードカバーかなんか斜め読みですけど。やっぱり一年目位になると、だいたいこれはいけるとか、いけないとかわかるでしょ。ともかくポケットミステリーのセレクションまでおっつけられちゃったから、それやるために……朝から晩まで本読んでいたんです。

鏡　都筑さんの好みは、あの頃は必ずしも本格ものばかりじゃなかったですよね。

都筑　とにかく本格一辺倒の時代だったから、まずそれをぶっこわさないと……。

鏡　冒険小説とかサスペンス小説とかは、都筑さんが紹介した数が多かったですね。

都筑　ミステリ雑誌で、推理小説しかつかえない雑誌だったら、そのミステリの中でいろんな種類のバラエティを見つけるよりしょうがない。それで意識的に本格攻撃をしたいわけですね。あの頃僕が一番考えていたことはいくら日本の読者が本格が好きだって、ひとつの雑誌のあたまからしまいまで本格だったら、ちょっとおちるのがものすごく愚作に見えてくるでしょ。だから、いろんなのが並んでると、つまりアベレージの本格でも、大変良く見えるわけですよ。

鏡　ああいう情報っていうのは、どこから仕入れたんですか？　これはいけるんじゃないかとか、これを読んでみようとか……。

都筑　半分行きあたりばったりで、エージェントが持ち込んでくる本と、あとは「ニューヨーク・タイムズ」と書評誌を三種類ぐらいとってたんです。

鏡　それを克明にチェックして……。

都筑　書評誌っていうのは半分広告でしょ。僕は書評そのものよりも、広告の方を重視しました。

鏡　広告でおもしろそうなものってありますものね。その中で、自分が見つけたんだって人います？　自分が見つけて、つまり僕らだって、伊藤典夫あたりにしても自分が紹介して、ざまあみろ、知らなかったろって作家、何人かいるはずなんですよね。

都筑　ええ、やっぱり、イアン・フレミングとか、クリスチアナ・ブランド、ロバート・ブロック、ヘンリー・スレッサーとか。もしね、もし多少なりとも僕が紹介したということになるんだとしたらね、それを紹介するときのプロパガンダの仕方とか、アジテーションの仕方に、非常に熱心だったんじゃないですか。

鏡　都筑さんが一番最初にイアン・フレミングを紹介した時に……「アイアン・フレミング」って書いてありましたよね。あの本をずっと読みたいなあって思ってて、出た時は一生懸命買って読んで……。中学生でね、その頃。カーター・ブラウンとかね（笑）、夢中でした。

都筑　紹介っていうのは批評じゃないんだから、ほんとに熱意をこめて、どんなに面白いかと思って語らなきゃいけない。それがね、おそらく編集者を兼業していない場合には、どうしても批評家としての面がどっかに出ちゃうんじゃないかと思う、紹介記事を書く時に。

鏡　最近の紹介なんですけれど、今の人達を見ていると、まあ僕自身も含めてなんだけど、ああは書けないですねえ。

都筑　それはやっぱり飢餓状態を通過してなかったからじゃない？　乱歩さんのね、紹介によって、読みたい読みたいという気持ちをあおられて、戦争の間にこんなにいろんな作家が出てきたんだなっていうことを、実感をもって知った世代と、あり余ってる中から自分で選んでいく世代との違いじゃない？　あの時の乱歩さんの熱気みたいなものをね、再現できたらなあという気がしますね。ただ乱歩さんは、必ずしもうまい紹介者ではないですよ。あの時は全くなかったから。乱歩さんは熱気はあったし、こっちも熱気を感じ取る。たとえば一〇パーセントの熱気が九〇パーセントぐらいの熱気になって感じたわけですよ。だからあの時より、もっと紹介のしかたに技巧を凝らすというか、誇張しなきゃいけない時がありました。

鏡　江戸川乱歩のも、かなり誇張してるって気がしますけど。

都筑　それはありますね、自分の好きなものは。ただ正直でいいんだけれど、やっぱりわかんないものはわかんないって書いたりするところは、批評家なんですよ。

鏡　都筑さんは、基本的にはミステリ少年だったわけですよね。で、SFっていうのは、どこから入って来たんですか？　さっきブロックの名がちょっと出たんですけれど。

都筑　やっぱり怪奇の方からきてるんでしょ、僕のSFはね。

鏡　で、怪奇小説というか、恐怖小説は、都筑さんが見てるとどのへんが一番おもしろかったんですか。

都筑　僕はしょっちゅう評価が変わってくるから。僕はブロック、好きじゃない（笑）。やっぱり一番、これだという気がしたのは、ダールが出てきたときじゃないでしょうかね。なるほど、こうすれば恐怖小説ってのは新しくなるなって気がした。モダンな怪談が、最初から好きだったんです。

鏡　星新一という人が実に名言をはいてるんです。書けなくなると都筑さんの短篇集、読みなおすんですって。そうすると、「急にショート・ショートの書き方を思い出す」って、どこかで言ってた。すごいプロっていう気がものすごくする。

都筑　いやあ、僕は今だにセミプロだという意識をもってますけどね。

鏡　そうですか？　ものすごいマニアがわかる、本当のプロだっていう気がすごくするんです。

都筑　本当のプロっていうのは、自分がプロになろうっていう……つまりプロであらねばならぬっていうような意識はないもんですよ。僕は絶えずそれがあるんで……（笑）。そういう意識があるうちはセミプロですよ（笑）。つまり、職人でありたいとか、この辺でうならせたいとか、そういうことを考えるのは、本当のプロじゃないですよ。

鏡　翻訳とか洋書をたくさん読んでた結果なのかしら？　それとも、もともとそういうところがあったんですか？

都筑　ええ、もともとあったんだと思います。やっぱり東京の人間ていうのは、保守主義でありながら、大変おっちょこちょいで新しもの好きなのね。保守主義っていうのはおかしいんだけど、根本的には非常にそうなんですよ。それでいながら、新しいものにどんどんとびついていく。

鏡　論理的なところはどうなんですか？　論理性ってのは、常に都筑さんは……。

都筑　子供の時から理屈っぽかったですよ。

鏡　でも、口が理屈っぽいからって、必ずしも書くものが論理的とは限らないですよね。

都筑　そうだけど（笑）。それは、やっぱり情緒的な、すうっと流しちゃうものが最初から嫌いだったから。

鏡　僕は日本の本格物みたいなのを見てると、もちろん江戸川乱歩って人もそうだったし、横溝正史っていう人もそうだと思うんだけれど、ホントの論理じゃないですよね。非常に情緒的な部分の多い人達ですよね。

都筑　本当の論理のおもしろさっていうのを、気がついたのはやっぱり久生十蘭ですね。

鏡　ものすごく洋風な気がするわけ。そういうのはやっぱり突然出てくるのかなあって気がしたんですけどね。

都筑　僕の死んだ兄貴なんかは、咄家という職業をもちながら、趣味は虫喰い算を解くことだったりね。ものすごく数学が得意で……。僕の兄貴は小学校の時の担任の先生が、数学好きだった。僕が数学不得意なのは、担任の先生が、数学に対してね、熱意がなかったから……数学の教え方が下手だったから。同じ傾向はもってたと思うのね。

鏡　前より仕事量は？　膨大に増えたでしょ？

都筑　自分で信じられないくらい。

鏡　しばらく前に、怪奇小説書いたら、もうバンバン書けるっておっしゃったでしょう。一日六十枚書けたとか……。

都筑　そんなには書けないですけど、二十枚の怪奇小説なら、いっくらでも書けるって気がした。

鏡　いまだにですか？

都筑　いまだにでもないけれど、二十枚の怪奇小説なら、そんなに苦労しないでわりにいいものを書くんじゃないかって気がします。

鏡　一番苦労なさるのは本格みたいな、パズラーみたいな？

都筑　そうですね。

鏡　どうして怪奇小説、そんなに簡単に、楽に書けるのかしら？

都筑　どうしてですかね、ちょっとわかんないですね。

鏡　都筑さんの雰囲気からいけばね、逆かなって気もするんです。怪奇小説っていうのは、結局は非常に情緒的なものですよね、ある程度論理性っていうのはありますけれど。

都筑　いい怪奇小説っていうのは大変論理的なものだと思う。ただその論理のあらわれ方がね、まともに出てこないだけで……。

鏡　裏に一本論理があって、そこからこちら側へ出てくるものが、怪奇小説なんだと……。

都筑　頭の中で考えている時には、ちゃんと論理的に発展させてますよ。こういう変な人間がいてね、こういう変なことが起こったら、その先どうなるかってことを。

鏡　行動のパターン!?

都筑　或いはストーリーの展開の論理性というか……。

鏡　ただそういう風に見ていくと、今、怪奇と幻想とかのブームがあると思うんですけれど、そういうところで出てくるものと都筑さんの考えてらっしゃるのは違いますね。

都筑　その場合は僕は、僕の方が本格なんだと思っているので。あるいは、本格という言い方がおこがましければ、僕の方が西洋的な怪談だと思っている。

鏡　最近のでこれだ、と思うものありました？

都筑　今年後半に読んで一番興奮したのは、去年パシフィカから出た『シャイニング』。あれは興奮しましたね。あれはともかく長いから、敬遠して積んであったんですよ。『シャイニング』は幽霊屋敷じゃなかったかなって、いうんで読み始めたら、おもしろくってやめられなくなって、仕事そっちのけで読んだり（笑）。

鏡　『呪われた町』もやっぱり……。

都筑　僕は『呪われた町』よりも『シャイニング』の方が好きですね。

鏡　スティーヴン・キングみたいな作家って、わりかしSFの中でも評価高いんですよ、アメリカの中でね。『シャイニング』はヒューゴー賞の候補にはいってたんじゃないかな。

都筑　ともかく大変な描写力のある人でね、僕はその、描写力のある作家に弱いんです。コロッといかれちゃう（笑）。それで描写力があるだけじゃなくて、あの人律儀だから好きなのね。決して異常心理なんかで逃げないんですよ（笑）。

鏡　だからあれだけの厚さになるっていうのわかる気がする、あの人が書いてれば……。

都筑　お化け屋敷はお化け屋敷らしく、『呪われた町』や『キャリー』で最後にあれだけの凄絶なクライマックス書いてたんだから、やっぱり吸血鬼と戦ってくれるだろうと思ったら、ちゃんと戦ってくれたんですっかりうれしくなっちゃった。

鏡　そうですね、あの人年々うまくなっていく、一作ごとに。

都筑　短篇集の序文を読むと、彼はアメリカン・インターナショナル[*2]の『ティーンエイジ・ウェアウルフ』とか『ティーンエイジ・フランケンシュタイン』とか、あれで育った人なのね。

鏡　ああそうですか。じゃあわりとうれしい人なんだ（笑）。

都筑　そう（笑）。だからどんなに近代小説として書いてもね、最後はワァーッとなんなきゃいけないってことをね（笑）、考えて。

鏡　『呪われた町』はわりと純文学風なのね、書いてあることが……。

都筑　そう、そう、そうなの。『シャイニング』だってそうでしょ。

鏡　で、風俗小説風でもあるし……。ところが、クライマックスで恥知らずになるところが、やっぱりえらいですね。都筑さん、そういう趣味あります？

都筑　ありますねえ。お化けの小説書くんならやっぱりね。たとえば、日本で言えば歌舞伎の『四谷怪談』見て、縁日のお化けの見世物も見て、同時に近代小説も読んでるような人が読む、ということを考えなきゃいけないと思う。決してね、怪奇小説のような顔をした異常心理小説を書いちゃいけない。

鏡　汚いですよね。

都筑　（笑）。まあ、短篇は別ですけれどね。短篇は異常心理の話としても解釈できるというようなことを書いても、僕はいっこうにかまわないと思うけど……。ある程度の長さをもった長篇の怪奇小説なら、最後にはワァーッっとならなきゃいけないと思う。クライマックスがなきゃ。

鏡　日本人はそういうことに慣れてないから、逆にそうやると、最後にきて、どうしてこんなひどい話になっちゃったんだって怒る人いますからね。

都筑　それもあるでしょうね。

鏡　ハイブラウで終わらしたいみたいな……。『シャイニング』が一番おもしろかったっていうのは、何かおもしろいですね。

都筑　あれだけ興奮したっていうのは滅多にない。これは絶対怪奇小説の長篇を書かなきゃいけないって思ったもの。

鏡　書く予定はありますか？

都筑　まあ、来年書けるかどうか。

鏡　最近いわゆるネオ・ハードボイルドっていうんですか？　新しいのがどんどん出てますよね。ロバート・パーカー……。

都筑　ロバート・パーカーの『ユダの山羊』か。あれはがっかりしたな。おもしろかったけど、ハードボイルドじゃないですね。

鏡　ロス・マクの悪影響なんですよね。それと都筑さんが最近書いているハードボイルドとなにか関係があったのかなあなんてちょっと思って……状況的にね。

都筑　日本でもそろそろハードボイルドが書けるという気はしてきましたね。僕が去年あたりからハードボイルドに夢中になったのはシムノン。今までシムノンが日本に受け入れられた歴史ってないでしょ。みんな、こけてんのね。

鏡　名前だけが有名ですね。

都筑　ところが、現在どれだけ売れてるかわかんないけど、五十冊出そうといって、もう四十何冊が出てるんでしょう？　メグレがどうやら受け入れられるようになったらね、地味なハードボイルドもいくらか受け入れられる。ただ、どうしてこの人がこんなに人間を知ってるんだろうと……。

鏡　たとえばジャプリゾなんかは？

都筑　『シンデレラの罠』とかは読みましたけど……。植草さんから聞いた時にね、これは読まなくていいなと思った。というのは、僕が『猫の舌に釘をうて』を書いた時にね、一番簡単なのは記憶喪失を使うことですけど、それだけは使うまいと……それであとでジャプリゾっていう作家がこういうの書いてるよって聞いて、まさか記憶喪失使ってるんじゃないでしょうねって言ったら、いや記憶喪失だって。それじゃあ読む必要ないなって。

鏡　僕は都筑さんて、ああいうフランス風のやつ意外と好きなのかなあと思ってた。

都筑　いや、嫌い。まあ、シムノンは厳密な意味ではフランス人じゃないけれど、フランスの推理小説って、読むのはシムノンだけです。もう今、届いて、すぐその日に読み始めるのはシムノンだけ。

鏡　都筑さんの初期の作品の話を、ちょっとお聞きしたいんですけれど。相当時間かかったんじゃないかなあという気がするんです、一冊書くのに。

都筑　そうでもないですよ。ただ、後でずいぶん手を入れてますね、機会あるごとに。

鏡　たとえば短篇なんかでおちつける時に、最後のページを一行だけこっちにやったりして、頁をあわせるなんていうのは、まだちゃんとやってらっしゃるんですか？

都筑　そんなことまでやりますね。

鏡　僕と横田順彌が都筑さんの所へ行った時にね、「僕の小説には誤植はひとつもないです」って。僕と横田順彌は、さすがだなあって……。

都筑　その時期だけはなかったでしょ、おそらく。僕が、これは絶対誤植がないって言ってた本が『からくり砂絵』かな？　それでもね、何度めかに再版する時に、これは僕のミスではなくて、ルビが下へさがってる、一字とんじゃってるのがあって……あの時期は、初校から三校まで、全部自分で見てた。

鏡　前は装幀から全部都筑さんが？

都筑　目次の組み方とか、全部考えてました。

鏡　じゃあ装幀の人も一緒に組んでやるという……。

都筑　ええ。

鏡　うしろが白いページになってるやつね〔『猫の舌に釘を打て』〕、ああいうことって、文庫はちゃんとなってましたよね。

都筑　あれはやっぱりね、そういうことをおもしろがってくれる人がそこにいなきゃだめね。

鏡　担当の人で？

都筑　ええ。

鏡　逆に今、都筑さんがああいうことをやらないからつまらないって気もするんですけどね。

都筑　考えることはね……いろんなことを思いつきますよ。たとえばね、よく日記なんかを若い頃に一行おきに書いたりするじゃない？　そういう日記があってね、その間にあとから文章を書きこんでいったために変になっちゃった小説なんていうのをね……。物語そのものに凝るのはもちろんだけど、本に凝るっていうのは最近ないですもんね。変な暗号小説[*3]、ああなっちゃうとやんなっちゃう。

鏡　凝りすぎの感じ。と、いうより、全然センスがないって感じ。たとえば本自体にトリックがある本ていうのは、あれくらいですね。ぱっとうしろみたら白くなってて、ああ汚ねえ、もうおしまい、へんなはなしって終わりになっちゃって、でも……。そういう、人を驚かす趣向みたいなのって、やっぱりおもしろいと思うんですよね。

都筑　ただ、やっぱりああいうことって、若いうちにやることなんじゃないかな。

鏡　それはそうだと思いますけど。

都筑　鬱状態になったひとつの理由ってのは、五十になってね……早く二十になりたい、早く三十になりたいって思ったけど、四十にはなりたくなかった。だけど四十になっても一向に平気だったけれどもね、五十になって、ガクッときてね（笑）。

鏡　（笑）。

都筑　もう、先が見えたって気がして。つい昨日かな、岡本綺堂の戯曲をね、久しぶりに読んで……この次の仕事が「野性時代」の『なめくじ長屋』で……これ書く時は、『半七捕物帳』何本か読み返すんですが、久しぶりに戯曲を読もうっていうんで読んだんですが……『村井長庵』ていう大作が五十の時ので……。それでちょっと気をとりなおしたんだけど（笑）。僕だけじゃなくてね、色川（武大）氏もそう言ってたしね、五十になったってことの受けとり方が、今までの年齢の節目の中で一番重かったたって。彼、僕と同い年で……いくらか彼の方が生まれが先だから、先に五十になったわけです。お正月の元日に、あっもうおしまいだって、ものすごい重さを感じたって。僕もそうなんだ。ことに僕の場合は、原稿料をもらい出してから、ちょうど三十年目でしょ。三十年も書いてきたんだなあって、三十年書いてこんなもんかなって気がしてね（笑）、なんかいやになっちゃった。

鏡　都筑さんていうのは、わりと年齢を感じない人なんだろうなって思ってたの。

都筑　いやあ、今は感じてる、ものすごく感じてるね。ともかく、完全な徹夜ができなくなったのね。

鏡　肉体的な面ですね。でも僕はあの……『やぶにらみの時計』って何歳の時の作品ですか？

都筑　あれは、三十一かそこらじゃない？

鏡　あの頃、今の僕と同い年ですよね。その意味じゃはるかに老成……老成してるっていっちゃおかしいけれども……。

都筑　それは……僕はね、非常におかしな話なんだけれども、十九の時に三十に見られた。

鏡　悲しかったですね。

都筑　（笑）。そりゃあ悲しかったです。

鏡　都筑さん、五十だなんて、今だに信じないですけど……だって、ああいうことやるのは若いうちじゃない？　って言われればわかりますけれど、読んでてそんなに若かったんだなあって思わないもんね。昔だってやっぱり……ずっと三十五、六って感じしますよ。

都筑　それはそうかもしれませんね。

鏡　都筑さんは二十歳ぐらいから書き出したわけで、そのころはいわゆるパルプライターですよね、マガジンライターで、でも、パルプライティングの形跡って、全然ないですね。あの『魔海風雲録』っていうのは、若干そういう感じなのかなあと思うんです。けどもね、

『やぶにらみの時計』あたりだと、全然ないですね。毒されない方なのかしら？

都筑　そうでしょ。そりゃあ僕は、いろんな覚醒剤なんかをやたらに使ってね、中毒になったこと、いっぱいあるから（笑）。

鏡　でも、リタリン、てのあるでしょ？　最近もうリタリン使ってません？

都筑　リタリン、手に入らないでしょ？　僕あれ嫌いなの。カフィロンの……やっぱりカフィロンに一番長くお世話になったんですよね。

鏡　そうですか。

都筑　それでも中毒にならなかった。もっともあれは禁断症状がないし、使い方ちゃんと知ってれば、中毒しないはずなんですけどね。

鏡　ヒロポン中毒って、禁断症状あるんじゃないですか？

都筑　ただ幻覚とかいろんなものがあって、栄養失調になって死んじゃうんですよ。

鏡　身体が衰弱する……。

都筑　栄養失調になって、身体の水分がなくなる。皮膚が収縮してきて、それがまた幻覚を呼ぶわけでしょ。皮

鏡　皮と肉の間に虫が入りこむって……。

都筑　僕の知ってる人で、家の雨戸閉めきって、夫婦で蚊帳（かや）の中でくらしてた人がいたけど……天井から白い小さな虫が、やたら降ってくるって。

鏡　それはみんな同じだ。僕の高校の先生なんかがヒロポン中毒になって、やっぱり天井から虫が落ちて、それが毛穴から入って、肉と皮膚の間に入って動くんだって、それかきむしっちゃうんだって。

都筑　それは水分がなくなって、皮膚が収縮するんですよ。僕はそういうのは感じたけど、そういう話聞いてるから、水飲んだり飯食ったり、ちゃんとしなきゃいけないって……僕は食欲なくならないで、ちゃんと食ってました。あれは、もとから狂暴性のある人が、幻覚にとらわれて狂暴性を発揮するんで、普段からカッとしない人間が、幻覚におそわれたら、隅の方へ行って縮こまってますよ。カフィロンが一番良かった。

鏡　僕もカフィロンなんですよ、一時使ってたのは。あれはね、歯が痛い時なんか飲むと強力ですよ。神経が集中してるから痛いなんてもんじゃない。

都筑　こんなこと言うとおまわりさんに引っぱられるだろうけれど、二十年やってたでしょ、間に五、六年

はあったけど、ヒロポンから。それで別にね、身体も悪くないし、普通に暮らしてるんだから。

鏡　あれはでも、浜松の方の暴力団が、粉にして水にといて注射したんですって、覚醒剤のかわりに。

都筑　そういうことがあってだめになった。それで、車盗んで、夜中に走りまわって、人をひくか、どっかぶつけるかしちゃったんだ。そういう変な使い方するやつがいるから、みんなだめになっちゃうんだ。そういう連中があれ飲んで起きてる必要ないんだもん（笑）。

鏡　そうですね（笑）。それと関係ないですか？　徹夜できなくなったっていうのは。

都筑　それは体力ですね、目が早く疲れるようになった……今までの習慣で、朝まで起きてはいますけど。ただ、ずっとそのまま翌日の夕方までってことはできなくなっちゃった。

鏡　僕はもう、今でもできないですよ（笑）。

都筑　それと、去年、おととしあたりは、五分間寝ようと思えば五分間寝られたのに、今は、五分間寝ようと思うと一時間寝ちゃう。

鏡　（笑）。あんまりそれは気にするほどのことはないんじゃないですか？

都筑　だけど、そういう一種の離れわざみたいなのができて、五分でも寝ると一応すっきりして、それでまた書き続けられたのがね、書き続けられなくなったっていうのはね、やっぱり年を感じますよ。

鏡　植草甚一さんていう人はどうですか？

都筑　あの人で一番尊敬するのは、あの好奇心の強さ。自分の好奇心がおこれば、それに従って行動する自由さっていうのが、僕はうらやましくてしょうがない。

鏡　好奇心ていうのならいい線じゃないですか、都筑さんと。

都筑　僕は好奇心がおこっても行動できない。それとね、一番違うのは、あの人は自分の知らないところへ行くのがうれしくてしょうがないの。僕は自分の知らないところ、怖くて行かれない、誰か一緒にいないと。それで、あの人と一緒に歩いてて一番感心したのは、というかうらやましかったのはね、何か売ってたんだか、靴みがきのおじさんが妙な雑誌読んでたんだか……。そしたらその靴みがきはどう見ても植草さんよりは十歳は年下なのね。なのに「おじさん」っていうわけね。うれしいっていうか……（笑）。「おじさん、何読んでんの？」とかね……（笑）。よかったな、あれは。

鏡　自分はそんな年だと思ってないのね。片岡義男という人はどうですか？

都筑　僕が感じたのは、片岡義男がハワイの田舎で食ったいなり寿司の話を書いているのね。非常にハワイをとらえているって感じがしましたね。

鏡　彼の場合はどこまでホントかわかんないとこがいいですね。

都筑　子供の時のね、いなり寿司の味がしたって。まるでタイム・マシンで過去に戻った気がしたって。

＊1　アメリカの諷刺雑誌「マッド」のマスコット・キャラクター。

＊2　アメリカの映画配給制作会社。後述二作の邦題はそれぞれ、『心霊移植人間』(I Was a Teenage Werewolf)と『怪人フランケンシュタイン』(I Was a Teenage Frankenstein)。

＊3　前年に刊行され、本文全体が暗号によって記された奇書として話題となった、泡坂妻夫、中井英夫、日影丈吉による競作アンソロジー『秘文字』(社会思想社、一九七九)か。

鏡明（かがみ・あきら）一九四八年生まれ。小説家、翻訳家、評論家。七〇年、エイブラム・メリット『蜃気楼の戦士』で翻訳家としてデビュー。著作に、『不確定世界の探偵物語』などの小説や、雑誌「マンハント」に関するエッセイ『ずっとこの雑誌のことを書こうと思っていた。』など。一方、広告ディレクターとしても長年活躍し、二〇一二年、アジア太平洋広告祭で「ロータス・レジェンド」として表彰、一三年、東京広告協会白川忍賞など受賞多数。公募の短篇賞・星新一賞（一三年〜）創設にも携わる。

ポオさん、お顔を見せてください！——架空対談／エドガー・アラン・ポオ

1

私　そこに、どなたかいらっしゃいますね。暗くて、よく見えないんですが、ここはいったい、どこなんでしょう？

男　私にもよくわからないんだ。わからないということで、私は長いあいだ、いつも腹を立てている。そのせいで、ますますわからないのかも知れない。

私　この道をまっすぐ行けば、エドガー・アラン・ポオ氏にお目にかかれるはずだ、といわれて来たんですが……。

男　江戸川乱歩というひとなら、いるようだよ。

私　そのひとは、日本人でしょう。ぼくが探しているのは、アメリカ人なんです。

男　ここでは日本人も、アメリカ人もありはしない。きみだって、英語をしゃべっちゃいないだろう。

私　そういえば、そうだ。しかし、そういうところをみると、あなたはアメリカ人なんじゃありませんか。お名前を聞かしてください。

男　名前を呼ばれることは、もうないんでね——思い出せないな。たしか、グレイといったよ。

私　ウエスタン作家のゼーン・グレイ氏かな？　この先にいくと、なにがあるんです？

男　そこにあるのは闇ばかり、ほかにはないはずだがね。まあ、行ってみたまえ。

私　待ってください。そりゃ、『鴉』のリフレインじゃありませんか。そこにあるのは闇ばかり、ほかには

ない。『鴉』の四節だ。グレイさんとおっしゃいましたが、E・S・T・グレイさんじゃないんですか。

男　そうかも知れない。そういわれれば、そう名のっていたな、たしかに。

私　あなたがエドガー・アラン・ポオ氏でしたか。

男　どうして？　そういわれれば、私はエドガーだ。でも、エドガー・A・ペリーというんだ、たしか。

私　なぜお隠しになるんです？　E・S・T・グレイというのは、晩年におつかいになった偽名だし、エドガー・A・ペリーというのは、あなたが十八で、陸軍に志願したときに、おつかいになった名前じゃありませんか。

男　そうだったかね。べつに隠しているわけじゃない。いろいろなことが、思い出せなくなっているんだよ。きみはどうして、そんなに知っているんだ？

私　あなたがいなかったら、ぼくは小説家になっていなかったからです。推理作家なら、だれでもあなたのことは、知っていますよ。ぼくは日本の推理小説家で、都筑道夫といいます。いわば、あなたの真似をして、生きてきた人間です。雑誌の編集をして、いささかの名声を得たこともありますし、論理による謎の解明を主にした小説も書いています。怪奇小説もたくさん書いていますし、小説の構成法についてのエッセーも書いています。むろん、ただ書いたというだけのお恥ずかしい代物ですが……それに詩を書いたことはありません。お酒も大して飲まないほうで……。

男　私は詩人で、アルコール中毒だった。はっきり、おぼえちゃいないがね。

私　あなたの詩が、フランスの象徴主義にあたえた影響は、そりゃあ、大したものです。でも、あなたが後世にあたえた影響で、最大のものは、推理小説というジャンルを確立したことだと思うんです。

男　以前にもそんなことをいわれたよ。かすかに、おぼえている。しかし、推理小説なんてものを確立したおぼえはないがね。

私　そうかも知れませんが、結果としてそうなったんです。『モルグ街の殺人』ですよ。『マリー・ロジェの謎』です。『盗まれた手紙』です。オーギュスト・デュパンは、推理小説のすべての主人公たちの父親ですよ。

男　そうだ。それが私だよ。オーギュスト・デュパン。いま思い出した。

2

私　たしかに、そうでしょう。オーギュスト・デュパンは、あなただと思います。それで、教えていただきたいことがあるんですが、最初の『モルグ街の殺人』、あれはどこから考えていったんです？

男　ああいう事件があったんだよ。

私　それは『マリー・ロジェの謎』でしょう。ニューヨークで起った殺人事件を、モデルにしたんでしたね。メアリー・セシリア・ロジァズ殺害事件。

男　知っているなら、聞くことはないだろう。どうも、きみのほうが、私のことをよく知っているようだ。

私　そんなはずはありません。でも、あなたはご自身の作品のことを、かなり話題になすっていたようですが……。

男　そうだとすると、喋らなければ、いけないだろうな。『モルグ街の殺人』か。あれは私がフィラデルフィアで編集していた雑誌にのせたものだよ。

私　グレイアム・マガジンですね。千八百四十一年。百三十八年しかたっていないわけです。推理小説は、まだ若い。

男　私は若くなかったよ。

私　そうでもありません。三十二のときでしょう。

男　元気だけはあったな。仕事もうまく行っていたし……ただ経済的にはうまく行っていなかったから、自分で雑誌を持ちたかった。『モルグ街の殺人』は雑誌の売れゆきを増すために、興味をひとつに絞って、書いたんだよ。だいたい短篇小説は、どういう効果を読者にあたえるか、それを第一に考えるべきだ。

私　謎と論理、といっていいんでしょうか、『モルグ街の殺人』の場合は。

男　論理による解明、という効果だね。そのための興味を、読者に起させるために、謎にみちた事件が必要なんだ。それ以外のものは必要ない。

私　すると、やっぱり完全に矛盾した証言を考えて、オランウータンの犯行を思いついたわけですか。

男　両極端ということが、頭にあったんじゃないかな。人間が命をうばわれるというきわめて人間的なものと、そうした感情とは無縁な行動をする非人間的なものを、結びつけようとしたんだと思う。その対立から、強烈な謎が生れてくる。けれども、論理によって解かれるべき謎という以上に、なまなましい感情を読者に持たれては困る。だから、海のむこうのパリを舞台にして、デュパンの話でストーリイを運んだんだ。

私　ぼくもあなたを見ならって、そういう小説を書いたことがあります。そしたら、臨場感がなくなる、といわれましたよ。

男　読者をどこに立ちあわせるか、という問題なら、論理による解明の場に立ちあわせればいい。事件の起る場に立ちあわせて、読者の感情に余分な効果をあたえることは、統一をみだすだけだ。短篇小説で、もっとも必要なのは、統一なんだからね。それについては、たしかエッセーを書いたことがある。

私　『構成の原理』ですか。効果ということを中心に、あなたは小説を書いた。だから、推理小説の原型を、すべてつくりあげることが出来たんです。いま書かれている推理小説のあらゆるパターンが、あなたの作品から出ているんです。推理小説ばかりじゃない。ぼくは『陥穽と振子』という作品が大好きなんですが、あれは近代冒険小説ですね。

男　悪夢から逃れる方法を、書こうとした作品だな。のがれられない悪夢から、のがれる方法だ。悪夢というのはファンタスティックなものだが、それによって、読者にあたえる恐怖は、リアリスティックでなければならない。それで、スペインの異端審問所の拷問処刑室、という設定をえらんだんだよ。

私　あんな大きな鎌がたの振子が、だんだんおりてくるなんていう処刑道具、ほんとうにあったんですか、異端審問所には。

男　実際にはなくても、かまわないだろう。宗教というのは、人間にとんでもないことを、考えさせるものだからね。あれは悪夢なんだ。気がついたときには、天井で振子が動いている。その恐怖が、読者につたわらなければ、必死に脱出方法を考える主人公が、ばかみたいに見えるじゃないか。最初から、これは夢だ、とわかっている悪夢は、悪夢のうちに入らない。

私　よく悪い夢をご覧になるんですか、あなたは。

男　いまは見なくなったがね。私は神経質な人間だから、よく夢を見た。ただそれを出来るだけ、醒めた状態で考えようとするところから、私の小説が出てくるように思うな。詩人のなかには、ロマンティシストとリアリストが、同居しているものだ。

私　あなたの小説の場合、ロマンティシストを懸命に、リアリストが押さえこもうとしているような感じがします。醒めている感じがするのは、そのせいじゃないか、と思うんですが……でも、本質はロマンティシストなんですね。

男　そりゃあ、ロマン主義の文学で育ったから……。

私　失礼ですが、それ以上に育たれた環境によるんじゃあ、ありませんか。

男　父は旅役者で、挫折してアルコール中毒になって、家出してしまった。母は幼い兄や生まれたばかりの私をつれて、リッチモンドで舞台に立ったが、すぐに死んでしまった。みんな私が、まだものごころもつかないうちのことだよ。リッチモンドのアラン家の養子になって、いくらか成長してから、知ったことだ。

3

私　地震でしょうか。なんだか、足もとが揺れているようですよ。

男　気のせいだろう。ここでは地震なんか、起るはずがないんだ。

私　あなたはボストン生れ。お父さまのデイヴィッド・ポオ氏はボルティモアの生れで、あなたが生れた年の暮ちかくに、家出をなすったんでしたね。お若かったんでしょう。たしか、二十五歳。

男　母は二十一だったよ。

私　お母さまはロンドン生れで、九つのときから、舞台に立っていらしたんでしたね。お亡くなりになったのが二十三、お父さまもそのころ、二十六、七でお亡くなりになったんでしょう。お父さまのことは、よくわからないらしいけれど。

男　妻も若く死んだ。まだ二十五にも、なっていなかったよ。金がなかったから、なにもしてやれなかった。

私　奥さまのヴァージニアさんは、ボルティモアのお生れでしたね。お従妹さん――お父さまの妹さんの娘さんで。

男　ああ、そうだ。金がなかった。なにもしてやれなかったんだ、前の年から死ぬことはわかっていたのに――編集者としての名声も、短篇作家としての名声も、いささかはあったのに、金はなかった。詩人としても、みとめられるようになっていたのに……。

私　雑誌や新聞のお仕事だけだったからでしょう。いまの日本でも、雑誌に短篇を書いているだけでは、なかなかやっていけません。単行本だけでも無理で、車の両輪みたいに、雑誌と本がうまく回転していかないと、だめなんです。

男　日本ではそんなに、『モルグ街の殺人』のようなタイプの小説が、さかんなのかね。

私　あなたのおかげです。お国のアメリカでも、さかんですが、推理小説一本でやって行くのは、むずかしいようですね。日本は推理作家の天国、といっていいでしょう。あなたのような辛辣な批評家はいないから、効果とか文体とか、あまり気をつかわないですみますし、雑誌はたくさんありますしね。

男　批評家は長所を見ないで、欠点を見るべきなんだよ。いいものを見つけだすよりも、もっといいものを見つけだす努力をしなけりゃいけない。まだだめだ、ということが、批評なのさ。

私　『マルジナリア』のなかに、カルデロンの言葉を引用して、そういうことを書いておいででしたね。

男　太陽を見たことがないものが、月を明るいといっても、意味がないというような言葉だったな。そうなんだよ。批評家の仕事というのは、太陽を見つけること、それも、まだだれも見たことのない太陽を、見つけだすことなんだ。

私　あなたの批評がきびしいのは、自信のあるあなたの作品が、世にみとめられないんで、いわば八つあたりじゃないか、というひともいたようですが……。

男　それこそ、八つあたりだね。私は自分の理想にしたがって批評を書いているし、小説を書いている。それだけのことだ。しかし、日本にそんなにたくさん雑誌があるのなら、批評もさぞさかんだろうね。

私　そうでもありません。いまニューヨーク・タイムズのブックレビューなんか、週刊誌の一冊分ぐらいありますよ。でも、日本の新聞は週に一度、せいぜい三ページの書評欄があるくらいです。その三ページのなかで、純文学からノンフィクション、出版界の話題まであつかうんだから、大変ですよ。ぼくもときどき、書評を書くことがあるんですがね。あなたのように、ページ数をあたえられたら、と思います。

男　それだって、雑誌が多いというのは、いいことだよ。思考の速度を早めるためには、情報がじゅうぶん、かつスピーディに供給されなければならない。

私　でも、多すぎてもいけない、と書いておられたじゃないですか。

男　それを知っているなら、短文についての私の意見も、知っているだろうね。

私　雑誌のすぐれた短かい記事を書くのは、一冊の通俗小説を書くのと、おなじくらいの才能がいる、という説でしょう。

男　うん、短文には統一が必要だからね。

私　いっぽう通俗小説に必要なのは、部分的な章句のおもしろさだ、という意見には、敬服しています。けれど、長篇の通俗小説でも、ぼくらは統一ということを、考えていますがね。統一のとれた構成がなかったら、いい長篇推理小説は、書けないと思います。

男　『モルグ街の殺人』のようなタイプの小説は、長篇にはむかないよ。不必要なものが、いろいろ入ってくるだろう。そうでなければ、長く書けるはずがない。

私　もちろん、そうですが――いや、ぼくはなにも、推理小説の生みの親であるあなたに、議論を吹っかけに来たんじゃないんです。実はどうしても、知りたいことがありまして……。

男　いってみたまえ。

私　失礼なような気がして、ためらっているんです。

男　ここまで来て、私にいろいろ話しかけたのが、そもそも失礼なんだ。もう私もあきらめている。なにが知りたいんだね、きみは。

4

私　あなたは奥さんが亡くなってから、アルコール中毒がいよいよ激しくなっていましたね。それでも、新しい自分自身の雑誌を持とうとして、千八百四十九年の六月に、ニューヨークを出て、リッチモンドに行っています。

男　そんなことがあったかね。

私　あなたが四十歳のときです。リッチモンドでは、お若いころの恋人で、未亡人になっていたセアラ・エルマイン・ロイスターと再会して、再婚をしようとなさっている。

男　セアラのことは、よくおぼえているよ。私が十五、六で、リッチモンドに住んでいたころ、近所に住んでいた娘だ。結婚の約束までしたんだが、先方の両親に反対されてしまったんだ。

私　こんどは、反対するひとがなかったわけですね。リッチモンドでは、あなたは『詩の原理』という題で、講演している。講演は失敗ではなかったようだし、新聞にもとりあげられて、あなたは好意的にあつかわれていたらしい。九月にはノーフォークで、やはり『詩の原理』という講演をして、リッチモンドにもどると、次の週、また講演をするはずだった。講演料で生活していたようですが、まあ、ニューヨークに待っているお母さま――奥さんのお母さまに、お金を送るまでのことは出来なかったにしても、セアラとの結婚もほぼ決定的になって、あなたはそれほど、まいっていたわけではないように思うんです。九月の末にはお母さまを迎えに、ニューヨークへ発っている。

男　そうだったかね。セアラと結婚して、母と三人で、リッチモンドで暮すつもりだったんだろう。

私　そうらしいですね。

男　リッチモンドは、私の育ったところだ。落着けると思ったんだろう。

私　ところが、あなたは、ニューヨークには行かなかったんですね。十月三日、ボルティモアの一軒の酒場の前で、意識不明で倒れているところを、発見された。病院にかつぎこまれたけれども、そのまま意識はもどらずに、十月七日朝、あなたは亡くなられた。

男　ボルティモアか。私の父が生れたところだ。妻のヴァージニアが、生れたところだ。私がはじめて、ヴァージニアとあったところだよ。

私　でも、どうしてボルティモアへ行ったんです。ニューヨークのお母さまには、セアラさんと結婚する、迎えに行くまえにするかも知れない、と手紙を書いている。ひょっとして、セアラさんが、お母さまと三人で暮らすことを、反対なすったんじゃありませんか。ニューヨークへ発つ前に、結婚しなかったのは、たしかですから。

男　よくおぼえていないよ。セアラが急に、死んでしまったのかも知れない。

私　書いたものの上では、あなたは強いひとだけれど、実生活では気弱な方だったようですね。だから、からだの弱い奥さんをかかえて、仕事は世に入れられない、お金も入ってこない、というときに、お酒で力づけていたんだろう、と思うんです。そのうちに、アルコール中毒になった。

男　それは、あの男のことだろう。

私　ニューヨークから、リッチモンドへ行くとちゅう、あなたはフィラデルフィアでおりて雑誌社をたずねている。そのときの編集者が、あとでいっているんですよ。あなたはそうとうに、ひどい被害妄想にとらえられていたようだ、と。

男　それは、あの男のことだろう。

5

私　どうなさったんですか。もう少し、こちらに出てきていただけませんか。

男　どうして？

私　お顔が見たいんです。そこは、暗すぎますよ。目が暗さに馴れてきてはいるんですが、まだあなたのお顔は見えないんです。ぼんやりした影絵になっているだけで……。

男　あまり見て、楽しいような顔じゃない。見ないほうがいいよ。

私　写真や絵では、なんども拝見しているんです。お酒のせいで、ゆがんでしまったお顔も知っています。

男　知っているなら、見ることはない。そんなことより、ボルティモアへ行ったわけを、知りたくはないのかね。

私　もちろん、知りたいから、ここまで来たんです。

男　きみはどう思っているんだ？

私　わかりません。あなたについての研究書は、たくさん出ています。それを、ぼくはぜんぶ読んでいるわけじゃない。作品を通じて、それも、おもに小説を通じて、あなたを知っているだけなんです。日本の東京創元社という出版社から、あなたの全集が三巻本で出ているんですが、その第三巻に、西川正身という英文学者のつくった年表がのっています。ぼくの知識は、おもにそこから得たものです。

男　しかし、きみは小説家で、推理小説や怪奇小説も書いている、といったろう。何篇ぐらい書いている？

私　怪奇小説は、もう四百篇を越していると思います。

男　あきれたもんだな。そんなに、書いちゃいけない。でも、それなら想像ぐらい、出来るだろう。

私　小説めいた想像はしていますよ。やっぱり、セアラさんとのあいだに、なにかあったんじゃないか、と思うんです。汽車が出るまぎわに、たとえばあなたがなにげなくいった言葉に、セアラさんもなにげなく、

「あたし、ヴァージニアじゃないのよ」

といったとしましょう。なにげない言葉が、あなた

の耳には突きささった。結婚したら、このひともまた貧困のうちに、死ぬことになるのではないか。あなたは苦しくなって、汽車のなかで、酒を飲みだす。あなたの頭脳は、深酒のために朦朧として、時間と空間のなかを、さまよいはじめた。そして、ニューヨークへは行かずに、ボルティモアへ行ってしまった。

男　なんのために？

私　挫折して、アルコール中毒になった父親を、抹殺するためにです。顔もろくにおぼえていない父親を抹殺して、まったく別なあなたになろうとした。顔も知らないアルコール中毒の父親は、自分に似ている男なんです。ボルティモアについたとき、あなたはあなたであると同時に、父親になっていた。酒を飲みつづけて、市街をさまよううちに、あなたは弱りはてたあなた自身にめぐりあって、死んだんです。すみません。勝手なストーリイをつくってしまって……。

男　あの男が聞いたら、なんというかわからないが、おもしろかったよ。

私　また揺れだした。やっぱり地震ですよ。地鳴りがしている。どっちへ逃げたら、いいんでしょう。

男　怖がることはない。私につかまりなさい。

私　動けないんですよ。こっちへ来てください。逃げなくちゃあ——灰いろの津波みたいなものが、押しよせて来ます。早く逃げましょう。

男　私につかまれ。

私　出てきてくれたんですか。なんてことだ！　あなたはポオじゃない。

男　そうさ、あの男じゃないよ。

私　だれです、あなたは？

男　わからないかね。鴉だよ。黒猫だ。アッシャーだ。ウィリアム・ウィルソンだ。鐘楼の悪魔だよ。

私　聞えません。津波の押しよせる音が大きくて——なんです、あれは？　津波じゃない。灰いろの皺だ。いや、蛆虫のもつれあった塊りかも知れない。助けてください。ここはどこなんです。

男　きみが勝手なお喋りをしたおかげで、私にもやっとわかった。あの男が怒っているんだよ。あの男——ポオの脳のなかなんだ、ここは！

附篇

都筑道夫氏に25の質問

質問1　いつ頃から作家になろうと意識しましたか？

答　十六の時に、劇作家になろうとはっきり意識をしたけれど、小説家になろうと意識したことは、ぜんぜんない。なんとなく小説を書くようになって、ああ作家になったんだなあと意識したのが、処女長篇の『やぶにらみの時計』を出版した後だった。つまり作家にはなりたかったんだけど、ことに推理作家になれるとは思っていなかった。

質問2　作家になる前に、どんな小説に興味がありましたか？

答　あらゆるジャンルの小説に興味があった。今日フローベールを読み、翌日には大佛次郎を読んでいるという有様だったが、むろん中心は探偵小説と幻想小説だった。もっとも手を拡げたのは、昭和十九年から二十年にかけてで、織田作之助や太宰治が若い人達の間で、もてはやされだした時期だった。その頃には織田作之助も読み、太宰治も読み、里見弴から武者小路実篤、その一方でドストエフスキー、モーパッサン、ほとんど手当り次第に、ともかく本というものが明日にも消えてしまうような世の中だったから、焼けてしまわないうちに周囲にある本をみんな読もうという気になっていたのだろう。その傾向が戦後しばらく続いて、まだいちばん最初の探偵小説と幻想小説にしぼられていったようだ。

質問3　SF作家では、誰に興味がありますか？

答　興味がありますか？　という形でなく、ありましたか？　という形で返事をすると、私にSFというものに対する興味をかき立てた最初は、海野十三である。

小説を読んだのではなく、戦争ちゅうに『地球盗難』を連続ラジオ・ドラマでやった。それを聞いたのがSFに興味を持ち出した最初だが、どこに興味をもったかといえば、赤とんぼが大量発生して、一定方向に飛んで行くという場面があったような記憶がある。そして、それを追いかけるように、幽霊みたいなものが飛んで行くような描写があった。そんな所に、当時怪奇小説に興味を持っていたので、そこから『地球盗難』というラジオ・ドラマに強烈な印象を受けた記憶がある。それ以後には、編集者としての職業意識で、H・G・ウェルズからヴェルヌから、いろんなものを読んだが、興味があった作家というと、アシモフ、ブラッドベリ、もう少し後になっては、オールディス、バラード。しかし最近はあまり海外のSFは読んでいない。SFを読まなくなったきっかけと思われるものに、J・G・バラードの『溺れた巨人』を読んで好きになったのだが、どこかで読んだことがあるような気がした。その後、ある必要から『今昔物語』を読み返していた時に、その中に全く同じ話が、同じような書き方であるのを発見して、それでSFが嫌いになったわけではなく、SFの中にあらゆる小説の形態が入っているような気がして、またしばらく日本の古典を読み始めた。そこから子供の頃の興味の一つであった怪談の方へまっすぐ戻っていってしまったので、SFから遠ざかったという形になったのだろう。

質問4　SF作家以外で興味をお持ちの作家には、どんな人がおりますか?

質問5　最も影響を受けたと思われる作家は誰ですか?

答　一緒に答えます。

第二次大戦末期の乱読の時期に、谷崎潤一郎、芥川龍之介、太宰治、いろいろな作家に興味を持った。江戸文芸の山東京伝、式亭三馬あたりにも、ずいぶん夢中になったし、影響を受けたと思う。しかし、小説を商売として書くことになった時に誰にもっとも影響を受け、模倣したかというと大佛次郎だった。その他、久生十蘭、外国作家ではフローベール、という事を考えると、結局それらの作家の技術的な面に影響を受けたのだと思う。ひと頃ナンセンスを書いていたのには当然、山東京伝や式亭三馬の黄表紙、小説以外のものの影響では、アメリカ映画（スラプスティック・コメディ、スリラー）の影響で、私のナンセンス小説、ミステリイ、ファンタジイというものは成立っているようだ。というのは、私が視覚型の作家だから、画面として見たものを技術的にどのように言葉に移すか、という興味で小説を書いていたせいだと思う。

質問6　作品の構想は、どんなところから得られることが多いですか?

答　きどって言えば、自分が生きているということから作品が生まれてくる。もっと普通の言葉で言えば、通りすがりにふと見かけた人の表情から、ひとつの短篇が出来ることもある。しかし大抵の場合は、書くことが何もなくて、いらいらしながら部屋の中を歩き回ったり、机の前で腕を組んだりして、その結果生み出されるアイディアから書き始める。いつも外部の刺激というか、経験の堆積というか、そういうものが無くなってきたのではないかという不安にかられることがあり、あてもなく外に飛び出して、しかし結局何も思いつかずに帰ってきて、机の前に座った途端、ポカっと話が出来る、というようなことが多い。

質問7　作品をお書きになる時、一番気をつけることは何ですか?

答　一分でも早く、きたない字を書くということを心掛けている。はったりめいた言い方にきまっているけれど、字がきたなくなるということは、作品に加速度がつくということで、初めのうちは、どんなに構成がしっかり頭のなかに出来ている場合でも、実際に文字に移す場合には手探りの感じがして、不安がつきまとっているから、どうしても一字一字刻みつけるような字を書くことになる。だいたい自分の設計図通りに話がはこびだしたなと思うと、きたない字で早く書くことが出来るので、それを待ち望んでいるわけだ。

作品全体でいえば、いちばん気をつけるのは、自分が狙っている効果を、的確に表現出来るスタイルを、最初から最後まで持続するということだろう。

質問8　文章は何度も推敲なさるほうですか?

答　推敲はいくらでもしたい。一行一行直して、雑誌に発表されてからそれを本にする時に、また直すということも随分ある。そしてそれをまた再版の時に直すということもするけれども、そういう手間をかけるだけの時間が少なくなっている。しかし、頭の中でたえず、次に出す文章は考えているから、その文章より先に筆がはしるということは殆ない。

質問9　作品を書く時、結末までのプロットを考えた上で書き始める場合が多いですか?

答　短篇の場合でも長篇の場合でも、最後まで構想はきっちり出来ていることが多い。しかし、長篇の場合では、書き始めた時には結末がどうなるか、作者自身にもわからないことは勿論ある。短篇でもそういう感じで書き始める時もあるが、その場合には、書き出しが出来た時には、もう無意識のうちに結末は決まっている。これは二十八年も小説を書いてきたことから、慣れというものが身にしみついているせいだろう。以前は各シーンの効果を考えて、長篇の場合、細かくノートをとったりしていたが、そんなことは出来なくなっている。しかし、短時日の間に短篇を続けて書かねばならない時に、ミステリイであと残り十枚というのにまだ犯人が決まらないで、今までに書いた部分の中から無意識にはった伏線を、作中の探偵になったように発見して犯人を作り出したこともある。けがの功名で作者が始めに犯人を知らなかったために、読者にも最後まで犯人がわからなかったと言われたこともある。だからといって、矛盾した論理で犯人を決めているわけではないので、そういう場合もあっていいような気はしている。勿論、推理小説、幻想小説というものは、読者に与える効果を作者が計算しなければならないジャンルだから、本来、始めに事細かに頭の中で組み立てておく必要はあるだろう。

質問10　今までお書きになった中で、どの作品に特に愛着をお持ちですか?

答　いつもこの次に書く作品が好きだ。しいていえば今のところは『人形の家』と『雷雨』という短篇。どちらも怪談である。

質問11　小説にも様々のジャンルがありますが、今後どのような傾向の作品を手がけていきたいと思いますか?

答　たとえば、恋愛メロドラマのような、センチメンタルな恋愛小説のような、私には興味もなく、書けそうもないジャンル以外は何でもやってみたい。

質問12　現在、日に何枚ぐらいお書きになっていますか?

答　平均すれば、日に五枚から十枚だろう。しかし一日に五十枚書くこともあって、自分が何枚書いているかという実感はつかめていない。

質問13　小説を書くことは、楽しい作業だと思いますか?

答　書き始める前はいつも楽しい。今までのこの欄に登場した方がたには、書き終った時のほうが楽しいという方が多いようだが、私の場合は、書きあげた後、すっきりした感じで仕事の充実感をかみしめているということは殆どない。それでも年に一回か二回は、いい作品が出来たなと思う時はある。しかしその時も楽しいという気はしない。

いつか、長い時間タクシイに乗って、その運転手氏が大変な小説好きで、現代作家の作品をあれこれあげつらって、殆どひとりでおしゃべりをしていた。私はそれを聞いていて大変楽しかったのだが、その運転手氏は「どんな小説でも好きなのだが、ポルノだけは読まない」と言った。そしてゲラゲラ笑いながら、「ポルノってのは、読むものではなくてするものですよ」と言った。私も笑いながら、「ああそうだ。推理小説もSFも、本来書くものではなく読むものだな」と思った。

質問14　いつも読者層を想定してお書きになっていますか？

答　何年小説を書いていても、読者というのはつかまえられない。結局、私が好きな小説が好きなような読者を想定するより仕方がないと思う。

質問15　小説を書く上で、最も役に立った体験は何でしょうか？

答　この質問に答えることは難しい。だいいちこんなことを考えたこともない。

質問16　これからSFを書こうという、若い人に最も忠告したいことは何ですか？

答　他の作家の忠告を聞くな、ということ。他の作家が教えられることで、実行できることは、小説の上では技術的なことに限られている。あとは自分自身の問題だ。それから、編集者との対応法とか、実際に小説を書く作業以外の、実際的なことだけだと思う。

質問17　作家になって最もよかったと思われることは？

答　原稿を売って生活し始めたころ、好きな時に起きて、好きな時に寝られるのが、実に嬉しかった。

質問18　現在の日本社会に不安を感じますか？

答　不安を感じる。あらゆることに、不安を感じている、それをまぎらすために小説を書いている。

質問19　人類が他の惑星に移住する時代が来ると思いますか？

答　移住できる時代は来ると思うが、移住するとは思わない。

質問20　もしタイム・マシンで行きたい時代や場所を選べるとしたら、どこへ行きますか?

答　時代や場所だけでなくて、自分の状況も選べるとしたら、金持ちの旦那になって、文化文政の江戸文化の爛熟した時代に行って、戯作者たちを引き連れて遊んで歩きたい。

質問21　もし変身が可能だとしたら、何になりたいですか?

答　前の質問と重複するかも知れないが、ものぐさ太郎になって、村人におだてられて京へ行ったりしないで、ずっと寝ていたい。お伽草子の『ものぐさ太郎』の変節ぶりに、私は憤慨しているのである。

質問22　もし一人だけ殺すことを許されたら、そうしたい人がおりますか?

答　私は、虫も殺せない人間だ。

質問23　もし今、巨万の富を得たら仕事を止めますか?

答　死ぬまでに天下の奇書を一篇だけ仕上げて、それを贅沢極まる印刷と装幀で二十冊ほどこしらえて、選んだ友人に贈って死にたいと思う。あなたに贈ると思いますか?

質問24　超能力や超自然現象はあると思いますか?

答　大真面目に答えると、あると思うが、気軽にあるとは答えたくない。

質問25　男と女と、どちらがウソつきだと思いますか?

答　芸術活動の上では、男の方がウソをつくのがうまく、実生活では女の方がうまいと思う。ということは、男のほうがずるいということか。

解説　小説師範としての都筑道夫

佐々木　敦

本書は、一九八二年に初版が刊行された『都筑道夫の小説指南』に、その前後に発表された都筑の小説の書き方にかんする評論、コラム、対談、インタビュー等を加えた「増補完全版」である。『小説指南』は一九九〇年に『都筑道夫のミステリイ指南』として文庫化されたが、近年はそれも古書でしか入手出来ない状態が続いていた。最近になって絶版だった講談社文庫が大々的に電子書籍化された際に復活し、ひそかに新たな読者を獲得していた。

「復活」といえば、都筑道夫自身についても同じことが言える。二〇一〇年の後半あたりから、都筑の作品の復刻が続々と行われている。本書の中でも触れられている初期の四長編——『やぶにらみの時計』『猫の舌に釘をうて』『誘拐作戦』『三重露出』が徳間文庫の復刊専門レーベル「トクマの特選！」からボーナス短編と法月綸太郎の新解説を加えてすべて復刊されたほか、ちくま文庫や河出文庫からもさまざまな時期の連作短編集などの復刻が相次いでいる。いや、実際には「復活」ではなく、都筑は一度も消えたことはなかったとも言える。二〇〇三年に亡くなって以後も、二大人気シリーズの『退職刑事』と『なめくじ長屋捕物さわぎ』は広く読まれてきたし、散発的にではあれ文庫リイシューは色々となされてきた。また単行本でもフリースタイルからは名著『黄色い部屋はいかに改装されたか？』増補版を筆頭に『推理作家の出来るまで』『都筑道夫 ポケミス全解説』『都筑道夫の読ホリディ』などのミステリ評論が続々と刊行（本書と同時期に『二十世紀のツヅキです』も発売されているはずである）、変わったものだと二〇二二年に作品社から出た『都筑道夫創訳ミステリ集成』もある。ミステリ、恐怖小説（本人は「怪談」という呼称を好んだようだが）、SF、時代小説、伝奇小説など、多種多様なエンタテインメントの書き手／論じ手として、都筑道夫はいわばマイナーメジャーの知る人ぞ知る王者として、没後二十年の現在もプレゼンスをしかと保っている。先の解説以前からたびたび都筑を論じている法月綸太郎や、「道夫」からペンネームを取った道尾秀介（彼の推薦で『怪奇小説という題名の怪奇小説』が文庫リバイバル・ヒットしたのは記憶に新しい）、『贋作『退職刑事』』を書いた西澤保彦、読書日記などで都筑に何度も言及している阿津川辰海などなど、世代を超えた現役の小説家たちからの支持も厚い。

そんな中、満を持して登場したのが、都筑道夫の「小説」論の決定版と言うべき本書というわけである。とはいえ内容はけっして堅苦しいものではない。第2部に置かれた「都筑道夫の小説指南」は本文でも述べられているように、都筑がその当時池袋コミュニティ・カレッジで担当していた講座の内容が元になっており、受講者（読者）に語りかけるような話し言葉で書かれているし、本書の目玉である第3部「わが小説術」（光文社文庫「都筑道夫コレクション」に抄録されたことがあるが完全版は本書が初収録）も初出が「公募ガイド」ということで、後半の読者との質疑応答にも示されているように、小説家予備軍に向けた、体験的、実践的な内容になっている。もちろん都筑独特の「小説」観も随所に光っており、彼の膨大な作品群を読むための副読本としても機能するものとなっている。

さて、では都筑道夫の「小説観」とは、いかなるものだったのか？　本書を通読してみれば、それはかなりの部分まで明確だと思う。都筑にとって小説とは――本書にはほとんど出てこないが本人が何度も使った文言でいえば――「謎と論理のエンタテインメント」である。「謎」と「論理」と「娯楽小説」である。「謎」はミステリにはもちろん必須だろうが、都筑がこだわったもうひとつのジャンルである「恐怖小説（怪談）」においても、あるいはエンタテインメント一般についても、何らかの意味での「謎」は重要な要素だし、物語を始動し読者を牽引するための強力なエンジンである。ここでいう「謎」とは、より一般化して言えばアイデアということになるだろうが、興味深いのは、都筑が繰り返し、おもしろい話を思いつく方法、それ自体は教えられない、と述べていることである。

　他とは違う独自性を持った話を成立させるための発想は、指南しようにも出来ないのだと。それは結局のところ個々人に根差しているからだし、要するに天啓のごときものだからでもある。代わりに都筑が語ってみせるのは、一言でいえば技術、テクニックである。「都筑道夫の小説指南」の白眉と言うべき自作の三度に及ぶ書き直しにかんするくだりは、「おもしろい話」の「小説」化の具体的なモデルケースとして非常に面白い。だが、小説のテクニックと言っても色々ある。本書の中にもさまざまな技術の話題が出てくるが、中でも都筑が重要視しているのが「描写」である。視覚的な描写への強いこだわりは、彼の時代にすでにそれが廃れつつあったことへの警鐘でもあり、みずから「視覚型」と称した彼自身の自負でもあったのだろう。皮肉なことに、と言うべきか、日本の小説は、いわゆる純文学ともども、本書の親本が出た一九八〇年代あたりから急速に「描写」への欲望を失っていった。私見では、都筑が没した二十一世紀の始め頃には、一部の貴重な例外を除いて、日本の小説から「描写」はほとんど消え去ってしまっていた。だが、もちろんだからこそ、他でもない今、視覚的な描写の上手さは目立つとも言えるのだが。

　小説において「描写」を支えるのは言葉、文章、文体である。都筑は小説にかんするスタイリッシュなこだわりも非常に強かった。初期の作品ではそれは叙述形態の大胆な実験にも反映されていたが、売れっ子作家となり、これも本書で何度も語られているようにひと月に何本も短編を生産しなくてはならなくなり、連作形式やシリーズ・キャラクターが増えていくと、細部に対する文体的なこだわりだけが残った（それも後期には次第に消滅してしまうのだが）。都筑はミステリにおける「トリック」偏重に異を唱えたが、読者を惹きつける「謎」さえ思いつけば、あとは適切で正確な「描写」を含む魅力的な「文体」さえあれば、どうにかなる、どうにでもなる、と思っていたらしきことが本書を読むと窺える。いや、それだけではまだ足らない。そこで出てくるのが「論理」である。都筑の言う「論理」の意味するところは単純ではないが、ひとつにはそれは読者の「納得」ということだろう。辻褄を合わせるということ（だけ）ではなく、なぜどうしてそうなったのかを読む者が逐一ロジカルに理解出来るということを都筑は重視した。そしてそれゆえに、その上で最後に「納得」を宙吊りにしてみせる彼得意の「怪談」の書き方が編み出されたのだ。都筑の恐怖小説は雰囲気でも情緒でもなく、それもやはり「謎と論理のエンタテインメント」なのである。

そう、都筑は「エンタテインメント」ということにも一貫してこだわりを持っていた。必ずしもミステリ作家になるつもりはなかったと本人は語っているし、本書に併録された鏡明との対談ではいつまでたってもプロになった気がしないとも述べているが、それはやはり半ば本音半ば謙遜であって、彼は自分の「娯楽小説」に自信を抱いていたはずだ。

この点で感慨深いのは、本書第1部「エンタテインメント小説の書き方を伝授しよう」の第1講「ウォーミングアップ」の書き出しは「エンタテインメント小説とは、読んで字のごとく、自分が楽しむより先に読者を楽しませる小説と、僕は考えています」なのだが、第3部「わが小説術」の最終回に当たる第25回「もっと自由に」には「つまるところ、作家は自分自身のために、小説を書くのである。そして、たったひとりでも、自分の小説の一冊を、生涯わすれられない、という読者がいてくれれば、作家はしあわせなのである」と書かれていることである。都筑道夫というエンタテインメント作家は、この両極の間で揺れていたのだと思う。

本書における「指南」の中には、現在からすると、ことにインターネット以降の執筆／読書環境という点で、かなり古びてしまったものも少なくない。取材や資料についてはネットによって作家の労力は大幅に軽減された（二度も名前が出てくるジョン・クリーシィ——別名義にJ・J・マリック——は今日ではほぼ完全に忘れられた作家である）。あるいは「モダン・ハラー（モダン・ホラー）」にかんしても、都筑の言及はスティーヴン・キングが『シャイニング』を出した時点に留まっている（キングやホラーについては風間賢二の一連の著作が必読）。本書を読んでも、キングをこれほど評価していた都筑自身が、なぜ彼ならではの本格的な「モダン・ハラー」の大長編を書くことがなかったのか、また、なぜスタイリッシュでツイストの効きまくった初期作のような長編を、本書以降も再び書くことはなく、どちらかといえば長年の経験値と手癖——もちろん愛読者にとってはそれも美味しいのだけれど――で書いたような、精巧で機知に富んだ、だが地味といえば地味な、よく言えばいぶし銀のミステリや恐怖小説を量産していくことになっていったのか、といった疑問への答えは与えられない。その意味では、本書はやはり歴史的な文献というべきなのかもしれない。もちろん、そのことだけでもじゅうぶんに意義があるのだが。

だが、やはりそれだけではない。実は私が本書を読んで最も興奮させられたのは、佐野洋との対談「現代ミステリーの問題点」である。これに先立ち、都筑と佐野の間にはいわゆる「名探偵論争」(一九七八)があった(『増補版　黄色い部屋はいかに改装されたか?』所収)。だが、この対談は前段となる応酬以上に面白い。面白いだけでなく、有益である。特に「一人称と三人称」でのやりとりは、ミステリやエンタテインメントに留まらず、こんにちの「小説」において「人称」と「視点」ということを考える上で刺激的なヒントを与えてくれる。これは私自身の問題意識と重なるからでもあるが、同様に読者の方々は、それぞれの興味関心によって本書から数多くの示唆を受け取ることが出来るだろう。それらは書くことにも、読むことにも、等しく適用される。

(ささき・あつし)

初出・底本一覧

エンタテインメント小説の書き方を伝授しよう：「ＳＦイズム」第一号（一九八一・五）～第七号（一九八三・七）
都筑道夫の小説指南：講談社、一九八二／改題『都筑道夫のミステリイ指南』講談社文庫、一九九〇
わが小説術：「公募ガイド」一九九五・五～一九九七・五
ほんとうに怖い話が好きだ！：「ＳＦアドベンチャー」一九八四・十二／『ホラー・コネクション　高橋克彦迷宮コレクション』角川文庫、二〇〇一
現代ミステリーの問題点：「別冊小説現代」一九八二冬
都筑道夫に教えてもらったこと：「綺譚」一九八〇・六
ポオさん、お顔を見せてください！：「ＧＡＬＬＡＮＴ　ＭＥＮ」一九七九・九／『超時間対談』集英社、一九八一／集英社文庫、一九八五
都筑道夫氏に25の質問：「奇想天外」一九七七・十／『なぜＳＦなのか？　奇想天外放談集1』奇想天外社、一九七八

本書は、講談社刊『都筑道夫の小説指南』を基に、著者による小説に関するエッセイ・対談を増補し再編集したものです。

本文中、明らかな誤りと考えられる箇所は訂正し、ルビは適宜整理しました。また、編集部による注釈を「＊」としてそれぞれの項目の末尾に記しました。

本文中、今日の人権意識に照らして、不適切な語句や表現が見受けられますが、著者が故人であること、発表当時の時代背景や作品の文化的価値に鑑みて、そのままとしました。

装画　平木　元
装丁　細野綾子

都筑道夫

1929年、東京生まれ。10代で小説を発表。のち早川書房で日本版「エラリイ・クイーンズ・ミステリ・マガジン」の編集長を務め、海外推理小説の翻訳・紹介、また「ハヤカワ・SF・シリーズ」の創刊に携わる。61年、初のミステリ長篇『やぶにらみの時計』を中央公論社より刊行。以後、評論やエッセイで活躍。70年代後半からは池袋コミュニティ・カレッジなどで創作講座の教師を担当。2001年、『推理作家の出来るまで』で第54回日本推理作家協会賞（評論その他の部門）を、02年、第6回日本ミステリー文学大賞を受賞。03年死去。

都筑道夫の小説指南
——増補完全版

2023年10月25日　初版発行

著　者　都筑道夫
発行者　安部順一
発行所　中央公論新社
〒100-8152　東京都千代田区大手町1-7-1
電話　販売 03-5299-1730　編集 03-5299-1740
URL　https://www.chuko.co.jp/

DTP　今井明子
印　刷　図書印刷
製　本　大口製本印刷

Published by CHUOKORON-SHINSHA, INC.
Printed in Japan　ISBN978-4-12-005702-1　C0095

中央公論新社　好評既刊

松本清張推理評論集
――1957―1988

戦後推理界に「社会派」の領域を拓いた巨匠による、知られざる論跡の全貌。単著・全集未収録のミステリ関連評論三十八篇（＋α）を初集成。

解説・巽昌章

単行本